【東大塾】

社会人のための
現代アフリカ講義

遠藤　貢・関谷雄一 ✤ 編

東京大学出版会

Public Lectures on Contemporary Africa
Mitsugi ENDŌ and Yuichi SEKIYA, Editors
University of Tokyo Press, 2017
ISBN978-4-13-033074-9

まえがき

　2017 年の夏に駒場で例年開講している後期課程の「アフリカ国際関係」の授業を履修していた中に，ケープタウン大学でのサマースクールに出かけるという二人の学生がいました．1980 年代に学生時代をおくっていた身から顧みると，まさに「隔世の感」を抱かずにはいられませんでした．当事研究対象にしていた南アフリカは，アパルトヘイトの改革と変動を迎え混乱している時代でしたが，現地調査に行くというようなことは選択肢の中にはありませんでした．ただし，サマースクールに限らず，また学部生，大学院生に限らず，最近では指導学生などが頻繁に，しかも長期にわたる調査などを目的としてアフリカ滞在することがきわめて一般的になっています．それだけ，アフリカという地域が「近く」なったのだろうと思います．

　しかし，他方で依然としてアフリカは「遠い」大陸だというのが普通の日本の人たちにとってはより実感に近いのかもしれません．最近は頻度が減っているような印象を持っていますが，以前はよく「なぜアフリカ（などという日本とそんなに関係のない地域）のことを研究しているのか」ということを質問されました．確かに多くの人にとってアフリカという地域をよりよく知ることが何か大きな意味を持つということは無いだろうとは思います．しかし，アフリカという地域は，いろいろと「知的好奇心」をかき立てる魅力にあふれ，勉強すればするほどわからなくなるところが面白いということもできるように思います．

　アフリカは現在 54 ヵ国から構成されていますが，本講義で主に対象となっているサハラ以南アフリカ（サブサハラアフリカ）は，北アフリカ諸国を除く 48 ヵ国からなる多様な世界です．人口も約 10 億人（2016 年現在）を突破しています．ルワンダの大虐殺やソマリアでの「ブラック・ホーク・ダウン」などで「紛争大陸」とみられ，今日でもナイジェリアのボコ・ハラムに代表されるような不安定性を有しているという見方は一般的だと思います．他方，人口規模にも示されるように経済市場として「最後のフロンティア」と考えられた

り，稀少資源の産出に注目して「資源大陸」とも考えられるなど，現代世界におけるユニークな地域としての認識もあります．さらには近年の中国の経済進出の影響が，様々に伝えられ，最近ではケニアでの鉄道建設（ナイロビからモンバサ）に注目が集まりました．その多様性とその変容過程の全貌を理解することは非常に難しいのですが，本書では，執筆者（講師）それぞれの立場から，変容するアフリカへの様々な問題がユニークな視座から検討されています．

　本書は，2015年秋季に開催された「グレーター東大塾」アフリカ「飛躍するアフリカと新たなる視座」での10回の講演をもとにしてその内容を編集したものです．2015年は，翌年の2016年に初のアフリカ開催（ケニアの首都ナイロビ）となる第6回アフリカ開発会議（TICADVI）を前に，「最後のフロンティア」とも評されてきたアフリカに一定の関心が寄せられた時期でもあり，日本在住のアフリカ出身の方をはじめ民間企業の方からも多くの参加者を得ることが出来，また高度な質問を出していただきました．その後，TIVADVI に向けてはアフリカが抱えるいくつかの課題が現われることになりました．第1に中国経済の減速などに起因する国際資源価格の下落による経済成長の後退，そして第2にエボラ出血熱の流行のもとで明らかになった保健システムの脆弱性，そして第3に西アフリカや北東アフリカ地域での暴力的過激主義の拡大，といった課題です．換言すれば，第1の課題は，2000年代に入ってから，アフリカには特に資源価格の上昇と連動する形での高い経済成長がみられてきたものの，一局面として経済の停滞が生じていることでした．また，第2，第3の課題に示されているように，アフリカにおいては依然として十分なガバナンスが実現していない，あるいは政府が機能しないといった状況の下に，様々な安全保障上の課題が表出されている状況が継続している状況があります．しかし，本書でも改めて示されているように，アフリカは課題の山積する地域というだけではなく，多くの潜在的な力を持つダイナミックな大陸でもあります．本書が，少しでもアフリカに関心を持った読者にとって，この魅力的な地への一つの導きとなることを強く願っています．

　2017年8月

遠藤貢

東大塾

社会人のための現代アフリカ講義

目次

まえがき i

第1講　変容するアフリカ
——その新たな視座への誘い　　遠藤　貢

はじめに ……………………………………………………………………4

1　人々の移動と交易の盛んな大陸 …………………………………4

2　15世紀以降のアフリカを考える視座 ……………………………5

3　植民地主義国家（colonial state）………………………………8

4　独立期のアフリカ国家の特徴 ……………………………………11

5　グローバル化の進行下でのアフリカの新たな適応の様式とその現象
　　化 ………………………………………………………………………16

6　「主権」をめぐる問題群………………………………………………20

第2講　グローバル化するアフリカをどう理解するか
——資源・食糧・中国・日本　　平野克己

はじめに…………………………………………………………………28

1　アフリカ経済はどうして成長してきたか …………………………28

2　アフリカに投資が入ってきた ………………………………………29

3　アフリカの消費爆発 …………………………………………………30

4　サブサハラ・アフリカの輸出構成 …………………………………32

5　各国のアフリカ輸入 …………………………………………………33

6　"資源の呪い" ………………………………………………………34

7　国際テロとアフリカ …………………………………………………36

8　アフリカの経済成長はいつまで続くか ……………………………37

9　経済予測比較 …………………………………………………………38

10　日本および東アジアの食料安全保障 ……………………………40

11　アフリカは物価が高い………………………………………………41

12　中国のアフリカ政策…………………………………………………42

13　中国をめぐる各国の動き……………………………………………43

14	南アフリカのアフリカ域内貿易	45
15	南アフリカ企業の展開	46
16	日本経済の閉鎖性と低成長	47
17	日本企業の課題	48

第3講　政治

——長期の視点でアフリカを理解する　　武内進一

	はじめに	54
1	独立後アフリカの政治経済	54
2	アフリカ諸国の共振を理解する——独立をめぐって	57
3	冷戦期アフリカの政治経済	61
4	冷戦終結と紛争の頻発	64
5	2000年代以降のアフリカ政治	68
	おわりに——アフリカ政治の見取り図	74

第4講　産業資源

——アフリカ・ビジネスの可能性と課題　　白戸圭一

	はじめに	80
1	サブサハラ・アフリカのGDP成長率	81
2	サブサハラ・アフリカ向け外国直接投資額の推移	82
3	アフリカにおける日本の直接投資総額	83
4	日本による投資受け入れ上位5ヵ国	83
5	EUによる投資受け入れ上位5ヵ国	85
6	アメリカによる投資の受け入れ上位5ヵ国	86
7	中国による投資受け入れ上位5ヵ国	86
8	資源開発	86
9	アグリビジネス	87
10	産業資源の投資が1つの国を作り替えてしまうくらいのインパクトとは	89
11	地元の反対運動に直面する石油企業　ケニアの事例	90

12　プロサバンナへの反対　モザンビークの事例……………………91

13　土地，経済成長を巡る認識のギャップ…………………………91

14　アフリカ農業の低生産性…………………………………………93

15　「農地」を「原野」と誤認する外国企業　………………………93

16　土地制度の問題……………………………………………………95

17　アフリカにおける「国家」とは？………………………………96

おわりに　人口爆発にどう対応するのか……………………………97

第5講　アフリカと日本のかかわり
──そのあり方と新しい展開　　　　高橋基樹

はじめに　「リオリエント」とアフラジア……………………………106

1　「希望の大陸（？）」アフリカとその高度成長……………………108

2　日本の自助努力支援と東アジア…………………………………110

3　開発・工業化のための条件とは─先進国と東アジアの経験から…112

4　アフリカに開発・工業化の条件はそなわっているのか…………117

5　世界経済の構造変化とアフリカ…………………………………127

おわりに　アフラジアの復興と日本の役割　………………………132

第6講　アフリカにおける〈伝統〉の創造と変容
──マダガスカルの改葬儀礼から考える　　　　森山　工

はじめに　………………………………………………………………136

1　マダガスカルと〈シハナカの地〉………………………………136

2　シハナカにおける墓とファマディハナ…………………………138

3　シハナカにおける墓の個別化……………………………………146

4　メリナにおける墓の形態…………………………………………151

5　メリナにおけるファマディハナ…………………………………155

おわりに　………………………………………………………………157

第7講　現代アフリカの農村開発

——三国三様の現状　　　　　　　　　関谷雄一

はじめに ……………………………………………………………164

1　ニジェール（参加型アグロフォレストリー）………………164

2　ケニア（地域社会組織の台頭）………………………………176

3　マラウイ（農民自立支援の最先端）…………………………185

第8講　アフリカにおける紛争と共生

——ローカルな視点から　　　　　　　　太田　至

はじめに ……………………………………………………………196

1　アフリカにおける紛争とその解決のための「主流の試み」………197

2　パラヴァーという「伝統」……………………………………201

3　ボラナ社会のクラン会合………………………………………203

4　トゥルカナ社会の婚資交渉……………………………………208

おわりに ……………………………………………………………214

第9講　アフリカにおけるグローバル化を考える

——ナイジェリアの紛争から考える　　　島田周平

はじめに ……………………………………………………………220

1　ナイジェリアの政治概観………………………………………221

2　ナイジェリアの軍事政権の影響………………………………224

3　1999年以降の民主政治と二つの紛争 ………………………227

4　過激化する二つの紛争とその現在……………………………229

5　2015年の総選挙 ………………………………………………235

6　ブハリ政権が直面する問題……………………………………237

第10講 アフラシアを夢見る

──アフリカとアジアの架橋を目指す国際関係論　峯　陽一

はじめに ……………………………………………………………244

1　予見可能な未来……………………………………………………245

2　アフラシアの汎民族主義者の夢………………………………250

3　歴史から学ぶ………………………………………………………259

あとがき　269

社会人のための
現代アフリカ講義

第1講
変容するアフリカ
その新たな視座への誘い

遠藤　貢
東京大学総合文化研究科教授

遠藤　貢（えんどう　みつぎ）
1962年秋田県横手市生まれ．その後秋田市で育つ．
1987年東京大学教養学部教養学科第三国際関係論分科卒業．1993年英ヨーク大学大学院南部アフリカ研究センター博士課程修了．東京大学大学院総合文化研究科国際社会科学専攻助手，東京大学大学院総合文化研究科国際社会科学専攻助教授を経て，現在，東京大学大学院総合文化研究科国際社会科学専攻教授．DPhil. 専門は，アフリカ現代政治．
主な著作に，『崩壊国家と国際安全保障：ソマリアにみる新たな国家像の誕生』（有斐閣，2015年），『武力紛争を越える：せめぎ合う制度と戦略の中で』（京都大学学術出版会，2016，編著），『日本の国際政治学3　地域から見た国際政治』（有斐閣，2009年　共編著），など．

はじめに

第1講は包括的にまとめる講義をしようとも考えたのですが，それよりは私の専門である政治学，国際政治学，あるいは比較政治学という分野に少し引きつけながら今日世界におけるアフリカの課題に関わる問題意識を提供することとします．

1 人々の移動と交易の盛んな大陸

アフリカ大陸は歴史的に交易，あるいは人の移動が激しく存在した世界であり，大陸であります．特に，いわゆる大航海時代といわれる時代以前には，サハラ砂漠を縦断する形で北に位置するイスラム世界との活発な交易が行われました．その結果，現在の西アフリカには，その交易で栄える多くの王国や帝国が存在することになりました．現在ガーナという国がありますが，植民地時代にはゴールド・コーストと呼ばれていたとおり，金を産出する地域で，そうした金を目指してさまざまな物資を交換するためにもってくる交易ルートがございましたし，さらには現在のマリ共和国には，トゥンブクトゥという歴史的なモスク，あるいは学校がある有名な町があって，そこには多くの研究蓄積がありました．しかしここも最近の西アフリカにおけるイスラム勢力の台頭によって大きな被害を受けるという事件が起きたりしています．

単純化はできませんが，いろいろな形で人も移動しますし，交易も盛んな大陸ということで，歴史研究が行われてきている状況がございます．

1-1 古王国の繁栄

こうした中でいくつかのいわゆる古王国というものが生まれました．すでに触れましたように西アフリカでは金の交易によってさまざまな王国，帝国と呼ばれるものが形成されました．さらにアフリカの南部ではグレート・ジンバブウェという遺跡で有名ですが，それが現在のジンバブエという国の国名の由来にもなっています．ここにおいては農業や鉄といったものをベースにした王国が13世紀から14世紀頃に形成されました．

また，東アフリカでは現在のケニア，あるいはタンザニアという国にお

いてスワヒリ語という言葉が話されていますが，これもアラブ世界との海上交易の中でアラブと融合した文明が形成されたことが背景にあります．中心的な街としてキルワが有名で，そこが文明，あるいは交易の拠点として歴史的に形成されました．また，現在のタンザニアの沖合いにザンジバルという島がありますが，そこはオマーンのスルタンが 19 世紀後半に主に奴隷貿易などを行う拠点として使ったという歴史もあります．ダウ船と呼ばれる船による交易が非常に盛んな形で行われた地域です．

　さらにアフリカの中央部にも歴史的には古王国と呼ばれているものがあります．コンゴは，現在では非常に不安定な国の 1 つですが，コンゴ川があり，この河川を行き来する文明が形成されます．特に大航海時代の幕開けとしてアフリカに進出を始めるポルトガルとかなり早い段階から関係をもち，一定のキリスト教文明を受け入れるという形で新しい王国を建設する動きも出てまいります．しかしこうした内陸部に形成された古王国に関しては，いわゆる大航海時代が進み，海上交易が中心になっていくと，その繁栄については後退を余儀なくされます．

2　15 世紀以降のアフリカを考える視座

　このように大航海時代以前，あるいは以後，いろいろな古王国が出てくるわけですが，ここでアフリカという地域を歴史的にとらえるためにどういった視点が考えられるかについて考えておきたいと思います．これはこれまでの歴史研究等においても比較的共有されている見方ではないかと思いますが，グローバルな文脈で展開しているプロセスと，アフリカというローカルな場での現象が交錯する状況が生まれている，ということです．アフリカはよく客体として歴史の中で位置づけられるという面もありますが，実は外の世界に非常に積極的に働きかけるという主体的な側面も併せて持っている地域であるということをここでは確認しておきたいということです．

　マクロなプロセスとしては，ポルトガル以降のインド航路の開拓といった形で，特に沿岸部における交易活動が盛んになります．これ以降が，いわゆる大西洋三角貿易を中心とした奴隷貿易の時代です．そして，19 世紀にはアフリカ大陸内陸地域にまで影響力を及ぼそうとする植民地分割と

いう動きが出て，いわゆる 1884 〜 85 年のベルリン会議でアフリカの植民地分割が行われることになります．この後，19 世紀末から植民地という形での経営が行われ，それが最終的にはおおむね 1960 年代に終焉して，アフリカ諸国が政治的な独立を達成します．その後，いわゆる「ポストコロニアル」と呼ばれる状況があります．これは植民地期を経験した世界，そして社会ととらえる一つの視点です．こうした経験の後，1990 年代以降いわゆるグローバリゼーションと呼ばれる時代に立ち至っているのです．

　こうした世界的な趨勢の中で実はアフリカの地域もそれぞれの時期，そしてそれぞれの地域において多様な対応様式を主体的にもってかかわってきたというとらえ方をしていただくほうがいいのではないかと思います．

2-1　植民地化以前のアフリカ世界への関与

　奴隷貿易においては，多くの奴隷の売買が行われました．最も有名なのはいわゆる「大西洋三角貿易」ですが，それ以外にもアフリカ域内でも奴隷の売買が行われていますし，こうした奴隷はヨーロッパにも実際に持ち込まれるということがございました．

　大規模な奴隷貿易が行われるようになるのは大西洋三角貿易からで，新大陸，アメリカ世界においてさまざまなプランテーション経営における労働力が必要になったことに由来しています．奴隷は労働力を提供することが期待される一方，人間としての権利を全くはく奪された形でアフリカから新大陸に連れていかれたのです．奴隷はヨーロッパから持ち込まれるさまざまな物資と交換される形でアフリカ大陸で調達され，新大陸では奴隷を提供する見返りに，砂糖など新大陸での生産品を入手してヨーロッパに持ち帰る交易が行われました．

　大西洋三角貿易での奴隷数に関してもいろいろな研究があります．フィリップ・カーティンの有名な研究によると，15 世紀半ばから 19 世紀後半にかけて約 1000 万人弱の奴隷が大西洋三角貿易という枠組みの中でアフリカから連れていかれたという試算が出されています．ただ，この試算自体は通説でいわれている人数よりもかなり低い見積もりになっているということに関していろいろ議論があります．

　このアフリカからの奴隷の輸出をめぐってアフリカにもさまざまな影響

が及ぶことになります.

　一体「誰」が奴隷になったのか？　ということですが,奴隷狩りを実際に行う,あるいは奴隷狩りという形で提供したのは実はアフリカの人々であって,ヨーロッパ人が来て彼らが奴隷狩りを行ったわけではありません.アフリカの社会の中で,例えば域内での戦争で捕まった人たち,さらには社会の中において罪を犯した人,さらには奴隷として売買することを目的として狩られた人,あるいは攫われた人といった形で調達された奴隷を,アフリカにおける一部の政治的に影響力を持つ人たちがヨーロッパの人たちと取引をするという手続きがとられました.したがって奴隷を売買する,あるいは奴隷を交換するということを通じて繁栄するアフリカ域内の王国や首長国といわれるものが実際には形成されていくことになります.実は奴隷交易はアフリカにおける政治のあり方に極めて大きな影響を及ぼしたという面を持っているということが従来から指摘されているところです.

　これに加えて経済的にも交易を通じていろいろな新大陸における農産物が入ってくる.トウモロコシとかジャガイモといったものがありますが,そうしたものが入ってきたり,さらにはヨーロッパから輸入する工業製品によって現地の産業のあり方に大きな影響を及ぼしたといった理解がなされています.

2-2　植民地化以前のアフリカ世界への関与

　こうした奴隷貿易,交易に関してはいろいろな形の反対運動が後に出てくることになって,それが後々のアフリカにおける国家の樹立につながったという事例もあります.ここでは2つの事例だけを示します.1つは,後のシエラレオネという国がどのように形成される契機があったかということです.もう1つは,リベリアという国がどのようにして建設されることになったのかということです.この2つはある種の類似性を持っていますが,成り立ちがやや異なっている面があります.

　シエラレオネに関しては,18世紀末にイギリスの奴隷貿易廃止論者が民間の力で,現地ですでに奴隷船に乗せられてアメリカ大陸に連れていかれる途中の人たちを救出するという形で行われた事業がその背景にありました.救出された奴隷はフリータウンと呼ばれる,現在のシエラレオネの

首都になっていますが，そこに入植するということになりました．実際，ここに入植することになった「奴隷」の多くの人たちは，ナイジェリアにヨルバという民族がいますが，その人たちが多かったといわれています．ですから新大陸に渡らずに，現在のナイジェリアから連れ出され，その途中でフリータウンに入植する形になったということで，ローカルな社会とある意味ハイブリッドなクレオール社会が形成される契機につながっていったという理解がなされています．

　これに対して隣国のリベリアはアメリカの植民協会が，すでにアメリカに渡っていた奴隷解放を進めるために新たに建設したという経緯を持っている地域です．今日のリベリア海岸にモンロビアという，当時のアメリカ大統領の名前を付けた町を建設して約 1 万 5000 人の解放奴隷をこの地にアメリカから連れて行って入植させることになります．この結果，この地域は 1848 年に独立を果たし，アフリカで最も早い独立国だといわれることがあります．リベリア，まさにリバティ，自由なる国という名前をもって建国されることになります．

　しかし，シエラレオネと大きく異なっているのは，すでにアメリカに奴隷として連れていかれ，一旦，アフリカ社会とは関係が切れた人たちが入植した点です．この入植者たちはこの地域ではアメリコ・リベリアンと呼ばれ，現地と同化することなく，リベリアという国の政治的支配層を形成するという経緯をその後歩んでいく形になります．実際に，こうしたアメリコ・リベリアンと呼ばれる人たちと現地の人たちとの対立があり，それが 1989 年に勃発したリベリアの凄惨な「内戦」の前史を形成する形となりました．

3　植民地主義国家（colonial state）

3-1　植民地主義国家としての「近代国家」の移植

　19 世紀末から今世紀初頭にかけて，いわゆる「近代国家」的なものがアフリカに移植されるという流れになります．実は植民地における新しい近代国家の移植がアフリカの独立後におけるアフリカの政治にも極めて大きな影響を及ぼすという結果をもたらしている面がありますので，この点について改めて確認しておきたいと思います．

植民地は基本的にヨーロッパにとって必要なさまざまな熱帯農業産品を効率的に生産し，それを提供してくれることを期待されている地域です．従って植民地主義国家はできるだけ現地との軋轢を起こさないことが望まれたわけです．軋轢を起こして現地の人たちを大量に殺さなければいけないとか，軍事的に制圧したけれども，経済的に全く生産できないことになってしまうと元も子もないのです．したがって，現地の首長と交渉し，植民地としての統治を受け入れるところもあるわけですが，突然ヨーロッパの兵力がやってきて，ここについては我々の領土になったと言われても承服しかねる人たちが当然出てくる．そうすると，そうした植民地化に対する強い抵抗運動が起きるという事態が生じ，数十万人規模の犠牲を出す反乱が起きたという多くの事件も初期にはあったわけです．しかしそれは基本的には望まれることではないので，抵抗運動をいかに引き起こさずに効率的に管理・統治していくかということが植民地主義国家にとっては極めて重要な政策課題でした．

3-2　二つの統治理論の導入

そこでそうした統治を実践するために持ち込まれたものが二つの統治の論理と呼ばれているものです．これはウガンダ出身のマフムード・マムダニ（Mahmood Mamdani）という歴史学者，政治学者が用いている言葉ですが，「二面性をもつ国家」（bifurcated state）とここでは訳しています．その二面性とは一体何かということがあるわけですが，植民地統治はあくまでも民主的な体制ではなくて，極めて専制的な体制でした．しかし，現地の抵抗が強く起きることは回避しなければいけないということがあったので，できるだけ専制政治的な側面を隠しながら統治を行うというやり方をとります．

①分権化された専制政治

そのために導入された1つの統治の仕組みが，それがいわゆる間接統治といわれるものになります．これはアフリカのそれぞれの社会の中に，慣習法的なものがあると考え，現地における統治の様式ルールを民族学者に調べさせ，そのルールを成文化するという作業を進めるわけです．ここ

で「発見された」慣習的な立法に基づいてアフリカの人たちが居住している地域に関する統治を行う．それによってアフリカの人たちからすれば従来型の統治が依然として行われていると「認識」し，植民地政府と直接対峙するということになりにくい面をもつことになりました．

②集権化された専制政治

他方，集権化された専制政治（centralized despotism）は白人が入植するという形で形成された領域（ここでは都市としておきます）に適用されたルールだと考えていただければいいと思います．都市では白人の入植者にとって本来ならヨーロッパにいたときと同じサービスを受けられることを第一義的な目的に政治，行政が行われます．したがって，その都市にはできるだけアフリカの人たちを入れない形で管理・運営をされる空間という意味をもつことになります．

③二つの公共領域の生成

こうした二重の統治が行われた帰結としておそらく誕生することになるのが，二つの公共領域であります．ピーター・エケー（Peter Ekeh）というナイジェリアの社会学者が今から 40 年ぐらい前に議論したことですが，1 つは，原初的公共領域（primordial public）で，これは先ほどの間接的な統治が行われた結果として誕生した 1 つの公共空間というふうに理解していただければいいと思います．それはアフリカ社会だけではないのですが，いわゆる部族とかエスニック集団というグループなどの特定のグループの社会が形成されるということになります．しかも，この原初的公共領域を担保しているのは「モラル」というキーワードです．実はモラルという概念はアフリカにおけるさまざまな研究の上で極めて中核的な概念だと私自身は考えています．日本では「道徳」と通常訳される言葉ですが，日本においては，ナショナリズムの問題につながっていきます．ここにおいてもある種，社会的な紐帯とか連携といったものが含意されている面があります．したがって，従来の親族関係（kinship）がこの植民地期に導入された統治のあり方によって，新しいモラルの関係（moral relationship）によって結びつけられ，ある種の部族とか「エスニック集団」が形成されて

いくというダイナミズムが起きたという領域だと考えていただければいいと思います.

実はこれ以外の公民的公共領域（civic public）も形式上は存在していました. しかしここには「モラル」がない. 通常, 植民地は領域が厳密な境界を引かれているわけですが, 通常, 近代国家においては「国民」がつくられていくということが領域において求められるはずのものであるわけですが, 実はアフリカでは, 原初的公共領域におけるアイデンティティとか共通性みたいなものが強調される一方で, 植民地全体に関わる共通のアイデンティティとかモラルの形成はほとんど行われませんでした. これが独立後における民族対立とか, あるいは tribalism とかいろいろな言葉でいわれる民族間の関係を大きく規定する役割とか影響につながっていくことにもなります.

4 独立期のアフリカ国家の特徴

アフリカ諸国が政治独立するのは 1960 年前後で,「ブラックアフリカ」と呼ばれていた地域で最も早く独立したのが現在のガーナで, 1957 年です.「ブラックアフリカ」ではありませんが, その 1 年前の 1956 年にスーダンが独立します. そして 1960 年にフランスの植民地が大挙して独立したため, アフリカの年と呼ばれ, また同年, 国連総会でいわゆる植民地独立付与宣言が採択され, 植民地解放が次々と進められていくことになります. これは自決権を植民地統治下におかれた人たちにも認めますという国際的な公約として理解できるものです. しかし, いくつかの条件が付いています. その一つがウティ・ポシデティス（uti possidetis）という, ラテンアメリカ諸国が独立したときに適用された原則をアフリカにも適用するということで, 植民地期に引かれた国境は基本的に変更せずに独立をするということです. ただし, 従来であれば, きちんと行政を行うことができる政府が樹立できるということが国際法上, 国家として承認される重要な要件になっていたわけですが, そこが外れ, 独立の条件は緩和されることになりました. したがって, アフリカの国々は独立した直後から, 効率的な行政をつくるという意味での国家建設と, 植民地期に分断されてしまっている国民をきちんと統合していく国民統合という極めて重い課題を背

負うところから出発しなければいけなかったことがここには示されています．

4-1　独立後アフリカ国家の特徴：国内政治の文脈

ナシル・ケーキとしての国家

こうした形で独立したアフリカの国々ですが，アフリカの国家とは何かという問題が出てくることになりました．アフリカの国家は結局，行政を行うことができる制度や組織をつくることができていない．ただし，援助とか関税収入とかいろいろあって，一定の財源とか資源をプールしている存在だということが 1980 年代までの研究で指摘されます．ですから国家は結局，それを取り巻く政治エリートがその資源をどう分捕るかということをめぐるある種の闘争を繰り広げられる対象であるという認識が強いのです．それをある研究者はナショナル・ケーキと呼んでいるわけです．それをどう切り分けて，誰がどう「食べる」かという議論でもあります．

二つの公共領域の帰結：新家産主義体制

そして先ほどの二つの公共領域の関係性の帰結という形で，よくアフリカの政治体制に対して新家産主義（本気）（Neopatrimonialism）という表現が使われることがあります．現象としては，われわれの目からみれば「汚職」と呼ばれる現象が日常化していて，かなり違法な手続きも含む形で国家の資源が特定のグループに配分されることが日常的に行われているのです．「公民的公共領域」のところを国家と置き換えると，特定の民族に対してさまざまな資源が，ある意味でルールなく配分される仕組みができ上がっているということです．クライエンテリズムと呼ばれている現象が体系的に展開する．さらには「食べる」ということと政治がイコールの関係にあるということで，「胃袋の政治」（politics of belly）などという表現が出てくることにもなります．

資源配分の偏りや国民統合の欠如

資源の配分が偏り，国民統合が十分ではないということがあります．そしてこうした問題は JICA 研究所など研究の中でも指摘されてきたことで

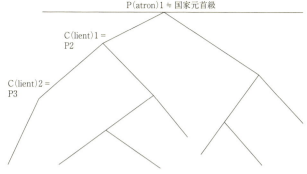

図1　重層的小クライエンテリズムのイメージ

すが，最終的に水平的不平等（Horizontal Inequality）と呼ばれる，民族間，あるいは選挙グループ間の極めて不平等な配分の状況が生まれるということになって，アフリカにおける紛争の潜在的で構造的な要因を提供するという問題にもつながることにもなります．

クライエンテリズムとはなにか

クライエンテリズムはいわゆる親分・子分の関係に支えられています．パトロンという親分がいて，子分（クライアント）がいる．パトロンは自分の権限に由来する非常に大きな資源を持っている．アフリカの場合には国家元首級が大パトロンです．これに対して政治的に任命される仕組みがある国では地方の県知事といった人たちがクライアントということで優先的に資源を配分してもらいます．こうして資源をもらったクライアントである人物はパトロンに対する政治的な忠誠を誓うという形で支え合うということになります．ただし，大パトロンに対するクライアントは自らの裁量で配分可能な資源を持っていて，さらにその下に市長といった人たちを自分のクライアントとしている．しかしまた，その市長も自分で裁量できる資源を持っていて，それをまた自分の子分に相当する人たちに配布をする．そういうネットワークができている（図1）．それが地下に伸びる地下茎になって，パトロンの位置に由来して関係するグループが根を張る形で配分メカニズムが浸透してます．

4-2　独立後アフリカ国家の特徴：国際関係の文脈

　国家は基本的に国際関係という文脈をも考慮しなければいけない存在です．政治学，国際関係の世界でよく知られている概念である擬似国家（Quasi-state）について話したいと思います．

擬似国家

　アフリカにおける独立後の国家は基本的に国連で国家として承認される手続きを経て，国連にも加盟し，外交活動を行う主体としては，いわゆる主権国家になります．しかし，すでに述べたように，国内において十分に統治能力を持っているとは考えにくいところがあります．こうした問題を考える上で出てきた考え方として，従来アフリカ等の植民地だった国々が独立するとき以前にあった主権のあり方を積極的主権といって国内的にも国際的にも主権を体現できているということとの比較で，消極的主権という言い方が出てきます．国際的承認とか外交主体という形で，外との関係においては一定の国家という形を示している．それをここでは「法律国家」と呼んでいますが，実際に国内的な統治ということを実践できる能力を著しく欠いている．法律のほうは形式的で経験的は実質的と読み替えてもいいわけですが，「法律国家」としては存在しているけれど「経験国家」として極めて不十分という新しい主権という形で存在している国家のあり方が「擬似国家」と呼ばれているもので，消極的主権によって特徴づけられる国家ということになります．

　こうした認識はおそらく国際社会の中にも広く共有されてきたと思います．それを如実に示すのがアフリカを含めて明らかに国内的な統治においていろいろな問題を抱えたままで独立したという国に対しては独立を認めた上で，その後でさまざまな支援をする形態が出現しました．すなわち，第2次世界大戦後，特に1950年代以降，いわゆる国際協力とか政府開発援助という，従来とは少し違った国際関係のあり方が展開することになったわけです．これが今日に至るまで重要な政策の一部になっているのは，「擬似国家」の誕生を背景としていると考えなければいけないということだと思います．

冷戦下における弱い国家の外交術

しかも，この擬似国家的なものにとって極めて都合がいい国際状況が存在していました．ここでは弱い国家と読み替えていますが，擬似国家と似たことだと考えていただければいいですが，冷戦という，1989年まで続いた国際社会の基本構造は東西どちらかに与するということだけで，自然とどちらかの陣営からのさまざまな支援を受けられる．さらに旧宗主国としてのフランスとかイギリスとの関係をうまく利用すればいろいろな支援を獲得できるという環境でした．したがって，擬似国家とか弱い国家はこうした状況下で自らの改革努力も行わないということが非常に長く続くことにもなったわけです．

4-3 冷戦の終焉と問題視される国家 (主権)，国家の失敗と崩壊 (「破綻国家」の問題系)

国内的な統治の実効性

冷戦終焉は極めてドラスティックな国際環境の変化をアフリカ諸国に突きつけました．その結果，国家が失敗するとか崩壊する，よくいわれる言葉としては「破綻国家」とか，そうした問題につながる新しい動きが出てきます．

従来はアフリカの国内統治のあり方に関しては主権ということを中心的な価値として，内戦不干渉とか領域保全といった観点からあまり外部からの関与はできにくい状況にありました．しかし，いろいろ問題が頻発するアフリカ諸国に対してさまざまな改革努力を求めるということが実際には冷戦の終盤期であった1980年代からすでに始まっていました．経済的な問題としては構造調整の形で，新自由主義的な改革をアフリカ諸国に促すという取り組みがIMFと世界銀行を中心として1980年代から進められました．さらに1990年代には，アメリカを中心とした西側の価値意識を体現すべく民主化を進め，あるいはガバナンスを改善するということを援助の条件に掲げる形でアフリカの国内の政治経済的な改革を一気に進めるという流れが出てきます．

したがって，そこでは行政府をきちんと強化するという意味における「国家建設」とか，あるいは民主主義を推し進めるという意味における政治的な多元主義，複数政党制を再導入して，選挙によって政権選択をする

ことを援助する上での強い条件として求めている状況が生まれてきます.

政治指導者の生き残り戦略としての国内政治の「断片化」と変容

しかし,こうした環境の中で,従来であれば冷戦期の中で比較的楽に外部から資源を調達していた政治指導者,あるいはそれに連なるクライアントのグループが自分たちで調達できるリソースを失っていくという事態が生まれるようになりました.したがって,パトロン,クライアントの地下に伸びるネットワークが維持できなくなる.それによって一部のネットワークがパトロンから別れていかざるを得ない.それによって別のリソースを得て自らの生存を図らなければいけないという生き残り戦略が必要となる.それをここでは「断片化」(fragmentation)というふうに呼んでいるわけです.従来であれば,そのネットワークに支えられてある程度安定を維持していたアフリカの国家が,その断片化を通じて極めて不安定な状況に向かうという状況が 1990 年代以降現れることになります.そこに失敗とか崩壊といった国家のあり方が現れてきます.

「失敗」(failed)と「崩壊」(collapsed)については,私自身はニュアンスを異にして使っています.失敗国家と呼ばれる場合,その「失敗」の中身ですが,本来であればその領域に住んでいる人たちの安全を提供する存在として期待されている国家あるいは政府がその領域に住んでいる人たちを積極的に抑圧したり,時には殺戮したりする事態が生まれてきました.これはルワンダにおけるジェノサイドの最初の段階においては軍・県知事といった政治の中枢的なところにいた人物たちが少数派のツチの人々を大量虐殺の対象としていたことなどが事例となります.そして,この過程が進んでいく中で普通の人たちが虐殺に巻き込まれる形で 80 万人ともいわれる犠牲者を出す結果につながっていったことがあります.「崩壊」については以下でソマリアの事例を用いて改めて議論します.

5　グローバル化の進行下でのアフリカの新たな適応の様式とその現象化

5-1　アフリカの周縁化へのアンチテーゼとしての議論の組み立て

ここでは,主体的アフリカという視点に立ち戻って,国家が破綻している状況との関係において,どの程度主体的な活動が見られるのかというこ

とを少し検討しておきたいと思います.

今でこそアフリカは世界の市場とかあるいは資源供給の上で経済大陸的な評価を受けるということがありますが,冷戦終焉当初はアフリカ悲観論というかアフロペシミズムが主流でした.しかし,実はそうではないという議論が従来からありました.アフリカは政治経済的に外に対して一定の依存をし,さらには国際政治経済上の「統合」を図りながら見事に生き抜いてきているという面に着目する必要があるという議論があります.これはフランスの政治学者のJ・F・バヤール(J. F Bayart)の議論で,外向性とか外翻(extraversion)と呼ばれているものです.

アフリカの一般庶民まで含まれるかどうかは微妙ですが,アフリカの政治エリートと呼ばれているグループの人たちは常に外との密なる関係をもちながら,外的環境を政治的な集権化のため,あるいは経済的な蓄積といったものに必要な資源に転化するという形で自らの生存戦略を立ててきたということを意味する概念です.ここではアフリカの人たちは極めて主体的に活動しているということになります.

5-2 グローバルな商業ネットワークの構築

そして今日に至る文脈においては,アフリカの人たちは極めてグローバルな商業ネットワークを構築しています.その背景には,いわゆる「原初的公共領域」,「原初的公共性」と申しあげた,モラルに担保された非常に密なる人間関係がその背景にあります.それは宗教であったり,民族であったり,いろいろな要因が関わりますが,アフリカを起点としながら世界的にさまざまなネットワークを形成し,今日のグローバル化をたくましく生き抜く姿が多くみられるのです.

さまざまな商業ネットワークがあり,日本にも多くのアフリカの人たちのコミュニティがあって,中古自動車の輸出などのビジネスに関わっておられます.アフリカのさまざまなディアスポラが世界各地に広がり,ニューヨークなどでも美容室の経営に成功した女性起業家の存在なども世界的にみられます.中国のアフリカ進出は非常によく知られていますが,同時にアフリカの人たちが中国に進出している状況もあります.

しかもこうしたグローバルな商業ネットワークの中にはいろいろなアク

ターが混じり込んで展開しています．アフリカにおける紛争地域において本来であれば流通させてはならない物を取引する勢力も存在しています．よく知られているのは，電子機器等に使われるコルタンの流通や，紛争ダイヤモンドの流通といったことへの関与も指摘されてきましたし，さらには象牙の取引といった形でいろいろの商品の流通にいろいろなグループが関与している動きもこうしたグローバル化の中における商業ネットワークの1つの形態と考えなければいけないと思います．

5-3 「崩壊国家」ソマリア

ここではソマリアの話をちょっとしたいと思います．ソマリアはアフリカの角地域，角と呼ばれているとおりインド洋，アデン湾に突き出している国です．ソマリアは主権国家でありながら中央政府を喪失したという意味での「崩壊国家」の典型例で，1991年に中央政府を失って以降，20年以上にわたり正統な政府が不在でしたが，2012年に連邦政府が樹立されました．しかし，連邦政府も有効な統治を行う状況には至っておりません．ソマリアに関しては，ソマリア沖海賊問題のほうが日本国内では中心的な関心事でしたが，2016年8月にナイロビで開催される予定の第6回アフリカ開発会議（TICAD VI）を考慮すると，むしろ現状ではアッシャバーブ（al-Shabaab）というイスラム主義勢力の存在の方が懸念材料として想定されているかと思います．ここではアッシャバーブのグローバルな商業ネットワークとのつながりに限ってお話ししたいと思います．

アッシャバーブにとって1つの重要な資金源がチャコール（木炭）です．実は2011年6月に大干ばつが起き，そのときに大量のソマリア難民が国境を越えてケニアに流入しました．この中にアッシャバーブも混じって難民キャンプに到着するということに対して，ケニア国内の治安の悪化に警戒感をあらわにしたケニアがソマリアに対して国軍を送ります．ケニアはもともとイギリス領で後にイタリア領となったジュバランド（Jubaland）と今日呼ばれている地域に緩衝地帯となる政府を樹立することに関心を持っていました．そして，最終的にはアッシャバーブの壊滅のために主たる資金源である木炭が積み出されているキスマヨという港を勢力下におくことを目的としていたのです．そしてその目論見通り，2012年9月にはケ

ニア軍がキスマヨを勢力下に収めました．これによって当初はアッシャバーブの退潮が予想されました．

しかし，翌年の2013年9月にはケニアのソマリア侵攻に対する報復だと称して，邦人の出入りも多かったケニアの首都ナイロビのショッピングモールであるウエストゲートでテロ事件を起こすことになりました．当日，日本人は別の会合があったことが幸いして，邦人の犠牲者は出ませんでした．この事件を受けて，アッシャバーブの財源に関心が向けられることになりました．キスマヨを失ったにもかかわらず，アッシャバーブの財政は十分に維持されているとする国連のこの地域に対するモニタリンググループの報告書が出ています．すでに述べたように，キスマヨという拠点都市を失ったわけですが，木炭ビジネスという，木炭を海外に輸出してもうけを出すというビジネスの骨格は堅持されたままで，結果的に木炭を国際的に売り払って挙げることができる利益の一部が継続的にアッシャバーブに入るという状況が続いてきたという形になってきたということでもあります．

5-4 キスマヨの木炭ビジネス

この背景は以下のようなものです．キスマヨの木炭ビジネスは「貿易業者」なるビジネスマンがいて，その人たちが仕切ってしまっている．そことアッシャバーブは人的な長い関係があって，その取引をずっと継続できるといった状況があるのです．2013年に確認されていたアッシャバーブのチェックポイントは1カ所だけでしたが，2014年になるとかなり多くのチェックポイントができていて，そこでかなりうまい形で「通行税」を徴収するという動きがみられているということです．もちろん単額としてはそれほど大きいものではなく，トラックが1台通過すると140ドルから335ドルぐらい取られるわけですが，最終的に積み出しに関しては最大拠点であるキスマコから出ることになるわけですが，これ以外にバラワというアッシャバーブが押さえている少し小さめの港があり，そこからも積み出すという形でビジネスをやっている現状が明らかになっています．

結果的に木炭輸出を通じてアッシャバーブは2013～14年に5600万ドルぐらいの収入を得ているという試算も出されています．木炭の輸出ルー

トですが，最終的にはアラビア半島に「輸出」されています．サウジアラビア，イエメンにこの木炭は輸出されることになります．

このチャコールはアラビア半島で嗜好されている水タバコ，さらにはお香を焚くのに定常的に需要があるという商品です．アラビア半島に継続的な需要があるために，継続的にビジネスが展開できるという環境が整っていることをアッシャバーブが利用しているということです．

こうした形でグローバルに展開されているビジネスネットワークを巧みに利用する勢力がアフリカには存在しているということになります．

6 「主権」をめぐる問題群

最後になりますが，「主権」をめぐる問題を少し考えたいと思います．国家に括弧を付けたもので対外的主権がきちんと実現されている政体を「国家」としています．もう1つ，経験国家と先ほど申し上げた国内的統治能力を有しているかを示すため，国内的主権を実現している政体を括弧付きの「政府」と定義しました．2×2の4つに分けて示した表があります．通常，理念系としての主権国家はどちらの主権もきちんと実現します．逆に「国家」でも「政府」でもないのが非国家主体であり，通常であればNGOとか企業も入ります．

これに対してAとBという領域のものが出てくる可能性があることを示そうとしているのがこの図の特徴です．言い換えますと「政府無き国家」と「国家無き政府」という類型です．

「国家の亜型」生成の政治学

「崩壊国家」は基本的に中央政府を喪失して極限的に虚構として存在している国家のあり方ということになるわけですが，「国家」であることを完全に失っているわけではありません．従って「崩壊国家」でも，依然として近代国際社会における主権に担保されている領土保全・内政不干渉原則はソマリアに対しても適用されています．この「崩壊国家」がBを埋めるものです．

しかし，そうした中央政府が機能しないところにおいて政府に代わって何らかのサービスを提供するという動きもアフリカでは90年代に見られ

	「国家」	非「国家」
「政府」	主権国家 （国民国家）	A
非「政府」	B	非国家主体

「国家」≒対外的主権を実現，「政府」≒国内的主権を実現

図 2 「国家」と「政府」，非「国家」と非「政府」から見た類型

るようになってきます．それを担当するのが軍閥の場合もあれば，アッシャバーブのように行政組織をある程度整えた勢力が政府代替的に機能する場合もあります．ただ，これがより制度的に国家に近い体裁を整えるということが実際にあって，ソマリアの北西部に位置し，1991 年に独立を宣言している．ソマリランドなどは「国家無き政府」という形で評価可能な地域です．しかし法律上認められていないので「事実上の（de facto）国家」といった評価がなされます．また，国際的な国家承認を受けていないということもあり，この点を強調して未承認国家（unrecognized state）とか非承認国家（non-recognized state）といわれることになります．これがAに相当する政体です．

Q&A　講義後の質疑応答

Q　エチオピアとガーナについて，ずっと独立国であったエチオピア，それから植民地から最初に独立したガーナ，この 2 つの国がアフリカ大陸の中で何らかの影響力をもっているのか，もっているのであればリスペクトされているのか，もう 1 つ，二面性をもつ国家ということで間接統治の話があったと思いますが，ヨーロッパ諸国の代わりに代理統治していた層が存在するかと思いますが，そういった層が現在の社会においてどういうポジションにいるのか．例えば経済活動において何らかの影響力をもっているのか，政治活動の中で何らかの影響力をもっているのか．ゼネラルにいえることと国ごとにいえることがあるかと

思いますが，そこを教えていただければと思います．

A　ありがとうございます．ガーナ，エチオピアですが，エチオピアはアフリカの角地域の中心的な存在としていろいろな軌跡を歩んできました．1974 年まではいわゆる貴族制というか，いわゆる皇帝ハイレ・セラシエがいた時代，その後，メンギスツの下での社会主義体制，そして現在のエチオピア人民革命民主戦線（EPRDF）の政権も極めて抑圧的側面をもっています．形式的には選挙が行われていますが，選挙ごとにいろいろ問題が起きます．現在のアフリカ連合の，あるいはその前身である OAU（アフリカ統一機構）の本部があるという位置づけで，アフリカにおけるマルチ外交の拠点を提供しているという面においてはおそらくアフリカ域内では評価は一致している面があるとは思います．ただ，その国家のあり方についてはいろいろな課題があって，これも地域的にいろいろな認識の違いがあるかと思います．例えばソマリアの場合には 1970 年代末にオガデン戦争という戦争をしているのです．従ってソマリアにとってエチオピアは目の敵という評価になります．エチオピアがソマリアに介入するとソマリア側からすると極めて反発が起きやすいのです．あるいはケニアとの関係においても，特にソマリア問題に関してケニアの思惑とソマリアの思惑が必ずしも一致しないというところが政策的・戦略的にあります．それはソマリという民族が両方の国にいるのですが，それぞれの国にいるソマリがその政治的位置づけにおいても少しずつ異なっているのと，エチオピアにおいて反政府的活動をしているグループがいるために，地政学的に複雑な様相を示しているということがあります．やはり近隣国はいろいろな点で問題を抱えてきているところがあって，エチオピアに対して一様にリスペクトがあるという評価はなかなかしにくいところがあるということです．国によって違ってきます．

　ガーナに関しては，初代の大統領のクワメ・ンクルマという人物の指導力という面に関してはパン・アフリカニズムとかアフリカにおけるナショナリズムをけん引するという役割を果たしたことに対する評価はあるわけです．ガーナもクーデターなどを経験してきたわけですけれども，最近，石油が出たりして汚職問題などが出てきていますが，民主主義を比較的安定的民主化に転換することに成功したということに関しては，一定の評価

はあるだろうと思います．現在のアメリカ大統領オバマが大統領になって初めて演説をしに行ったのがガーナでした．アフリカ域内だけでなくて，民主主義の，従来はある程度模範的な地位を築いてきた面はあったようには思いますが，ただ，民主主義ということに対してアフリカ域内でどの程度共通の価値を見出されているかは微妙で，その点についても一般的になかなか評価しにくいと思います．

　もう1点の間接統治についての問題ですが，実はこれも国によって，地域によってかなり大きく違うのです．従来からいわゆるチーフがいた社会はチーフをわりと使うわけですが，モザンビークみたいにもともといわゆる無頭制と呼ばれるチーフの人たちがいない社会があるわけです．そうすると，そういう社会においては便宜的に人工的なチーフ創設をし植民地統治を行う手続きがとられることがありました．ですから間接統治をすることが目的であって，そのためのある種のていのいい現地の下級行政官みたいなものをリクルート実施していた地域もあるので，そういう場合には逆に新しく導入されたチーフもどきに対する批判があるということがあると思います．ただ，これもチーフのレベルによって全然違いますが，未だに伝統的な王国的なものが存在している社会がアフリカにも残っていて，そういう社会においては依然としてある種の伝統的な権威を維持しているというところもありますし，民主化とか地方分権化の中で，そうした伝統的な権威については再び見直されて行政的に利用されるということが起きている社会もあります．その中に確かにおっしゃるとおり，まさにこれからの資源開発とか，あるいはさまざまな土地利用をめぐって，植民地期に間接統治を行っていたチーフたちはもうお亡くなりになっていると思いますが，それを継承する人たちはさまざまな形で，おそらく今後変化していくアフリカの中で地位が新たに重要な問題となるタイミングにきているのではないかと思います．これも到底アフリカ一般として扱うことができない非常に複雑な問題だと思います．

Q　リベリアとエチオピアですか．エチオピアが植民地化されなかった理由はどういうことでしょうか．ひょっとして海に面していないということでしょうか．
A　エチオピアも植民地化しようとする動きはありました．主にイタリア

がやりましたが，軍事的にも敗北しました．強い軍隊を持っていたことによってエチオピアは植民地勢力を撃退し，自らの独立を守った．ただし，それがトラウマになってイタリアはその後もエチオピアを植民地化するための戦争を何度も仕掛けるのです．第2次世界大戦期には一時期，植民地とはいいませんが占領下に置いた時期はありますが，いわゆる植民地という形で統治するというところまでイタリアは影響力を及ぼすことはできなかった．リベリアの場合は事情が違っていて，アメリカの庇護があったということによって独立を維持できたということになると思います．

Q　ソマリランドが正式に独立する可能性はどのくらいあるのですか
A　私の見立てではかなり難しいだろうと思っているところがあります．1つの理由はソマリランドにはその北西部に位置するプントランドとの間に領域を競っている地域（disputed area）があることです．ソマリランドは自分たちの領土はイギリス領だった地域を領土だというふうに主張して1991年に実質的独立を果たそうとしました．正確には1960年6月24日にイギリス領だけが早く独立をして，その後にイタリア領が追いかけて独立して合併したので，単独で独立したときに戻したいと言った．ところがプントランドは，いや，われわれと同じハーティ（Harti）と呼ばれる近いクランの人が住んでいるここすべてをわれわれの領土だと言っているわけです．そうすると，実はここに住んでいる人はソマリアを支持する人もいればプントランドを支持する人もいるという状況で，ここが領域として画定できない．しかもプロープントランド，プローソマリランド以外に別のグループが出てきているために，一般的にはハルゲイサを中心としたソマリランドは安定しているといわれますが，この競合地域は極めて不安定なのです．ですから領域の問題をどう解決できるのかが1つの課題になります．あと，ソマリランド独立の承認問題を主に担当する大きな権限を持っているのはおそらくアフリカ連合だと思われます．アフリカ連合がソマリランド承認に動きにくいというところがある．エチオピアはソマリランドが独立することに対してはそれほど否定的ではない．それはどうしてかというと，ソマリアが割れると国力として二分されることになるので，エチオピアにとっては地域的に相対的にソマリアに対して強い立場になれるか

らです．ただ，それを嫌う国があるのです．それがエジプトです．エジプトはなぜかというと，エチオピアから流れ出るナイル川の水資源の権益問題でエチオピアが強くなることに対して強い警戒感を持っています．ですからその牽制の意味でソマリアが一体としていてくれたほうがエジプトにとってはありがたい．実はソマリランドの独立をめぐる問題の背景にはナイル川の権益問題が密かに隠れているのです．ですからエジプトとしてはたとえ政権が代わってもこれまで歴史的に受けてきたナイル川権益が今よりも悪い条件になるということに対しては極めて強い警戒感を持っていますし，アフリカ連合の発言力からしてある程度大きいということになると，簡単にソマリランド独立には動きにくいという面が地政学的にもあります．もちろんこれまでソマリランド独立が全く無理だったのは，モガディシュ側の政権が極めて脆弱で話し合いもできない状況でした．今は少し話し合いはもたれているようですが，すぐに独立に動く合意が形成されるかに関しては必ずしも簡単ではないと思っています．それ以外の別の条件が変わって急に動くことはないとは言いませんが，なかなか簡単ではないという見通しでみています．

Q　1884年植民地分割ですが，どうやってこれに至ったのか？　どういう発想でやったのか．また，それから次に1960年に独立したというときの国連主導の切り分けですが，どの発想で行われたのですか？

A　大変重要な問題ですが，国境線画定問題は細部においては宗主国間の交渉とか交換などいろいろなことが起きているものですから全体について簡潔にお話しすることは非常に難しいところがあります．ただ，ご覧いただいて分かりやすいと思われるのは，イギリスはいわゆるCC計画といわれるカイロからケープタウンまでという統治を目論んでおり，北から南に抜ける領域を多く押さえるという取り方を基本的にはしているということになります．それに対してフランスは逆にそれに対抗するという形で，むしろアフリカ大陸を横のラインを中心にして植民地を獲得するという狙いをもってやってきた．あと，アンゴラ，モザンビークなどについてはポルトガルが植民地にしていますが，ここは歴史的にこの地域との関係が深かったということがありますし，そういう歴史的な権益が1884-85年の会

議のときに出てきている．ドイツも植民地経営に関しては後発国でしたので部分的に「残り」を取りにきているという力学が見え隠れします．やはり英仏の 19 世紀のアフリカに対する侵出とくらべてドイツはどうしても遅れたということがあって，部分的には取っていますが，結果的には多くのところを取ることはできなかった．南西アフリカ，カメルーンに近いところですね．あとはベルギー王私領という形で植民地化された現在のコンゴ民主共和国です．スペインもわずかにスペイン領ギニアを植民地にします．これは今の赤道ギニアで，産油国ですが，その利権を大統領一族を中心に独占している国家です．大きくみるとやはり英仏の植民地の取り合いがあって，そこからこぼれたところをそれぞれで分割したという形になったと考えられます．細部に関してはここでざっくりとはお話ししにくい部分も多く，それぞれの地域に細かく問題が潜んでいます．従って，本シリーズの中でこうした問題点を共有させていただいて，他の講師の方が来られたときに改めて触れていただくということをお願いしたいと思います．

遠藤先生のおすすめの本

遠藤貢『崩壊国家と国際安全保障——ソマリアにみる新たな国家像の誕生』（有斐閣，2015 年）．

遠藤貢（編著）『武力紛争を越える——せめぎ合う制度と戦略のなかで』（京都大学学術出版会，2016 年）．

第2講
グローバル化するアフリカをどう理解するか
資源・食糧・中国・日本

平野克己
日本貿易振興機構　アジア経済研究所理事

平野克己（ひらの　かつみ）

1956年北海道小樽市生まれ．早稲田大学政治経済学部卒業，同大学院経済学研究科博士課程前期修了，同志社大学より博士号（グローバル・スタディーズ）．外務省専門調査員（在ジンバブエ日本国大使館），笹川平和財団を経て1991年にアジア経済研究所に入職．その後，ウィットウォータースランド大学（南アフリカ）客員研究員，アフリカ研究グループ長，ジェトロ・ヨハネスブルクセンター所長，地域研究センター長等を歴任，2015年より現職．日本国際交流センター理事，ササカワ・アフリカ財団評議員，グローバルファンド日本委員会委員．

主な著作に『経済大陸アフリカ』（中公新書，2013年），『アフリカ問題：開発と援助の世界史』（日本評論社，2009年），『南アフリカの衝撃』（日本経済新聞出版社，2009年），『図説アフリカ経済』（日本評論社，2002年，国際開発大来賞），『アフリカ経済実証分析』（編著，アジア経済研究所，2005年），*Japan and South Africa in a Globalising World: A Distant Mirror*（編著，Ashgate: UK，2003年），『アフリカ経済学宣言』（編著，アジア経済研究所，2003年），『アフリカ比較研究』（編著，アジア経済研究所，2001年）等．

はじめに

今日の主眼は，アフリカをどう理解すればいいかということです．アフリカは，20世紀末には貧困の巣窟地といわれ，ここ十数年は世界で最も成長が早い地域といわれています．日本政府も積極的にアフリカ外交を展開しており，企業のアフリカビジネス熱も盛り上がっている．この突然の変化は世界全体の変化からきています．今日は，この変化を中心にお話ししていきたいと思います．

1 アフリカ経済はどうして成長してきたか

図1をご覧ください．上の線はサブサハラ・アフリカ49カ国のGDPをドル建てにして足し合わせたものです．とても変わった形をしています．1980年まで成長していたものがピタッと成長をやめ，2002年までほとんど成長しなかった．それが2003年から突如，再び成長し始めた．成長しなかった20数年間でアフリカの人口はほぼ倍になっているので，1人あたり所得は半分になった．これが，世界に稀にみるアフリカの貧困化です．

私が知る限り20年以上成長しなかった地域は，戦後では3つしかない．1つはサブサハラ・アフリカ，もう1つはロシアです．ロシアでは何が起こったかというと，国家が崩壊した．つまりソ連が壊れた．もう1つは日本です．

このおかしな動きをどうやって説明するか．下の線は原油価格の推移です．資源全般の価格は，基本的にはこの動きをしています．この資源価格の動きとアフリカの経済の動きは全く一致しているということが分かります．この2つの数列の相関をとると0.94に達します．ほとんど同じ動きをしているということ．ちなみに世界で最も原油価格と連動している地域は東ヨーロッパです．なぜ東ヨーロッパかというと，東ヨーロッパのGDPの半分以上はロシアだから．ロシア経済は資源で動いているから，ロシアがどうなるかは資源価格を見ていれば分かる．それと同じことがアフリカでもいえるのです．アフリカ経済がどこに一番似ているかというと，ロシアに似ています．両者の違いは政治にある．ロシアには強いナショナリズムと，それに基づく政権が存在するが，アフリカにはありません．

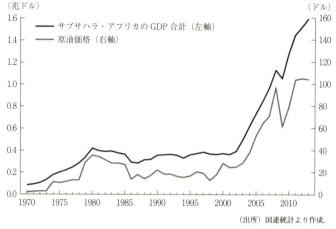

図1 アフリカ経済はどうして成長してきたか GRDP（名目ドル）と原油価格

2 アフリカに投資が入ってきた

　資源価格の急上昇は1970年代にも起きた．石油危機，オイルショックです．あのときもアフリカ経済は拡大しましたが，70年代と2000年代では大きな違いがあって，今回はアフリカに投資が入ってきた．

　図2のグラフは投資の動きを追ったものです．アフリカの人たちは「アフリカに対する投資はアジアに比べて少ない」と言う．対アフリカ投資は全体でシンガポール一国と同じぐらいだと．それに対して私はいつも「当たり前だ」と答えています．アジアとアフリカでは人口も経済も桁が違う．アフリカみたいな小さなところにアジア並に投資が入ったら，アフリカ社会は崩壊してしまいます．バケツの水はコップには注げない．したがって投資の動きはGDPとの比率で見なければいけません．対GDP比で比較したのが図2です．

　中国，ブラジル，ロシアと，どんどん大量の投資が入ったのが分かります．大量投資が入ったあと，対GDP比がどこでも下がっていくのは，投資額が減ったのではなくて，分母であるGDPが増えていくからです．

　サブサハラ・アフリカにも安定的に投資が入ってきている．70年代にはこれがなかった．アフリカに資源が眠っていることは昔から知られていましたが掘れなかったのです．奥地の資源は鉄道や道路を敷かなければ採

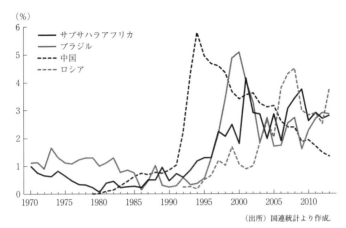

図2 アフリカに投資が入ってきた FDI/GDP比率

れない．しかし，現在はそれができるようになった．M&Aの進展で巨額の投資資金を調達できる資源メジャーが登場し，資源採掘投資の規模が拡大して数億ドル単位になっています．さらには技術が進歩して，これまで発見発掘が難しかった資源にアクセスできるようになった．今アフリカで新たに開発されている油田はほとんどすべて深海油田です．だからアフリカに投資が入ってきた．つまりアフリカのGDPは資源の価格要因で増えただけでなく，生産量も増えたということです．

3 アフリカの消費爆発

そうやって成長していったアフリカの経済がいったい何によって支えられていたのかを分解してみたのが表1です．世界全体の数字と比較してあります．鉱業，製造業，農林水産業といった生産部門別の数字は分かりやすい．北アフリカもサブサハラ・アフリカも鉱業部門が牽引した．

不思議なのは表1の上の4つ，支出項目（個人消費，政府消費，固定資本形成，貿易黒字）別にみた数字です．北アフリカは分かりやすい形をしている．固定資本形成，つまり投資も世界平均並みで，貿易黒字が経済成長の15%弱を担った．実に分かりやすい資源国成長のパターンです．投資が行われて資源の生産量が増え，それを輸出することによって，つまり外需によって経済が成長した．しかしながらサブサハラ・アフリカは異なる姿をしている．

成長寄与度 (2003-2010, %)

	サブサハラ・アフリカ	北アフリカ	世界
個人消費	63.5	46.3	54.6
政府消費	15.7	10.9	16.6
固定資本形成	19.6	24.0	25.5
貿易黒字	−0.5	14.7	—
鉱業	24.2	38.5	6.7
製造業	8.7	7.9	17.6
農林水産業	13.3	12.5	3.6

（出所）国連統計より作成.

表1 アフリカの消費爆発

　まず投資の貢献度がものすごく少ない．20% を切っている．20% 弱というのは更新投資スレスレで，新規投資はわずかしかない．投資なしで成長する経済なんて存在しないので，これは何を意味しているかというと，基幹的な投資はアフリカの外からやってきたということです．外資が入ってきてアフリカの生産を伸ばした．もっと不思議なのは外需，貿易黒字の貢献がない．マイナス 0.5% になっていることです．もちろん輸出はものすごい勢いで伸びてきましたが，それよりも輸入が伸びたから，貿易収支がマイナスになってしまうのです．

　ではいったい何がサブサハラ・アフリカの経済成長を支えてきたかというと，個人消費なのです．表面上は個人消費が最大の成長エンジンになっていて，つまりは内需主導型成長の姿をしている．だから一部では「アフリカは資源価格が下がっても大丈夫だ．内需が旺盛だから成長を維持できる」という議論になるわけです．でも私はこの議論はおかしいと思っています．

　先にみたようにアフリカには外貨がどんどん入ってきたし，資源価格の高騰で輸出収入が増えたので，ドルが大量に流入した．好景気のなかでアフリカでは，長期不況の 20 年間抑えに抑えられてきた消費が爆発しています．たとえば自動車では，数十万円で買えるインドのタタ車から，レクサスやベンツなど高級車まで何でも売れる状態．だけど，売れている商品の多くは輸入品です．アフリカ内でつくってない．投資にしてもそうです．たとえば深海油田に浮かぶ採油プラットフォームは最先端技術の集積で，ネジ 1 本アフリカではつくってない．だからアフリカの投資財は全部外

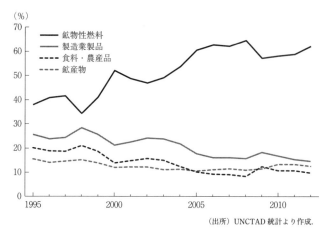

図3 サブサハラ・アフリカの輸出構成 産油大陸化, 鉱業大陸化

から入ってくる．つまり投資も消費も輸入品が主体です．輸入の拡大が投資と消費の伸びを支えている．ということは，外貨の供給が止まれば投資も消費も止まるということです．資源ブームが去って外貨収入が減ればアフリカ経済はかならず減速停滞すると，私は考えています．

4 サブサハラ・アフリカの輸出構成

　図3はサブサハラ・アフリカの輸出構成です．アフリカというと農産品の輸出地というイメージが強い．たしかに，アフリカ諸国が独立したばかりの1960年当時の貿易統計をみると70%ぐらいが農産品でした．カカオ，コーヒー，綿花，砂糖といった，アフリカの伝統的な輸出品です．しかし現在，図3に示したとおり，農産品の輸出は輸出総額の10%を切っている．アフリカ全体としてみれば農業部門の貿易収支は赤字です．つまり，アフリカ農業はもう輸出産業ではないのです．

　アフリカの外貨収入を支えているのは鉱物性燃料，すなわち原油で，輸出総額の6割以上を占めています．いまやアフリカ大陸は産油大陸なのです．また，鉱産物輸出も増えてきた．70年代オイルショックのときは石油価格だけが高くなり，他の一次産品価格は世界同時不況の影響を受けてすぐ下がり始めた．一方2003年から始まった資源高ではすべての資源が農産品も含めて上がり，高止まりし続けた．アフリカは原材料を売っている地域ですから，資源全面高が極めて優位に働いたのです．

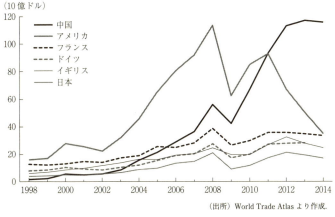

図 4　各国のアフリカ輸入　中国の突出

5　各国のアフリカ輸入

　そうやって伸びていったアフリカの資源，特に原油をどの国が買ったかを示したのが図 4 です．アフリカの統計はあまり信用できません．多くの部分が推測に基づいてつくられています．ですが，その中で比較的堅い数字が貿易統計です．貿易は通関を通りますから信頼度が高い．中国の李克強は首相になる前に「中国の統計は信用できない，信用できるのは発電量，輸送量，融資額だ」と言っていましたが，これは途上国の統計をみるとき極めて重要なポイントです．図 4 からわかることは，アフリカの原油を最も買っていたのは何といってもアメリカだったし，当初はアメリカがアフリカの経済成長を支えていたということです．当時アメリカはブッシュ政権で，危険な中東から原油輸入先を分散すると言っていましたが，分散するとは実はアフリカから買うということだったのです．特にナイジェリアから大量の原油をアメリカは買っていた．それを中国が追いかけていたというのが，当時の構図でした．それが 2009 年から急激に減少していった．2014 年の 7 月にはとうとうゼロになったのです．なぜそのようなことになったかというとシェールガス革命です．ご承知のとおりアメリカにおける天然ガス価格はどんどん下がっていて，シェールガス業者は何でもうけるかというと，ガスの副産物であるシェールオイルでもうけているわけです．ガスがたくさん採れるとそれだけオイルも採れる．シェール

オイルは硫黄分が少ない極めて良質の軽質油で，アフリカ産原油とほぼ同じ品質です．アメリカはシェールガス革命が進行する中，まずアフリカからの原油輸入を減らしていったのです．日本の石油化学産業は中東原油用につくってあるので，アフリカ産原油は買いません．アメリカも中東からの輸入は減らしていない．結果としてアフリカとアメリカの貿易関係はものすごく小さくなった．貿易関係は中国の独走状態です．中国は今日のテーマでもありますので，これから何回か触れます．

このような展開の中でアフリカの産業構造がどうなってきたかというと，製造業の比率は80年代以降一貫して減ってきていて，既に総生産の10%を切っています．農業の比率も減り始めた．代わって鉱業比率，国連統計上は「マイニング＋ユーティリティ」として水・電気・ガス等の公益事業と一緒になっていますが，今やその比率が生産部門中最大になっています．つまり，アフリカは鉱業大陸になっているということです．

6 "資源の呪い"

こういう経済社会を経済学ではどういうふうに考えているかというと，最近ではこれを "Resource Curse"（資源の呪い）といいます．資源部門主導で成長する経済は却って開発が後退するという議論です．

アフリカ経済研究，開発経済学の世界的権威としては，コロンビア大学のジェフリー・サックスとオックスフォード大学のポール・コリアーが挙げられるでしょう．特にジェフリー・サックスは天才で，20代でハーバード大学の教授になっています．この2人は2013年の TICAD IV のときも個人的な資格で招聘されました．安倍総理と個人でお話ししたのはあの2人だけです．しかし2人とも，成長を始めてからのアフリカ経済について論文を書いていません．アフリカの経済成長に関しては沈黙を守っています．実は2人とも個人的にお話しすると，ここ十年のアフリカの経済成長について極めて悲観的な見方をしています．

資源の呪いは，そういう説があるというのではなく，経済学の定説になっているのです．これを定説化した最大のケーススタディがサブサハラ・アフリカです．そして，そのための堅い実証論文をつくったのがジェフリー・サックスとポール・コリアーだったのです．当然ながら彼ら2人は，

自分のつくった議論に従い，現在のアフリカの経済社会状況は却って悪くなっていると考えているわけです．

　資源の呪い論の原型は 1960 年代末から 70 年代にかけてオランダを見てつくられました．"Dutch disease"（オランダ病）といわれた議論です．当時北海油田が発見され，欧州に資源国が誕生して，オランダも天然ガスの輸出国になりました．欧州最大の原油輸出国になったノルウェーはうまくやりましたが，オランダは 80 年代に経済が破綻するのです．現在の極めて健在なオランダ経済は，その後につくり直されたものです．これをイギリスの「エコノミスト」誌がオランダ病と名づけた．これはそれまでの常識を覆す現象でした．それまでは資源がある国のほうがない国より有利といわれていました．双方とも後発先進国である日本とカナダを比較すると，資源国であるカナダのほうが外貨獲得しやすいのでそれだけ産業革命の推進に有利だという，まぁ当たり前の議論です．これをステープル理論といいます．これが，オランダの事例でひっくり返ったのです．

　その後，政治経済学的な「レント経済」論が登場します．生産の 3 要素は労働，資本，土地であり，労働に対する報酬が賃金，資本が受け取る報酬が利潤（プロフィット），土地への報酬が地代（レント）です．経済学が想定しているのはプロフィットを求めて動いている経済ですが，資源国の収入は利潤というより地代に近いのではないか．日本でも，通常の市場活動以外で利益をえようとする行動を指す「レントシーキング」という言葉が定着しました．レントを中心に動いている経済はきっと違う経済体系になるし，そこには独特の国家形態が生まれる．これをレンティア国家（Rentier State）といいます．そのモデルとなったのはパーレビ時代のイランでした．

　資源の呪いにかかると所得分配が極めて不均等化する．東アジアでは経済成長とともに所得が均等化していきましたが，途上国一般では成長すると所得が不均等化します．それと財政規律が緩む．資源価格が高騰してウィンドフォール・プロフィット，棚ぼた収入が入ると財政規律が緩み，資源価格が下がると財政破綻する．さらに，資源の呪いによって汚職が蔓延する．レントは汗水たらして獲得するものではありませんから，賄賂の費用対効果が高くなるのです．加えて，レンティア国家の仕事はレントを分

配することですから，不透明で権威主義的な体制になり，保守的になる．したがって反開発的になります．だから開発経済学は，資源で経済成長すると却って開発は後退すると考えているわけです．

　私は経済学出身ですけれども地域研究者ですから，資源の呪いの議論をもってピリオドを打つのでは学問の意味がないと思っています．これにどう対処するかを考えなければ，少なくとも政策科学とはいえない．資源の呪いを克服している国は先進国にいくらでもある．最大の好例がノルウェーです．ノルウェーは先進国中最大の石油輸出国ですが，先進国の中でも，もちろん世界の中でも最も社会指標が優れた国です．女性の社会進出も高い．ノルウェーが資源収入をどうやって使っているか，オランダはどうやって経済を改革し，オランダ病を克服したか．オーストラリアやカナダはどうか．こういった研究課題にこれから取り組んでいかなければならないと，いろいろなところで申し上げています．

7　国際テロとアフリカ

　資源の呪いとも関係しますが，現下アフリカの最大の話題は国際テロです．これは何も今に始まったことではなく，実は2000年代初頭からアメリカは，アフリカと国際テロのつながりを認識していました．2006年に民主党・共和党共同でつくった「人道主義を越えて」という報告書があり，その結論は，アルカイダを中心としたイスラム系過激派組織の発火点はアフガニスタンやイラクだが，その兵站地はアフリカにあるというものでした．だから，アフリカ社会を安定させて治安を確保し，大陸規模で反テロのコントロールをかけなければ，国際テロ問題は解決しない．アメリカは，ソマリアでブラックホーク事件が起こって以降，アフリカに部隊を送ることができません．議会が絶対承認しないからです．よってアメリカは，アフリカ各国軍に対する訓練や情報提供，ネットワークづくりをしてきました．そのためにアフリカ統合軍，アフリカコマンドをドイツのシュトゥットガルトに創設しました．しかし，その努力が「アラブの春」によって崩壊したのです．特に問題を残したのはリビアです．リビアのカダフィ政権が蓄蔵していた大量の武器弾薬が，政権の崩壊でどこにいったか分からなくなった．分からなくなったということは全部テロ組織に流れたと考えな

ければいけない．その後マリで内戦が起こりますが，反政府軍の装備に政府軍はまったく歯が立たなかったといいます．2013 年にアルジェリアのイナメナスで人質事件が起こって，日本の日揮も副社長含め 10 人の社員を一気に失いました．分散したテロ組織がサハラ砂漠に潜伏している現在，そこを抑えにいける先進国の部隊はフランス軍しかいません．日本もフランスとの関係を強化しています．

リビア政変で一番被害が大きかったのは中国の投資サイトです．中国はカダフィ政権と非常に深く結びついていましたから，細かい数字は分かりませんが多額の資産を失ったと思われます．リビア政変後，アフリカでの中国の動きが一旦止まりました．おそらく政策の見直しを行ったのでしょうね．あのとき中国は，リビアにいた 3 万 5000 人の中国人の大脱出作戦をやって，10 日間で全員引き揚げさせました．その手腕も見事でしたが，3 万 5000 人も中国人がいたのかということにも驚きました．

今は中東情勢が緊迫化しているのでアフリカの動きはさほど注目されなくなりましたが，最近の動きはというと，すっかり有名になったソマリアの海賊問題はかなり収まってきました．収まったということは，あそこにいたテロ分子が違うところに移動したということです．どうも西へ西へと動いている．その動きの中で中央アフリカと南スーダンが破綻国家化しました．南スーダンはアメリカと中国が共同してつくった人工国家ですが，再建の見通しも立たない状態です．こうしてできた回廊を通ってテロ分子がソマリアからサハラ砂漠へと移動しているのでないかと，私は考えています．

8 アフリカの経済成長はいつまで続くか

次に，アフリカの経済成長がいつまで続くかについてお話しします．私の見るところ，アフリカの経済成長は実はもう終わっている．既に資源ブームは去った．これについては，スーパーサイクルが終わったという言い方でいろいろなところで取りあげられ，日本の商社もポートフォリオの組み換えに取り組んでいます．

2 年前の 1 月に世界の資源メジャー全社で CEO が交代しました．それは前年の収益が落ちたからです．各社の新 CEO は皆「資源権益を見直

す」と同じことを言いました．見直すとは収益率に劣る権益を売りに出す
わけで，これらのうち幾つかは中国が買いました．資源業界では厳しい北
風が吹いている．メジャーでも危ない．上流下流双方のビジネスをもつ，
誕生したばかりの新型メジャー，グレンコアの株価が現在ものすごい勢い
で落ちています．アングロ・アメリカンも危ない．

　もう1つはシェールガス革命です．スーパーサイクルが終わった中で
シェールガス革命が同時に起き，ますます供給量を増やしている．となれ
ば，資源価格は当面上がらないのではないかといわれています．

　そして，これもよくいわれているのが，中国経済の減速です．どのくら
い減速しているのか，世界中のエコノミストが探っています．中国の数字
が信用できないという話ですが，中国政府が言っている以上に減速してい
る可能性が高い．資源国から見ると，世界の資源貿易はもう圧倒的に中国
中心に動いている．一番分かりやすい例は鉄鉱石で，実は中国は世界最大
の鉄鉱石産出国なのですが，一方で世界の鉄の半分以上は中国でつくられ
ている．昔，高度成長の時代，日本は鉄鋼1億トン体制を目指していま
した．当時は日米が世界最大の製鉄国で，日米は今でも1億トンのとこ
ろを行ったり来たりしている．ところが現在の中国の生産量は8億トン
です．想像を超える，とんでもない数字です．ですから，世界最大の鉄鉱
石産出国なのに原料が足りない．よって，世界の鉄鉱石貿易の7割は中
国に向かっている．世界の資源を扱っている企業は皆，中国市場を目指し
て生産も販売もやっている．だから，中国経済が減速して資源を買わなく
なると資源価格は一気に下がる．

　このようなことが同時に起こっているので資源価格はしばらく停滞が続
く．2年ぐらいで持ち直すと言う人もいますが，少なくとも3年はこの停
滞は続くだろうといわれています．そうなるとアフリカはどうなるかとい
う話です．

9　経済予測比較

　図5はアフリカの経済予測です．参考までにブラジルとロシア，原油
価格の動きを挙げておきました．世界銀行が先月出した最新の予測です．

　ロシアはマイナス成長が今年，来年と予測されています．ブラジルは横

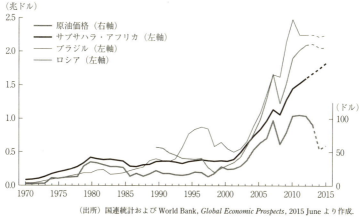

(出所) 国連統計および World Bank, *Global Economic Prospects*, 2015 June より作成.
図 5　経済予測比較　World Bank, 2015 June

ばい．原油価格は 2016 年には持ち直すという予測ですが，業界ではそのように考えられていないようです．現在 40 ドル台に落ち込んでいますから，もっと下がるだろうと．

　その中でアフリカは，かなり下方修正しながらもサブサハラ・アフリカ全体で 4.5％，2016 年には若干持ち直して 5％ で成長するという予測です．最初に私は「アフリカ経済は歴史的にみるとロシアに近い」とお話ししました．ロシアがマイナスに落ち込むといっているときに，どうしてアフリカだけが人口増加率以上の経済成長ができると予測するのか．これが私には理解できないのです．あまり詳しい説明は IMF も世銀もしていませんが，アフリカでは特にサービス部門が伸びており，資源輸出による外需ではなく内需主導で成長しているので，それが支えてくれるだろうという議論です．本当でしょうか．

　たしかに，先に説明したようにアフリカでは消費爆発が起こり，これが経済成長の原動力になっています．しかし伸びている消費を支えているのは輸入財で，投資も主体は輸入財であり，ということは，資源価格が下がって外貨収入が減り思うように輸入ができなくなれば消費も投資も続かなくなる．

　さらに重要なのが為替の影響です．ブラジルは BRICS の一角として非常にプレゼンスが大きくなりました．その間ブラジルで何が起こっていたか．ブラジルの通貨レアルで計った実質経済成長率は，高成長期でさえ

3% 内外だったのです．途上国での 3% 成長なんて低成長ですよね．それではなぜあんなにブラジルの経済規模が大きくなったかというと，レアルが高くなっていったからです．対ドルで十数 % ずつ増価した．だから，ドルベースに換算した経済規模が大きくなった．全く同じことが南アフリカでも起こっています．南アフリカの国内の成長率はブラジルより低い．南アフリカ国内では高成長なんて認識はない．だけれど南アフリカのランドもどんどん強くなったから，南アフリカ経済の比重が大きくなっていったのです．資源国はそういう性質を持っています．資源国の GDP 変化は，主には価格要因です．他方，東アジアは量的な要因，生産量そのものが増えている．ナイジェリアのナイラ，ザンビアのクワチャ，アンゴラのクワンザもそうですが，アフリカの通貨はいまや下げ止まらない状態です．来年，2016 年末には，2015 年の国連 GDP 統計が出るでしょう．国際比較の基準となるドル建て GDP 数値はガクンと下がっているはずです．このような考えから，私はアフリカ経済のマイナス成長を予想しています．

10　日本および東アジアの食料安全保障

　アフリカはもともと「ヨーロッパの裏庭」といわれ，アフリカ市場はフランスの市場とされてきた．フランスの輸出がもっとも大きかったですから．だけど，フランスの輸出は今や中国の 3 分の 1 以下です．アフリカは圧倒的に中国の市場になったということです．この趨勢はもう変わらないので，今後アフリカは，経済的には中国を中心とする東アジアと最も関係が深い地域になっていきます．中国だけではなく，かつて中国から資源を輸入していた日本や韓国も，アフリカとの貿易関係を見直し，そこに投資が入るようになっています．モノづくりが集中してきた東アジア地域と，これから本格的に資源開発に乗り出すアフリカとの関係が強まるというのは，当然といえば当然でしょう．「アフリカは遠い」という議論はもう通用しません．

　われわれにとってすごく重要なことがあります．それは食料安全保障，穀物のことです．世界最大の穀物輸入国はなんといってもわが国日本です．人口が減っていますから徐々に輸入量も減っていますが，それでも年間2700 万トンの穀物を輸入しています．2 位のグループは 1000 万トン台で

すから，日本の輸入は突出している．かつては旧ソ連が日本を上回る穀物を輸入していたときがありますが，現在のロシアは輸出国になりました．ソ連崩壊の兆しは穀物輸入の爆発から始まっています．アフリカの国は小さいので，一国一国ではさして目立たないけれど，サブサハラ・アフリカ49カ国の穀物輸入を全部足すと，2002年に日本を抜きました．しかもアフリカの穀物輸入は増える一方です．サブサハラ・アフリカと北アフリカ6カ国を足すと，穀物輸入はすでに7000万トンを超えている．

　日本の穀物輸入がなぜ大きいかというと，極東アジアの人口密度が世界の中で突出して大きいからです．なぜ人口密度が高いか．極東アジアの食糧生産は水田稲作で，これは，人類が発明した最も生産性の高い食糧生産方法でした．だから水田稲作をやっているところは人口密度が高いのです．人口密度が高いから1人あたり耕地面積はどこも小さい．中国もそうです．中国は広い国のように見えますが，1人あたり耕地面積は日本より小さい．米だけを食べている分にはいいが，豊かになって食肉が普及すると，飼料穀物を作る土地がない．日本は今，年間でほぼ1000万トンの米を作って自給していますが，1500万トンの飼料用穀物を輸入しています．韓国もまったく同じ構造であり，中国も2年前に飼料用穀物の自給を断念しました．穀物輸入は極東アジアが豊かになったがゆえの宿命なのです．日本の食料安全保障は，穀物輸出用と安定した貿易関係を維持するということ以外ありえない．

　そういう事情にある極東アジアにとって最大の脅威は，増える一方のアフリカの穀物輸入です．世界の穀物市場というのは，南北アメリカとヨーロッパ，オーストラリアが輸出をし，それを主に極東アジアとアフリカが買っているという構図です．しかもアフリカの輸入は増える一方で，どこまで増えるか分からない．だから，将来どこかで世界の穀物市況が破綻するとすれば，その震源地はアフリカでしょう．アフリカの農業開発はアフリカ人の貧困を軽減するためにも重要ですが，われわれの食料安全保障のためにも重要なのです．

11　アフリカは物価が高い

　アフリカのように農業が未発達で食糧の生産性が低いと，貧困をもたら

すだけではなく，物価水準が高くなります．ILO が 1985 年から取り始めた世界各都市の食料物価を見ると，アフリカの物価は常にアジアより高い．アフリカのように貧しいところで，なぜアジアよりも物価が高いのかと訝る方もいるでしょうが，アジアとアフリカ双方を経験されている方はご存知のことです．私もそうですが，アフリカを仕事場にしている人間がアジアにいくと物価が安くてびっくりしますし，アジア専門の人がアフリカにくると物価が高くてびっくりします．安くて豊富な財は，優れた企業，優れた産業でしかつくれない．アフリカの農業は生産性に劣る産業なので，ものを少なく，高価でしかつくれないのです．これは開発の原点です．開発というと所得が低いということばかり注目されますが，低開発にはもう1 つ大きな特徴があって，それが高コストです．低開発下では同じ財・サービスをえるのにかかるコストが高くなるのです．

　食料物価が高いと賃金が高くなります．世界各国，各時点の賃金水準をもっともよく説明してくれるのは，とくに途上国においては，食料物価水準です．強い農業と食糧生産力をもつ国では食料物価が低くなり，賃金水準も低くなって，労働集約型産業の投資を誘引できる．労働の比較優位が発現するわけです．

12　中国のアフリカ政策

　現在アフリカを見るにあたっては，中国の動きを見ていないといけないという時代になりました．China in Africa というテーマですが，世界中のアフリカ研究者がこれを追っています．ここで指摘しておきたいのは，日本がかつて東南アジアで展開した経済協力政策との類似性です．中国は一時期日本の最大の援助受取り国でしたから，日本の援助のことはよく知っているし，それから日中友好の懐かしき時代には，技術援助の一環として日本の産業政策ノウハウを提供しています．隅谷三喜男先生を座長に数十人の学者を動員して通産省が編纂した『通商産業政策史』全 17 巻という書物があって，その中の 3 つの巻で経済協力政策について書かれています．これは 10 年ぐらいかけて 1994 年に完成したのですが，その年から中国語訳の発刊が始まっています．英語訳はオックスフォード大学出版局から 2000 年に出ていますが，英語版は第 1 巻のみ，中国語訳は全巻つく

られました.

　経済協力政策は産業政策の一環として，貿易投資とシームレスなつくりになっており，通産省が所管していました．その中心は経済インフラ建設で，その後を企業が追っていく．ローンが中心で，返済は資源で返すというのは，日本がインドネシアでやったことです．中国も援助政策は商務部の所管ですが，経済官庁が援助政策を主管するというのは世界でも珍しく，当時の日本と中国ぐらいです.

　現在の中国のアフリカ政策が始まったのは江沢民主席の時代で，当初は何といっても資源獲得が最優先でした．ですから，中国のアフリカ進出の先頭を切っていたのは中国の3つの石油会社だったのです．習近平政権になって中国はアフリカで資源にほとんど手をつけていない．中国の石油閥は汚職撲滅キャンペーンのターゲットになって，政策の前面から消えた．では今何をやっているかというとインフラ建設です．特に鉄道はほとんど中国の独占です．アフリカの鉄道は，基本的には植民地時代に敷かれたものしかありませんが，今世紀になって中国が新線を敷いている．最近では一帯一路構想の中にアフリカも組み込まれるようになりました.

　さらに，ここ数年習近平主席が繰り返し言っているのが製造業の移転です．賃金の急上昇で中国はもうすぐ国際競争力を失う．そうなる前に中国企業は国外に進出しなさいというのが走出去政策で，このリストの中にアフリカも入っている．産業インフラがなければさすがの中国企業も出ていけませんから，あれだけ一生懸命インフラをつくっているという側面もあるでしょう．最近では，あれほど嫌がっていたマルチ援助に乗り出してきた．そのための新しいマルチ機関をつくる．それがアジアインフラ投資銀行であったり，アフリカでは新開発銀行（通称 BRICS 銀行）だったりしますが，こうしたものをつくって，中国主導の下でマルチ援助を広げようとしています.

13　中国をめぐる各国の動き

　アフリカにおける中国をどう評価するかという問題ですが，2008 年の第 4 回アフリカ開発会議（TICAD 4）のときにマスメディアをはじめいろいろな方から意見を求められました．最も多かった質問は「中国はアフリ

カで何をしているのか」というものでした．日本でアフリカに対する関心が高まったのは2008年からです．ビジネス誌がアフリカ特集を組んでくれるようになったのもこの年から．あのとき，アフリカに対する関心を引っ張ったのは中国でした．ところが，2013年の第5回アフリカ開発会議（TICAD 5）のときの質問の多くは，「中国はアフリカで嫌われているのでしょう」というものでした．この間，日中関係がいかに悪化したかを物語っています．

　中国がアフリカで何をしているかという質問にはそれなりにお答えできますが，嫌われているかどうかについては，私はアフリカ人ではないしアフリカ54ヵ国の世論に通暁しているわけでもないので，お答えできない．ただ，私たちの研究所は途上国の現地新聞をとっています．アフリカの現地紙で中国のことを悪く書いている記事は，まず見たことがない．

　何か客観的な資料はないかと思って探してみると，英BBCがやっているBBC Pollという国際世論調査があった．いくつかの国で，例えば日本で，「アメリカは世界に良い影響を与えていると思いますか，それとも悪い影響を与えていると思いますか」と聞いているのです．その調査対象国の中にアフリカの国が3つ入っている．ナイジェリア，ガーナ，ケニア．1ヵ国1000人ぐらいに聞いているのですが，最新の2014年調査におけるアフリカ3ヵ国の肯定的評点を合計してみると（英＞中＞南ア＞独＞日＞仏＞印＞米）という順番になります．最も評価されているのがイギリスで，次が中国．中国は年々順位を上げてきて，ついにここまできました．南アもどんどん上げてきてここにいます．アメリカは評価がどんどん落ちています．フランスについてはちょっと注意が必要で，この調査対象国は旧英領ですから，旧仏領ではもっと評価が高いと思われます．

　ここで申し上げたいことが2つあって，1つは，中国は嫌われていないということ．もう1つは，一番評価されているのはイギリスだということです．日本政府がアフリカ開発会議（TICAD）を立ち上げたときよく，「日本はアフリカにおいては植民地主義で手が汚れていない」という言い方がされました．だけれど，イギリスは植民地主義で真っ赤に汚れています．にもかかわらず一番評価されている．英仏にとってアフリカを植民地化したという過去は，負債というより資産として認識されている．この違

いは，植民地支配したかどうかよりも，戦勝国であるか敗戦国であるかで
す．日本の国内では，また戦後の総括において，日本が敗戦国であるとい
う認識がすごく薄い．

中国をめぐる動きということでいうと，イギリスのDFIDの人が私たち
に接触してきて，「アフリカにおける中国のやり方をどう思うか．けしか
らんと思わないか．中国を牽制するため国際場面で連携しないか」と持ち
かけてきたことがあります．しかし実はイギリスはその頃すでに，北京で
アフリカ政策について中国と話し合いを始めていました．数年前に中国と
イギリスはMOUを結び，アフリカ政策を一緒にやっていこうということ
で合意しています．

世界銀行も早くから中国と連携を図っています．ゼーリック総裁時代は
頻繁に中国と接触していた．この間まで世銀の首席エコノミストはジャス
ティン・リン（林毅夫）で，中国人だった．世銀はもう中国に融資してい
ませんから，これは貸し手としての連携です．世銀も中国も一番貸してい
るのはアフリカ．しかも中国が進めたがっている製造業のアフリカ移転は，
世銀にとってみれば願ってもないありがたい話です．中国から製造業が移
転すればアフリカの経済発展に明るい展望が拓けるし，雇用も創造される．
ジャスティン・リンの人事はそういうことだったと，私は考えています．

米中連携最大の成果は南スーダンの独立でしょう．南スーダンの独立は，
米中が連携しなければ絶対にできませんでした．ハルツーム政権に南部の
分離を認めさせなければならなかったわけですが，当時ハルツーム政権と
パイプを持っていたのは中国です．アメリカにはなかった．スーダン南部
をイスラム圏から切り離して独立安定させ，テロ分子の移動ルートを分断
するというのが，南スーダン独立の背後にある意図だったと私は思ってい
ますが，そこで米中の意図が一致した．南スーダンの首都ジュバはなにも
ないところでしたが，中国の業者が入って都市建設を行っている．

14 南アフリカのアフリカ域内貿易

中国のほか，アフリカを見るときに忘れてはならないのが南アフリカで
す．もともとアフリカにはヨーロッパの強い企業がいて，そこに中国企業
も入ってきているなかで，それでも，何といっても強いのは南ア企業です．

南アと他のアフリカ諸国との貿易関係は1990年からしか公式統計には出てきません．それ以前はアパルトヘイトですから関係がなかったということになっている．1990年以降何が起こったかというと，南アのアフリカ域内輸出が急速に増えました．1993年から私は南アの大学にいましたが，ナイジェリアとかケニアは，まだ南アと国交がなかったにもかかわらず使節団を送ってきて，貿易契約を結んでいきました．機械類の調達をヨーロッパから割安の南アに切り替えていったのです．他方，南アが他のアフリカから買うものは，原油以外ほとんどない．金やダイヤモンドを輸入していますが，あれは，精錬施設が南アにしかないからです．南アで精錬し，ヨーロッパに再輸出される．だから南アの域内貿易は圧倒的に黒字です．アパルトヘイト時代の南アは鉱産物をヨーロッパに売りヨーロッパから機械を輸入するという，典型的な途上国貿易でした．それが南ア民主化後，アフリカ外貿易の赤字，特に中国，サウジアラビアからの赤字をアフリカ域内貿易の黒字で埋めるという地域大国型になった．南アは，たとえばG7サミット等の場で「貿易投資も大事だけれどもアフリカへの開発援助をよろしく」と必ず言います．あれは友情で言っているのではないのです．国益だからです．アフリカ諸国の経済が順調に伸びてくれることが南アにとってプラスなのです．

15　南アフリカ企業の展開

南ア企業はアフリカでは圧倒的に強い．アフリカで最も伸びていた分野は携帯電話，金融，流通小売り，建設，観光業などですが，こういった分野でのナンバーワン企業はすべて南ア企業です．これはみんな日本がダメな分野ですね．携帯電話ではガラパゴスといわれ，一歩も外に出られなかった．金融も，不良債権問題でむしろ海外から撤退していた．流通小売では今やイオンの一人勝ち状態．だから，アフリカの経済情報がなかなか日本に入らなかったのです．2008年以前では，唯一コマツが「アフリカ経済は伸びている．もっとアフリカに注目すべきだ」と言ってくれました．経団連サブサハラ委員会の委員長もコマツの坂根社長（当時）が務めてくれた．しかし，坂根さんが旗を振っても日本企業はなかなか動かなかった．

南アフリカでどんな企業が強いかというと，SAB Millerはアフリカ最

大のビール企業です．Miller はアメリカ第2のビール会社でしたが，これを南アフリカの SAB が買ったのです．そして SAB Miller になった．アメリカの会社が南アの会社を買ったのではないですよ，南アの会社がアメリカの会社を買ったのです．キリンの6倍ぐらいあります．日本企業はいまや，日本人が思っているより小さくて弱いのです．アフリカで勝っているのはみんなグローバル企業です．中小企業の世界ではない．

16　日本経済の閉鎖性と低成長

今でも新聞などで日本のことを貿易立国といいますね．また，日韓FTA がうまくいかないのは韓国の貿易依存度が高いからだという言辞もみかけます．これらは間違った解説です．

日本は貿易立国ではありません．今のグローバリゼーション水準からみれば，日本はむしろ鎖国しているに等しい．貿易立国と言うためには貿易依存度を見なければなりません．貿易依存度とは，輸出と輸入を足してGDP で割ったもの．日本は大体30% です．一方，世界平均は60%．アジア平均は80%，ヨーロッパ平均も80%．ドイツは100% ぐらい，オランダ150%，タイ150%，韓国は100% です．アジアで一番高いのはシンガポールで380% です．最新の国連統計（2014 年）ですべての国の貿易依存度を出し，ランク付けしてみると，日本は下から6番目です．日本より低い国は，有力国ではアメリカとブラジルくらいしかない．それだけ日本は国内市場が大きく，しかも"おいしい"ということです．だから，外へ出ていく誘因が強く働かない．日本は貿易が倍増しても世界平均に及ばない．逆にいうと，世界平均にまで貿易を伸ばすだけで，日本経済にはまだ成長余地があるのです．人口縮小によって国内市場が小さくなっていくことは自明ですから，海外に活路を見出せない企業は座して死を待つことになる．今，日本で元気のいい企業は利益の半分以上を日本の外で取っている企業です．すべての企業にそうなってほしいと申し上げているのではありません．京都や金沢の工芸品を作っている企業にそうなれと申し上げているのではない．だけど，外で稼いでくる部隊は対外進出を加速しなければならない．それができないのなら，できる企業に買収されたほうがいい．日本企業はそれくらい追い詰められている．世界経済からエネルギー

を吸収できていないということです.

17 日本企業の課題

　日本の課題を踏まえた企業の課題は，繰り返しになりますが輸出力を増やしてもらわなければいけないということと，それに併せて収益力を増やしていかないといけない．人口オーナス局面では労働人口比率が減るので，1人あたりの稼ぎを高くしていかないといけない．稼ぎの悪いものは中国とかに任せて，稼ぎのいいところを，少ない人間で回していくというビジネスモデルに日本全体が変わっていかなければいけない．そのとき，場所を選んでいてはダメです．日本の外で生き残ろうとするとき，グローバル企業はみなそうですが，すべての市場を視野に置き，必要なところにリスクを取って張っていくという考え方が重要です．つまり，コストとリスクをとれる企業体質になってもらわなければいけない．日本企業はリスクを避けようとする傾向が強い．だからアフリカに入っていけない．リスク対応の意識が低いと情報に対する意識も薄くなる．全体にグローバル企業としてのコーポレート・アイデンティティが確立されていないという感じがします.

　日本企業でも，これができているところはアフリカでも勝っている．アフリカでナンバーワンを張っている日本企業はあります．トヨタは言うに及びませんが，例えばNTTはITソリューション分野でナンバーワンです．なぜかというと，ナンバーワン企業を買ったからです．JTもすごく大きな存在です．日本企業でアフリカの最も奥地まで入っているのはJTです．タバコ葉の契約栽培農家網をもっていますから．JTはご承知のとおりもともと専売公社でしたが，民営化された後にドラスティックに経営方針を変え，イギリスのレイノルズ，アメリカのギャラハーをM&Aで入手し国際部門をつくった．私が南アフリカに在勤した時代には，アフリカ各国にあるJT系企業に日本人は1人もいませんでした．関西ペイントも現在アフリカナンバーワンの塗装塗料企業です．これもナンバーワンの企業を買ったからです．関西ペイントも日本人を送っていません．社員の多国籍化は，グローバル企業に成長していくにあたって重要なポイントです.

　ここに挙げたJT，NTT，関西ペイント，そして豊田通商はアフリカで

大きなプレゼンスを持っておられますが，これは全部，円高メリットを生かしてアフリカのナンバーワン企業を買い，それをちゃんと社内に統合できたということです．出遅れた分時間を買うには，M&A は効率的な手法です．しかし M&A は日本企業にとって難関でした．買収した企業をどうやって統合するかが難しかったからです．この点からも，コーポレート・アイデンティティの確立が重要なのです．

Q&A　　講義後の質疑応答

Q　2つ質問があります，1つはイギリスをはじめ戦勝国の評価がありましたが，この点について詳しくお願いしたい．もう1点は，ザンビア，ジンバブエは農業大国でありますが，今後，農業が強くなる余地は実際あるのかどうか，これについてお聞きしたい．

A　BBC Poll はシンプルな質問を大体 1000 人ぐらいに聞いている．無作為抽出で 1000 人くらいを対象にすると，国の規模にもよりますが大体正確な世論が取れる．その国の世論をかなり反映していると受けとめていい．

　アフリカはもともと他者に対して寛容な社会で，出入り自由な社会編成を歴史的に持っており，言語も多様でアフリカ人はみなマルチリンガルです．今，推計でアフリカ大陸に 100 万人の中国人が住んでいるといわれています．イギリス人は最盛期で 50 万人，フランス人はせいぜい 30 万人でしたから，100 万人というのは大変な数です．それがほぼ十年で入った．他の地域だったら大変なことになっています．だけどちゃんとアコモデイトできているというのは，アフリカ社会の寛容さ，包容力を示していると私は思っています．その点でイスラム社会と違う．貿易も投資も援助もしてくれる国が歓迎されるのは，当然といえば当然でしょう．

　イギリスの評価が圧倒的に高いのは，英語圏アフリカの国々は英語を軸としたイギリスとの歴史的連携のなかで国際社会とつながっているという側面がある．独立当初は旧宗主国の植民地支配に対する強烈な反発が存在しましたが，長い時間をかけてイギリスは旧植民地との関係を修復してき

た．その最大の武器が援助政策であり，イギリスとフランスは国際援助体制の構築に積極的に取り組んできたのです．その国際援助体制のなかに，敗戦国である日独も組み込まれたのです．戦後国際秩序の一環として構築された先進国＝途上国関係にあって，その基盤は植民地時代につくられた紐帯です．だから，植民地支配が資産に転化したわけです．他方，敗戦国においては戦前の植民地や国際関係を否定し，清算することが必要だったということです．

　次は農業の話ですね．アフリカではもともと，大陸全体で7000万人ぐらいの人口を扶養する農業体系が成立していた．アフリカは人類が発祥した場所です．どうして「出アフリカ」が起きたかというと，おそらく何らかの危機があったといわれています．おそらく食料危機．それは，急速な乾燥化だと思います．だから人類は，危険をおかしてまでアフリカから出ていった．アフリカは土地がものすごく古いので，世界の中で土地の養分が最も低い．表土が薄く，無機養分がほとんどない．それから表水源がない．あれだけデッカイ大陸なのに川と湖がとても少ない．農業に本当に向いていない．向いていない中でもっとも合理的な形として現在に引き継がれてきたのがアフリカの伝統農業です．アフリカの農業は一見劣っているように見えますが，非常に合理的なのです．土地を傷めないで少ない水で耕作する，リスク分散型農業です．だけど，アフリカの人口は10倍以上に増えてしまった．だからその農法では養えない．

　アフリカ的環境のなかで増収可能な近代農業技術を追求したのが旧ローデシア，現在のジンバブエでした．世界で最初にハイブリット・メイズを普及させたのはアメリカとローデシアでした．保水灌漑技術もたいへん進んでいた．ジンバブエ独立以前，ローデシア農業は世界最高水準の生産性を誇っていました．それを，独立後のムガベ政権が破壊してしまったのです．ムガベは白人農場主を国外追放しましたが，彼らをザンビア，モザンビーク，ナイジェリアが誘致した．なかでも，耕作環境が似ているお隣のザンビアにもっとも多く移住した．ザンビアは，南部アフリカでは最も水資源に恵まれている．ジンバブエから移住してきた白人農家にザンビア政府は農地を提供し，金融機関は資金を提供したので，彼らの技術力が開花し，ザンビアでは小麦とメイズの生産が急増したのです．現在ザンビアは，

食料自給できる唯一のサブサハラの国になりました.

　このことが物語っているのは，アフリカの環境においても持続的な近代農業が成立可能だということです．技術的に可能なものを阻んでいるのは何か．アフリカ人が考えなくてはならないのは，この点です.

平野先生のおすすめの本

平野克己『アフリカ問題——開発と援助の世界史』（日本評論社，2009 年）.

C. K. プラハラード著『ネクスト・マーケット』スカイラントコンサルティング訳（英治出版，2005 年）.

NHK スペシャル取材班『アフリカ——資本主義最後のフロンティア』（新潮新書，2011 年）.

第3講

政治

長期の視点でアフリカを理解する

武内進一

東京外国語大学　現代アフリカ地域研究センター　センター長
日本貿易振興機構アジア経済研究所　新領域研究センター　上席主任調査研究員

武内　進一（たけうち　しんいち）

1962年生まれ．1986年東京外国語大学フランス語科卒業．同年，アジア経済研究所入所．2005年日本貿易振興機構アジア経済研究所アフリカ研究グループ長，2015年同地域研究センター長．2017年より現職．
著書に『現代アフリカの紛争と国家―ポストコロニアル家産制国家とルワンダ・ジェノサイド』（明石書店，2009年，サントリー学芸賞，国際開発大来賞受賞）．編著に『現代アフリカの土地と権力』（アジア経済研究所，近刊），『紛争・対立・暴力―世界の地域から考える』（西崎文子と共編，岩波ジュニア新書，2016年），『戦争と平和の間―紛争勃発後のアフリカと国際社会』（アジア経済研究所，2008年）など多数．

はじめに

　第3講では，独立以降アフリカ諸国が経験した変化を，特に政治のトレンドに焦点を当てて大づかみに捉えていきたいと思います．必要に応じて経済にも触れながら，どんな傾向が見られるのか，どうしてそうなったのかをお話しします．私は，大づかみにアフリカを捉えることは重要だと思っています．アフリカには54もの国々があり，サブサハラアフリカだけでも49カ国があります．それらの国々は実に多様です．砂漠もあるし，熱帯雨林もサバンナもある．民主主義の国もあれば，独裁政権もあります．その一方で，アフリカを肌で知る人の多くは，そうはいってもこれらの国々には似たところがあるという感覚を持っています．国の数が多いからこそ，一国一国を切り離して考えずに，ある程度ざっくりと，大づかみに捉えることが重要だと思うのです．今日は，特に政治面で，アフリカ諸国の共通性や特徴はなにかを考えたいと思います．

　2012年に，アフリカ研究の大御所クラウフォード・ヤング（Crawford Young）が The Postcolonial State in Africa という本を出し，ご自分のお仕事を総括されています．そのなかで彼は，アフリカの独立以降の政治経済的な動きを概説して，冷戦終結までのアフリカの国々はかなりの程度「共振」していた——つまり，政治経済の動きが似通っていた——と指摘しています．そして，冷戦終結以降になると，その動きが「分化」すると言っています．今日の講義では，彼のこの言葉を手がかりにアフリカ諸国の共振と分化をどう捉えるかを考え，アフリカ政治を理解するための見取り図を描ければと思っています．なお，以下ではサブサハラアフリカの話を中心にしますので，特にことわりなく「アフリカ」というときにはサブサハラアフリカを指しているとご了解ください．

1　独立後アフリカの政治経済

(1) 経済のトレンド

　まず図1をご覧ください．図1は，1960年代以降のサブサハラアフリカの1人あたりのGDPの推移を名目値と実質値で表したものです．1960年から2015年の動きを示していますが，この間のアフリカ経済がおおむ

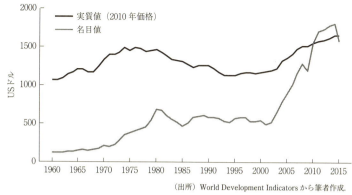

図1 サブサハラアフリカの1人あたりGDP推移（1960〜2015年）
（出所）World Development Indicators から筆者作成．

ね3つの時期に分けられることがわかります．まず，1960年——これは「アフリカの年」といわれ，17カ国が一気に独立した年ですが——から70年代の頭までは着実に1人あたりのGDPが伸びています．これが第一期です．次に，そこから2000年近くの時期までは，1人あたりのGDPが停滞し，減少している．アフリカ諸国は総じて経済危機に陥ったわけです．20年以上にわたる長期的な経済不振に見舞われたことがわかります．これが第二期です．第三期はその後で，2000年代に入る頃から経済が反転し，急成長します．資源価格下落の影響で2015年に反落していますが，それまでは特に名目値で見るとかなり急速な動きを示しています．このように独立以降のアフリカ経済は，1970年代はじめまでの成長期，それから20年以上の停滞期，そして反転と大まかに3つの時期に分かれることが見て取れます．このグラフはアフリカ全体の平均値ですが，多くの国でこれら3つの時期に対応したトレンドが観察できます．

(2) 政治体制の変化

次に政治について見ましょう．図2は，1955年から2003年の政治体制の変化を示しています．ここでは，サブサハラアフリカ48カ国の政治体制を，1) 植民地体制下にある国，2) 一党制の国，3) 軍政のような権威主義的体制にある国，4) 多党制の4つに分け，それぞれの変化を図示しています．現在サブサハラアフリカは49カ国ありますが，南スーダンは独立が2011年なのでここに入っていません．48カ国のうち，1955年に

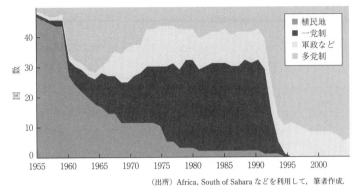

図2 アフリカ48カ国における政治体制の変化（1955〜2003年）

はほとんどが植民地体制のもとにあった．それが1960年以降急速に減っていきます．1960年の「アフリカの年」には一気に17カ国が独立しますし，1975年にはポルトガルの植民地だった国々が独立します．1980年にジンバブウェ，1989年にナミビアが独立し，1993年にエリトリアがエチオピアから分離独立することにより，外国の支配下にある国はなくなります．

注意すべきは，独立直後の段階では多党制をとった国が多かったことです．独立の際には旧宗主国を参考にして新しい国づくりをすることが多いですし，フランスやイギリスの植民地支配下にあった国々にとって多党制の憲法を制定して独立することに違和感はなかったわけですね．しかし，1960年代の半ばから多党制をとる国の数が減り，軍政や一党制の国が増えていくのがわかります．特に，一党制の増加が著しいですね．1980年後半には，アフリカの約3分の2の国々が一党制になっています．ところが，ここで劇的な変化が起こります．1990年前後——冷戦が集結した直後ですね——に，一党制の国々が雪崩を打って多党制に転換するのです．わずか数年の間に，一党制を公式に掲げる国はなくなってしまう．実態としてはエリトリアのように政党活動を事実上認めていない国もありますが，公式に一党制を掲げる国は今日アフリカにはありません．

図2から，この半世紀の間にアフリカ諸国はかなりの程度共通した政治変化を経験していることがわかります．60年代の植民地からの独立，60年代半ばから80年代にかけての一党制化，そして90年代初頭の多党

制への移行です．これがクラウフォード・ヤングの言う「共振」です．先に述べたように，経済に関しても共振が観察できます．1980年代を中心とした経済危機や2000年代の好景気は，多くの国にとって共通の経験です．ただし，アフリカの多くの国々が長期的な経済危機にあえいでいるときでも，ボツワナのように，GDPが年平均7％くらいで成長し続けた国もありました．そういう例外ももちろんありますが，多くの国はこの時期に経済危機に陥っています．大づかみに傾向を捉えれば，政治面でも経済面でもアフリカには共振が観察できるのです．

2 アフリカ諸国の共振を理解する──独立をめぐって

(1) なぜ一斉に独立したのか？

　次に考えたいのは，なぜ共振が起きたのか，ということです．政治に焦点を絞りましょう．まず，なぜアフリカ諸国が同じ時期に独立したのでしょうか．1960年の「アフリカの年」には多くの国が一気に独立するのですが，この時期にアフリカの国々が一斉に独立戦争を戦って独立を勝ち取ったわけではありません．むしろ重要な要因は，国際規範の変化です．

　もちろん植民地解放戦争が全くなかったわけではありません．よく知られているところでは，ケニアの「マウマウの反乱」があります．1950年代のケニアにはたくさんヨーロッパ人入植者がいて，農業に適した土地を彼らが利用していた．ヨーロッパ人の支配に対してアフリカ人側が反乱を起こしますが，それをヨーロッパ人側が「マウマウ」と呼んだのです．現在では，それは奪われた土地の奪還を目指す解放闘争だったと評価されています．それから，ポルトガル領のアフリカでも独立戦争がありました．ポルトガルでは60年代になっても独裁政権が続き，アフリカ植民地の独立を認めませんでしたので，アンゴラ，モザンビーク，ギニアビサウ，カーボベルデの旧ポルトガル領のアフリカ諸国では植民地解放闘争が起こっています．

　ただし，再度強調したいのは，こういった独立戦争を戦った国々は確かにあるけれど，多くの国はそうした激しい戦争を経験せずに独立していることです．そこには国際規範の変化が大きく効いています．

(2) 植民地をめぐる国際規範の変化

a) 国際連盟規約（1919年）

　植民地統治がどのように認識されていたかを考えるために，3つの時期の国際規範を考えてみましょう．まず，国際連盟規約を取り上げます．国際連盟規約は，第一次世界大戦が終わった後のヴェルサイユ条約に含まれます．その第22条に「委任統治」という項目があります（表1）．委任統治とは，戦争の結果旧ドイツ帝国や旧オスマントルコ帝国の統治から離れた領域について，形式的には国際連盟の管理下に置き，実質的には戦勝国に統治させた制度を指します．日本も第一次世界大戦以前にドイツ領だった南太平洋の島々を国際連盟から委任されました．

　委任統治がどのように規定されているかを条文に沿って見ましょう．第22条第1項には，「今次の戦争の結果従前支配したる国の統治を離れたる植民地及び領土にして近代世界の激甚なる生存競争状態の下に未だ自立し得ざる人民の居住するものに対しては，その人民の福祉及び発達を計るは，文明の神聖なる使命なること，及びその使命遂行の保障は本規約中に之を包容することの主義を適用す」，とあります．

　何を言っているかというと，もともと植民地だった地域は近代社会の激しい競争のもとでは自立できないので独立には早すぎる，というわけです．そのうえで，「文明の神聖なる使命」を実現させるために最善のことは「その人民に対する後見の任務を先進国にして資源，経験又は地理的位置により最もこの責任を引き受けるに適し且つ之を受諾するものに委任し，之をして連盟に代わり受任国として右後見の任務を行はしむるに在り」（同条第2項）と述べています．つまり，こうした遅れた地域は，先進国が「後見人」となって面倒をみないといけない，ということです．文明化の遅れた地域は先進国の統治のもとに置くのが望ましい，という考え方が1919年に作られたこの条文からよくわかります．連盟規約は，植民地支配を正当化しているといえるでしょう．

b) 国際連合憲章（1945年）

　国際連盟が創設されてから四半世紀後の1945年になると，状況は大きく変化します．国際連盟のもとで委任統治領だった地域は，第二次世界大

国際連盟規約（1919 年）　第 22 条【委任統治】
1. 今次の戦争の結果従前支配したる国の統治を離れたる植民地及び領土にして近代世界の激甚なる生存競争状態の下に未だ自立し得ざる人民の居住するものに対しては，その人民の福祉及び発達を計るは，文明の神聖なる使命なること，及びその使命遂行の保障は本規約中に之を包容することの主義を適用す．
2. この主義を実現する最善の方法は，その人民に対する後見の任務を先進国にして資源，経験又は地理的位置により最もこの責任を引き受くるに適し且つ之を受諾するものに委任し，之をして連盟に代わり受任国として右後見の任務を行はしむるに在り．
3. 委任の性質については，人民発達の程度，領土の地理的地位，経済状態その他類似の事情に従い差異を設くることを要す．
4. 従前トルコ帝国に属したるある部族は，独立国として仮承認を受けうる発達の程度に達したり．尤もその自立しうる時期に至るまで，施政上受任国の助言及び援助を受くべきものとす．前記受任国の選定については，主として当該部族の希望を考慮することを要す．
5. 他の人民ことに中央アフリカの人民は，受任国においてその地域の施政の責に任すべき程度に在り．尤も受任国は，公の秩序及び善良の風俗に反せざる限り良心及び信教の自由を許与し，奴隷の売買または武器若しくは火酒類の取引の如き弊習を禁止し，並びに築城または陸海軍根拠地の建設及び警察または地域防衛以外のためにする土民の軍事教育を禁遏すべきことを保障し，且つ他の聯盟国の通商貿易に対し均等の機会を確保することを要す．
6. 西南アフリカ及びある南太平洋諸島の如き地域は，人口の希薄，面積の狭小，文明の中心より遠きこと又は受任国領土と隣接せることその他の事情により受任国領土の構成部分としてその国法の下に施政を行うを以って最善とす．但し受任国は，土着人民の利益のため前記の保障を与えることを要す．
（以下略）

国際連合憲章（1945 年）　第 12 章【国際信託統治制度】第 76 条【基本目的】
信託統治制度の基本目的は，この憲章の第 1 条に掲げる国際連合の目的に従って，次のとおりとする．
a）国際の平和及び安全を増進すること．
b）信託統治地域の住民の政治的，経済的，社会的及び教育的進歩を促進すること．各地域及びその人民の特殊事情並びに関係人民が自由に表明する願望に適合するように，且つ，各信託統治協定の条項が規定するところに従って，自治または独立に向っての住民の漸進的発達を促進すること．
c）人種，性，言語又は宗教による差別なくすべての者のために人権及び基本的自由を尊重するように奨励し，且つ，世界の人民の相互依存の認識を助長すること．
（以下略）

植民地独立付与宣言（1960 年 12 月 14 日．国連第 15 回総会決議 1514）
（前文略）
1. 外国による人民の征服，支配及び搾取は，基本的人権を否認するものであり，国際連合憲章に違反し，世界の平和と協力の促進に対する障害となる．
2. すべての人民は，自決の権利をもち，この権利によって，その政治的地位を自由に決定し，かつ，その経済的，社会的および文化的発展を自由に追求する．
3. 政治的，経済的，社会的または教育的な準備が不十分なことをもって，独立を遅延する口実としてはならない．
（第 4 条略）
5. 信託統治地域，非自治地域その他のまだ独立を達成していないすべての地域において，これらの地域人民が完全な独立と自由を享有できるようにするため，いかなる条件または留保も付すことなく，彼（女）らの自由に表明する意志および希望に従い，人種，信仰または皮膚の色による差別なく，すべての権力を彼（女）らに委譲する迅速な措置を講じなければならない．
（以下略）

（出所）大沼保昭・藤田久一編『国際条約集』有斐閣 2001 年．
（注）国際連盟規約については，原文からひら仮名表記文に転記した．

表 1　国際連盟規約，国際連合憲章，植民地独立付与宣言

戦後の国際連合のもとでは信託統治と名前を変え，しかし実質的には同じような制度が存続します．しかし信託統治の説明が書かれた国連憲章第76条を見ると，その理念は委任統治とはかなり変わっています．信託統治制度の基本目的として，「信託統治地域の住民の政治的，経済的，社会的及び教育的進歩を促進すること」，そして「自治または独立に向かっての住民の漸進的発達を促進すること」，が謳われています（同条b項）．つまり，第二次世界大戦後になると，信託統治下にある場合，管轄国は自治や独立に向かって住民を発達させる義務を課されるのです．実際，国際連合は信託統治領に対して定期的に査察団を送り，きちんと独立に向かっているか確認します．この時代になると，植民地支配が当然とは見なされなくなるのです．

c)　植民地独立付与宣言（1960年12月14日　国連総会決議1514号）

　そうした考えは，第二次世界大戦後の世界でさらに進みます．その点をよく表しているのが，1960年12月14日に国連総会で決議された「植民地独立付与宣言」です．これはまさに「アフリカの年」の年末に決議されたものですが，その内容は「外国による人民の征服，支配及び搾取は，基本的人権を否認するものであり，国際連合憲章に違反し，世界の平和と協力の促進に対する障害となる」（第1項）という激しい言葉から始まります．第3項には，「政治的，経済的，社会的または教育的基準が不十分なことをもって，独立を遅延する口実としてはならない」とあります．このように，1960年になると，植民地を持つことは国連憲章に反する，植民地は可及的速やかに独立させるべきだという決議が国連総会の場でなされるのです．

(3) 国際規範と国際政治

　先ほど国際規範の変化と申し上げたのは，こうした状況を指しています．国際連盟規約が採択された1919年には植民地を持つことは当然だったけれども，それから四半世紀後になると統治国は植民地の自治や独立に向けて努力しなさいということになり，さらにそこから15年たつと，植民地支配は国連憲章違反だという意見が国際社会の多数を占める．世界の人々

の考え方は大きく変わったのです.

　国際規範には，国際政治の変化が反映されています．国際連盟を主導したのはイギリスやフランスでした．この2カ国ともヨーロッパの植民地大国で，世界中にたくさんの植民地を持っていました．国際機関は主導国の行動を基本的に正当化しますから，国際連盟が植民地支配を当然と考えるのも不思議なことではありません．しかし，第二次世界大戦は大きな状況変化をもたらします．イギリスやフランスの力が衰え，代わってアメリカ合衆国とソビエト連邦が国際社会の主導国として台頭します．植民地に対する両国の姿勢は，イギリスやフランスとは大きく異なるものでした．ソ連は植民地の解放を掲げていましたし，アメリカもほとんど植民地を持っていなかった．さらに日本が第二次世界大戦で敗れたことにより，アジアの国々が独立します．独立した国々は国連に加盟し，総会の場で発言します．国連総会は新たに独立した国が集う場となり，国際世論の大きな変化をもたらします．国際規範の変化は，こうした国際政治の変化を反映したものなのです．結果として，非常に象徴的ですが，植民地独立付与宣言が採択された1960年にアフリカの国々が一気に独立するわけです.

3　冷戦期アフリカの政治経済

(1) 一党制と国家主導型開発

　独立したアフリカ諸国の多くは当初多党制を採用しましたが，徐々に軍政や一党制が主になり，権威主義体制へと変化します．この時期，経済の視点から言うと，国家主導型の開発政策がとられました．政治体制の権威主義化と国家主導型開発政策は，どう関連しているのでしょうか.

　まず，権威主義化がなぜ起こったのかを考えることから始めましょう．この点で頭に置くべきことは，アフリカの現実とそれを支える思想です．独立直後のアフリカでは，民主主義体制がしばしば機能不全に陥りました．例えば，中部アフリカの大国コンゴ民主共和国は，独立直後に「コンゴ動乱」と呼ばれる紛争状態となります．兵士が反乱を起こし，主要な州が分離独立を宣言する危機的状態のなかで，多党制民主主義をとっていたコンゴでは，議会で諸勢力が対立し，ほとんど政治的意志決定ができませんでした．同様の事態は幾つかの国で起こっています．権威主義化の背景には，

とにかく秩序を維持して政治的安定を図らないといけないというアフリカ各国の指導者―そして主要先進国側―の危機感の高まりがありました.

当時, 一党制化によって政党間の競争をなくせば政治の安定に寄与するという考え方は, 米国など西側諸国でもしばしば主張されました. 一党制はソ連の集権的な政治体制をモデルにしています. アフリカ諸国が独立を遂げた1960年代は冷戦のまっただ中で, ソ連の影響力が強い時代でした. 一党制は今から見ると権威主義的ですが, 当時は正当性をもった政治の仕組みとして受け入れられたのです.

国家主導型の開発政策が, 当時多くの国で選択されたのはなぜでしょうか. 現在の世界では経済の自由化が大前提ですが, 当時のアフリカの国々は総じて国家中心の開発政策がとられました. これにはそれなりの理由があります. 独立したアフリカの国々にとって最大の課題は, 植民地期につくられた経済の仕組みを克服することでした. 植民地経済は, 宗主国に都合よくつくられた経済の仕組みです. それをどう克服するのかが独立したアフリカにとってとても重要な課題だった. しかし, 当時のアフリカには地場の民間資本がありません. そうした状況にあっては, 外国企業に依存せず植民地経済構造を克服するために, 国家が主導して経済運営をするしかないと考えられたのです. また, 独立直後ですからナショナリズムや反植民地感情が強く, そうした政策は国民から強く支持されました.

今日から見れば, 一党制にせよ, 国家主導型の開発にせよ, 誤った政策選択だと思えるかも知れません. 事実その結果ははかばかしいものではありませんでした. しかし, こうした政策は当時のアフリカが直面した政治経済の状況に即して選択されたものだったし, それを支持する有力な学説もあったのです. 国家が開発を主導することは社会主義陣営では当然のことでしたし, 西側でもケインズ主義の影響力が強く, ヌルクセやハーシュマンといった著名な開発経済学者も国家主導型の経済政策をとるべきだと主張していました. アフリカ諸国にとっては, 国家主導の開発政策は, ごく当然の選択だったわけです.

(2) 長期的経済危機

しかし, 国家主導型の開発政策は残念ながらうまくいきませんでした.

図1で示した長期的な経済不振は，国家主導型開発政策の帰結でもあったのです．

　経済危機の要因にはいくつかあって，国家主導型開発政策の失敗だけでは説明できません．1970年代初めの石油危機やその後の資源価格の乱高下が経済危機の発端となりましたし，1982年のメキシコによるデフォルト（債務不履行）宣言をきっかけに起こった累積債務危機が，アフリカ経済に甚大な悪影響を与えました．欧米の民間銀行はさらなるデフォルトを恐れて，カントリーリスクが高い国々から一斉に資金を引き上げたため，民間資金の急速な流出によってアフリカ経済は大きなダメージを受けました．

　こうしたグローバル経済の影響も大きいのですが，アフリカの国家主導型開発政策が失敗したという総括はやはりせざるを得ません．たくさんの国営企業をつくり，為替や関税を操作して国家が経済を主導したのですが，汚職や非効率のためうまくいきませんでした．加えて，国家主導型の開発政策がナショナリズムと結びつき，しばしば過度な介入が起こりました．

　よく知られているのが，「ザイール化政策」です．ザイールとは，独裁者モブツが変更したコンゴ民主共和国の国名です．モブツは，コンゴという国名は植民地主義者が付けたものだと反発して，国名を変えました．ザイール化政策はナショナリズムに基づくもので，ヨーロッパ人が持っていたプランテーションや工場を接収し，ザイール人に分配していきました．モブツによれば，それはザイール人に富を分配し，「民族ブルジョワジー」を育成して経済発展を図るための政策でした．この政策を通して，ヨーロッパ人のプランテーションや工場が大統領の取り巻きなどエリート層に分け与えられ，彼らに経営能力がないため次々に破産する，ということが起こります．この政策がきっかけとなって，ザイールは経済破綻に追い込まれました．国家主導型と言いながら，権威主義体制の中心を占めるエリート層を利する政策がとられたわけです．ザイール化政策ほど露骨ではないにしても，同様の状況は多くのアフリカ諸国で観察されました．

(3) 経済政策転換とその帰結

　図2で1990年代初頭にアフリカ諸国の政治体制が大きく転換したこと

を示しましたが，その10年前には経済政策の劇的な変換が起こっています．1981年に世界銀行が出した報告書がひとつのきっかけとなり，構造調整政策と呼ばれる経済自由化政策が1980年代のアフリカを席巻しました．当時は，経済政策の世界的な転換期でした．イギリスでサッチャー政権，アメリカでレーガン政権が誕生し，それまでの介入主義的な経済政策が見直されて新自由主義の時代に入っていきます．そのアフリカ版が構造調整政策です．これによって徹底的な経済自由化政策が行われ，貿易や為替の自由化や公務員削減，国営企業の民営化などが実施されました．

　しかし，図1で示したように，1980年代を通じてアフリカ経済は好転しませんでした．構造調整政策は，アフリカの経済状況を改善させなかったのです．むしろ，急速な政策転換によって経済はさらに混乱し，80年代のアフリカは厳しい経済危機を経験することになります．

　政策転換にもかかわらず，なぜ経済危機が長期化したのか．これには様々な議論があります．まず，構造調整政策自体に問題があったという主張があります．国家が退場して市場に任せるといっても，市場が未発達なアフリカで市場化政策をとることが有効かどうかは疑問です．構造調整政策がそもそも間違っていた可能性があります．また，先ほど申し上げたように，80年代には累積債務危機が起こり，アフリカから外資が急激に流出しました．これによって生じた深刻な資金不足がアフリカ経済を悪化させたことは間違いありません．さらに，80年代から90年代にかけて，アフリカでは武力紛争が多発しました．政治的混乱が経済に悪影響を与えたことも考えるべきでしょう．

4　冷戦終結と紛争の頻発

(1) 冷戦の終結と「民主化」

　図2で示したように，1990年代に入ると急速な多党制化——民主化とも言われますが——が進みます．なぜこの時期アフリカ諸国は一斉に一党制から多党制に移行したのでしょうか．

　多党制への移行は，ベルリンの壁が崩壊し，ソ連が解体して冷戦が終結した時期と重なります．急速な体制移行の要因として，アフリカ域内の民主化運動の高まりや，ソ連の支援を受けていた共産主義諸国（アンゴラ，

ベナン，コンゴ共和国など）がマルクス＝レーニン主義を放棄したことも影響していますが，特に重要なのは援助政策の変化です．冷戦終結によって，先進国の援助政策が大きく変わりますが，それがアフリカ諸国の一党制から多党制への移行を著しく促進したのです．

冷戦期の援助政策において重要なのは，東西両陣営とも，いかにして援助対象国を自らの陣営に引き付けるかということでした．そのため，支援国でひどい汚職や人権抑圧があろうとも，それに目をつぶって援助を続けることも珍しくなかったのです．しかし，冷戦が終結すると，東西陣営の競争関係も消失します．それによって西側諸国の援助政策も変わり，援助が民主化と結びつけられるようになりました．つまり，民主化しない国には援助しない，という政策がとられたのです．東西対立がなくなると，相手陣営に対抗するため戦略的に援助を供与するという考えは支持を失い，腐敗した独裁国への援助供与は許されないという考えが広まります．それが，民主化しない国には援助しないという方針の背景にあるのです．

この援助政策転換が，アフリカに甚大なインパクトを与えました．90年代初頭のアフリカ諸国は経済危機のまっただ中にありました．80年代の累積債務危機以来，民間資本がどんどん引き揚げましたから，当時アフリカに入ってくるのは公的資金，つまり ODA（政府開発援助）がほとんどでした．そうしたなか，ODA がほしいなら民主化せよ，というメッセージが国際社会から発せられたのです．これが，アフリカ諸国が一党制をやめ，雪崩を打って多党制へと移行した重要な要因となりました．

援助供与国（ドナー）に強いられて多党制に移行したなら，それはほんとうの民主化なのか，という疑問を抱かれるかも知れません．それはとても重要な疑問です．もう少し後で，その点について考えていきましょう．

(2) 冷戦後の紛争多発

1990 年代のアフリカでは，多くの武力紛争が勃発しました．ソマリア，ルワンダ，リベリア，シエラレオネなど，皆さんのご記憶にある紛争も少なくないかと存じます．1990〜94 年に起こったルワンダ内戦では，その最終局面でジェノサイドが起こり，100 日足らずのうちに少なくとも 50 万人が虐殺されたといわれています．私が巻き込まれたコンゴ共和国の紛

年代	アフリカ	アジア
1940〜50年代	ケニア	中国，フィリピン，ベトナム，ミャンマー，朝鮮戦争，インド・パキスタン紛争
1960年代	コンゴ民主共和国，スーダン，ナイジェリア	ベトナム，ミャンマー，ラオス，インド・パキスタン紛争
1970年代	アンゴラ，エチオピア，ジンバブウェ，スーダン，チャド，ナミビア，西サハラ，モザンビーク	アフガニスタン，インドネシア（チモール），ベトナム，ミャンマー，ラオス，東パキスタン，中国・ベトナム戦争
1980年代	アンゴラ，ウガンダ，エチオピア，スーダン，チャド，ナミビア，モザンビーク	アフガニスタン，フィリピン，ミャンマー
1990年代	アンゴラ，エチオピア，コンゴ民主共和国，シエラレオネ，スーダン，ソマリア，チャド，ブルンジ，モザンビーク，ルワンダ，エチオピア・エリトリア戦争	アフガニスタン，スリランカ，タジキスタン，フィリピン
2000年代〜	アンゴラ，スーダン，ウガンダ，ソマリア，ナイジェリア，南スーダン	アフガニスタン，スリランカ，ネパール，パキスタン，インド・パキスタン紛争

（出所）UCDP-PRIO, Armed Conflict Dataset, Ver.4, 2016 年版を参考に筆者作成.

表2 アフリカとアジアの主要な武力紛争経験国

争も 10 万人以上の犠牲者が出たといわれますし，コンゴ民主共和国の内戦では——必ずしも戦闘関連だけではありませんが——500 万人が命を失ったと推計されています．特に 1990 年代に，犠牲者の規模が大きい紛争が頻発しました．

　具体的なイメージをつかむために，表2にアフリカの主要な武力紛争を時代ごとに示しました．比較のために，アジアの主要な武力紛争を横に並べています．アフリカ諸国は 60 年代に独立しますが，その前にもケニアなどで植民地解放闘争があったことがわかります．武力紛争の件数や犠牲者数の規模は，独立以降時代を追うごとに増えていきます．特に 90 年代には多くの国で紛争が起こっています．

　比較のためにアジアを見ると，大きな紛争は 70 年代くらいまでに起きています．多大な犠牲者を伴う武力紛争としては，中華人民共和国の成立に伴う中国内戦，朝鮮戦争，またインドシナ半島——ベトナム，ラオス，カンボジア——で起こった内戦などが挙げられます．ただ，これらの戦争はおおむね 70 年代までに収束します．もちろんフィリピンのミンダナオ島やアフガニスタンなど，その後も紛争は絶えませんが，大規模な紛争は 70 年代くらいまでに収束していきます．一方アフリカでは，90 年代に大きな紛争が多発しているのですね．これはなぜでしょうか．

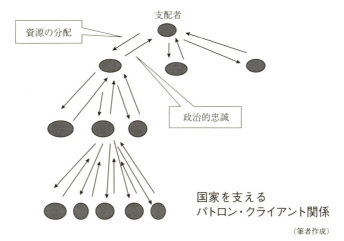

図3 家産制的な統治の概念図

---

(3) なぜ1990年代に武力紛争が多発したのか？

　私は，90年代のアフリカで深刻な武力紛争が多発したのは，冷戦期に一党制のもとで成立した統治のあり方がこの時期に脆弱化し解体していったからだと考えています．一党制の下で成立した統治のあり方とは，典型的には大統領を頂点として，そこから取り巻きに資源——カネやポスト，権限などですが——を分配し統治を安定させる仕組みです．これは「家産制的な統治」と呼ばれることがあります．家産制という言葉は耳慣れないかも知れませんが，ざっくり言えば，家産とは文字通り「家の財産」でプライベートな財産を指します．家産制的な統治というのは，国家の財産，公の資産をあたかも自分のプライベートな資産であるかのように使って国家の統治を行うことです．これはもともとマックス・ウェーバーが用いた理念型のひとつなんですが，アフリカ研究ではこの概念を使って独立以降の統治のあり方を表現することがしばしばあります．私もそこからヒントを得てこの言葉を使っています．

　図3は家産制的な統治の概念図です．トップに大統領——支配者——がおり，彼が取り巻き——親族だったり，友人だったりしますが——を国家の要職につけ，彼らに権限やカネを与えて国家の統治を任せるわけです．こうした関係を「親分子分関係」とか「パトロン・クライアント関係」と

言いますが，親分（パトロン）から資源分配を受けた子分（クライアント）は，今度は自分たちが親分として子分に資源を分配します．親分は子分に資源を与え，子分は親分に政治的な忠誠を誓う．こういう親分子分間の交換関係が国家のすみずみにまでいきわたっているのが家産制的な統治のイメージです．

一党制のもとで支配者は大統領であり，唯一の政党の総裁ですから，彼に権限が集中しています．冷戦期には，一党制のもとで党と国家が一体化することで，この統治の仕組みが機能していました．しかし，長期的な経済危機や90年代の多党制化によって，こうした集権的な支配は機能しなくなります．経済危機が長期化すると子分に配るカネが細って子分は不満を募らせますし，多党制になると子分たちが党を割って新党を結成しやすくなります．

以上をまとめると，長期的な経済危機や急激な多党制化の結果，一党制のもとで成立した統治の仕組みが弱まり，政治秩序が不安定化したと考えられます．これによって，大きな紛争が起こりやすくなったわけです．紛争勃発のきっかけは様々ですが，いったん紛争が起こると支配者がそれを抑止できず，急速に広がってしまった．90年代における大規模な武力紛争の多発は，このように説明できると考えています．

5 2000年代以降のアフリカ政治

(1) 2000年代以降の紛争

しかし，2000年代に入ると，アフリカ政治の様子が変わってきます．データで見ると，90年代に比べて，2000年以降は大規模な紛争の発生件数や犠牲者数が減ってきています．アフリカというと紛争が絶えないイメージを持たれがちですが，状況は変わってきているのです．

紛争が増えた，減ったということ以上に重要なのは，その性格が変わってきたことです．1990年代に多党制へと移行して以降，選挙をきっかけとした暴力が目立つようになりました．ケニアでは2007年末に実施された大統領選挙の結果をめぐって全国的な紛争になり，2015年にはブルンジの大統領選挙をめぐって紛争が勃発しました．また，土地や水資源をめぐる紛争が増えているという指摘があります．こうした紛争は，しばしば

牧畜民と農耕民の形で起こっています. こうした紛争はローカルなものなのでマスメディアであまり取り上げられないのですが, 近年特に西アフリカで多発しているといわれます. 2010 年代になって注目を集めているのは, イスラームに関わるテロの問題です. 2012 年にはマリ北部がイスラーム急進勢力によって占領されましたし, 日本でもしばしば報道されるナイジェリアのボコハラムもイスラーム急進主義の一派です. 2013 年にはケニアの首都ナイロビで, 隣国ソマリアのイスラーム急進主義勢力によるショッピングモール襲撃事件が起きました.

　南スーダンをはじめアフリカで依然として紛争が生じているのは確かですが, 強度の紛争が減少傾向にあり, 紛争の性格が変化していることは, 検討すべき重要な課題です. なぜ紛争が減少し, 性格変化が生じたのか, 次にその点を考えてみましょう.

---

(2) なぜ紛争が減少したのか

　2000 年代以降深刻な内戦が減少傾向にあるのはなぜか, という問いに対して, 幾つかの答えが考えられます. まず, 90 年代までに深刻な内戦を経験したことが, 今日の変化に繋がっていると考えられます. 内戦を経験した後, 同じことを繰り返してはいけないという認識がアフリカ内外である程度共有されたのではないでしょうか. 日本がそうであるように, 戦争経験は再発への内的な抑止力になります.

　また, 1990 年代に一定の民主化が進んだことで, 政治の舞台に多くの人が参入できるようになりました. 一党制時代の選挙は形式的で, 人びとの政治参加は事実上制限されていましたから, 異議申し立ての手段として暴力に訴えがちでした. 今日では, 選挙が実質的な意味を持つようになっています. それは一方で, 選挙がらみの暴力を増やしているのですが, 他方で異議申し立てとしての暴力を抑制する効果も持っています. また, 紛争の減少を考えるうえで, 経済成長という要因は無視できません. 2000 年代に入る頃からアフリカは急速に経済成長しています. リーマンショックが先進国を襲ったときも, アフリカは比較的安定して成長を続けてきました. 全体として経済のパイが大きくなっていることが, 大規模な紛争を抑止する要因になっていると考えられます.

紛争の減少には国際社会の関与も一定の効果を果たしています．特に90年代，国連は紛争への対応で幾つかの手痛い失敗を経験しました．典型的な例はルワンダです．1994年に大虐殺が起きましたが，そのとき展開していた国連のPKOは事実上何もできずに撤退しました．これについて国連は厳しく批判されましたし，国連内でも深刻な反省がありました．この経験を踏まえて，国連のPKO政策は90年代後半から変化します．以前に比べてPKOの規模は拡大し，武力行使を可能にするマンデートが付与されるようになりました．必要な時には武力に訴えて文民を保護する方針が確立されてきたと言えるでしょう．実際，危機的な状況で国際社会が介入し，紛争拡大をとどめた例もあります．2013年のマリや中央アフリカはいずれも危機的な状態でしたが，相対的に早い段階でまずフランスが単独介入し，それからアフリカ連合や国連のPKOが介入するという形で，紛争拡大にある程度歯止めをかけています．

この間，援助政策も平和構築や紛争抑止に深く関わるようになりました．2000年代半ば頃から，紛争解決の根本策は脆弱国家対策であり，こうした国々の「国家建設」を支援することが決定的に重要だという認識がドナーの間に広まりました．ドナーが目指す国家建設とは，国家のサービス提供能力を高めるとともに，国家が社会から自分たちの正当な代表だと見なされるように統治のあり方を改善することを意味しています．

近年起こっている武力紛争のほとんどは国内紛争です．国内紛争の原因は国家の統治能力が脆弱だからだ，という認識がドナー間で共有され，国家建設に力点を置く動きにつながっていったのです．実際，アフリカの歴史を振り返ると，一党制期の強権的な統治への不満が1990年代の内戦につながっています．特定のグループだけを優遇し，他を排除する統治が行われ，排除された側が武力に訴えて紛争が勃発することがアフリカでは繰り返されてきました．統治のあり方を改善し，紛争が起こりにくい国家をつくらなければならない，というのが，ドナーが取り組む国家建設の基本にある考え方です．

これは，リベラルピースの考え方と符合します．リベラルピースとは自由主義的な政策をとることが平和に貢献するという考え方で，自由主義的な政策というとき大きく2つの含意があります．一方では，民主化して，

競争的な選挙を通じて人々が自分たちの代表を選ぶ仕組みを導入するということです．他方では，市場経済化を進めるということです．2つの政策のセットをリベラル・デモクラシーということもあり，思想史的にはロックなどに知的な源流を持ちます．

　冷戦終結後，リベラル・デモクラシー（あるいは，リベラルピース）は支配的な思想となって世界に広がります．アフリカ諸国に対しても，民主化しない国には援助しないという方針がとられたことは既に述べた通りです．国家建設に際しても，ドナーは民主化と市場経済化を前提として支援を実施しました．

（3）冷戦後アフリカに出現した政治体制の類型

　アフリカ諸国は，1990年代初頭に大挙して一党制から多党制へと移行しました．しかし，多党制に移行したからといって，それをそのまま民主化と呼ぶことはできません．形のうえで野党の存在を認めていても，実際には政権の傀儡に過ぎないかも知れません．これについて考えるためには，図2で示した近年の多党制の領域をもう少し詳細に見ていく必要があります．

　この点を検討するために表3を作成しました．これはサブサハラアフリカの49カ国について，3つの観点から分類したものです．まず，政党システムの観点から大きく3つの分類がされています．第1に，異なる政党間で選挙を通じた政権交代が起こっている国が14あります．第2に，一党優位体制のため政権交代が生じていない国が24あります．選挙を通じた政権交代の有無をどのように判断するかというと，クーデタなど非合法的な政権交代が起こって以降選挙が2回以上実施され，競争的選挙を通じて政権交代が起こったものは第1のカテゴリーに，なかったら第2のカテゴリーに分類しました．そして第3は，紛争が継続していたり，あるいは非合法的な政権交代以降まだ1回以下しか選挙が実施されていない国です．これら11の国々は，紛争やクーデタから時間が経っておらず，混乱が収束していないと考えられます．

　それぞれのカテゴリーは，紛争を経験したか，していないかによっても分類されています．紛争の有無は，1990年以降を対象として，スウェー

	フリーダムハウスによる自由度の評価		
	Free	Partly Free	Not Free
政党間で政権交代が生じている（14）	〈紛争経験国〉（7） レソト, セネガル	コモロ, ケニア, リベリア, ナイジェリア, シエラレオネ	
	〈紛争非経験国〉（7） ベナン, カーボベルデ, ガーナ, モーリシャス, サントメ・プリンシペ	マラウイ, ザンビア	
一党優位体制等により, 政権交代が生じていない（24）	〈紛争経験国〉（14） 南アフリカ	モザンビーク	アンゴラ, ブルンジ, チャド, コンゴ民主共和国, コンゴ共和国, ジブチ, エリトリア, エチオピア, ルワンダ, ウガンダ, スーダン, ジンバブウェ
	〈紛争非経験国〉（10） ボツワナ, ナミビア	セイシェル, タンザニア, トーゴ	カメルーン, 赤道ギニア, ガボン, ガンビア, スワジランド
紛争継続／非合法的政権交代後の選挙1回以下（11）	〈紛争経験国〉（7）	コートジボワール, ギニアビサウ, マリ, ニジェール	中央アフリカ, ソマリア, 南スーダン
	〈紛争非経験国〉（4）	ブルキナファソ, ギニア, マダガスカル,	モーリタニア

（出所）Africa South of Sahara, Freedom House（2015）などを利用して，筆者作成.
（注）2015 年 7 月末段階での評価.

表3　冷戦後アフリカ諸国の統治体制の分類

デンのウプサラ大学が中心になって提供しているデータベース（ウプサラ紛争データプログラム：UCDP）に基づいて判断しました．上記の3分類のうち，第3のカテゴリーにも「紛争非経験国」が4カ国あるのは不思議に思われるかもしれませんが，UCDP データベースの定義では，クーデタがあっても犠牲者が多くなければ紛争とはみなされません.

　そして最後に，フリーダムハウスによる政治的自由度の指標によって3段階に分類されています．フリーダムハウスはアメリカの民間団体で，世界の国々を対象に政治的自由度について評価しています．この団体の評価にはいろんな批判があるのですが，アフリカ全体をカバーして政治的自由度を評価していますので，これを使いました.

　この表からわかるのは，1990 年代以降アフリカ諸国のほとんどは多党

独立時の解放運動 (11)	南アフリカ, モザンビーク, アンゴラ, ジブチ, エリトリア, ジンバブウェ, ボツワナ, ナミビア, タンザニア, カメルーン, ガボン
内戦時の反政府武装勢力 (7)	ブルンジ, チャド, コンゴ共和国, コンゴ民主共和国, エチオピア, ルワンダ, ウガンダ
クーデタ後に設立された政党 (5)	スーダン, セイシェル, トーゴ, 赤道ギニア, ガンビア

(出所) 表3の第2分類からスワジランドを除く23カ国について筆者の判断で分類.
(注) 枠囲いは, 最高指導者を定期的に交代させている国.

表4 一党優位体制の起源

制をとっているけれども, 特定の政治勢力が政権を担い続けている国の方が, 選挙を通じた政権交代が起こった国よりだいぶ多いということです. 特定の政治勢力が政権を担うというのは, ほとんどの場合, 一党優位制です. ただし, この24カ国のうちスワジランドだけは一党優位制とは言えません. この国はいわゆる絶対王政で, そもそも政党が認められていないからです. 一党優位制の国々では, 南アフリカ (南ア), ボツワナ, ナミビアを除くと, 政治的自由度が低いことがわかります.

真ん中の列に着目すると, いくつか発見があります. スワジランドを除いた23カ国の一党優位制諸国を優位政党の来歴で分類すると, 3つに分けられます (表4). 政党の来歴とはその起源が何かということですが, 3つに分類できます. 第1に, 独立に向けた解放運動を担った政党です. これが最も多く11あります. 少し注意が必要なのは, 南アです. 南アの独立は形式的には1910年で, 現在の政権与党「アフリカ民族会議」(ANC) はその解放運動を担ったわけではありません. しかし, ANCは反アパルトヘイト運動を主導し, 武装闘争までしていますから, それを新生南アの独立運動と考えてここに含めました. モザンビーク, アンゴラ, ジブチ, エリトリア等々では, 独立を担った解放運動がその後政党となり, 現在の政権与党になっています. 第2に, 内戦時の反政府武装勢力が起源になったものです. ルワンダ, ウガンダ, チャドなどの政権与党は, いずれも反政府ゲリラが内戦に勝利して政権を握り, その後文民政党化したものです. 第3に, クーデタを起こした首謀者が政権を握った後に政党をつくり, それが今日まで至っているケースです. スーダンや赤道ギニアがこれにあたります.

一党優位政党を別の基準で分類してみましょう. 枠囲いした国々は国家

元首を定期的に交代させている国です．南アやモザンビーク，ボツワナ，タンザニア，セイシェルでは選挙があって，任期がくると政党の党首が変わります．政党は同じでも，党首は変わるということです．一方，下線がないのは党首が変わらない国です．これらの国々では，同じ指導者が政権を握り続けています．赤道ギニアの現在の大統領は，1979年にクーデタで政権を奪い，その後自分で創った政党の党首として40年近く権力の座を維持しています．

　一党優位政党を，過去に武装闘争を経験したかどうかで分類することもできます．独立時の解放運動を起源とする政党が政権与党となっているケースのなかでは，南アフリカ，モザンビーク，アンゴラ，エリトリア，ジンバブウェ，ナミビアは武装闘争の経験があります．逆に，ジブチ，ボツワナ，タンザニア，カメルーン，ガボンでは，武装闘争の経験がありません．独立時の解放運動のなかで結構な数が独立に際して武装闘争を行い，その後政権与党となったことがわかります．第2の分類は，もともと反政府武装勢力ですから，すべて武装闘争の経験があります．第3の分類は，クーデタの首謀者が作った政党ですから，武装闘争の経験はありません．

おわりに――アフリカ政治の見取り図

　このように整理すると，近年のアフリカ政治について，大まかな見取り図が書けそうです．クラウフォード・ヤングの言い方にならえば，冷戦終結以降アフリカ政治は「分化」の時期にあるのですが，そこに幾つかの類型やパターンが読み取れます．深刻な紛争が多発した1990年代を経て，近年のアフリカ諸国における政治体制に2つのパターンが浮かび上がってきました．競争的な選挙を通じて政権交代を繰り返す国々と，一党優位政党による統治が続く国々です．割合でいえば，前者が全体の3分の1，後者が全体の半分というところです．一党優位制の方が多いわけですね．そして，政治的自由度は前者の方が高い傾向にあります．ただし，一党優位制がすべて政治的自由を抑圧しているわけではなく，南アのように政治的自由が保障されているところもあります．

　一党優位体制と政治的自由との関係を考える際に重要なのは，国家元首

（政党党首）の定期的交代があるかどうかです．南アをはじめ，国家元首が定期的に交代している国の政治的自由度が総じて高い一方，元首の交代がない一党優位制諸国では政治的自由度が低くなっています．興味深いことに，かつて内戦時に反政府武装勢力だった政党は，例外なくその党首，すなわち国家元首を交代させておらず，政治的自由に対して抑圧的です．

　一党優位制が時として政治的自由に対して抑圧的になるのは，政権与党が軍や警察など治安機関と結びつく傾向があるからです．一党優位制下の政権与党は独立運動や内戦時以来の歴史を持ち，唯一政党として国家機構を掌握したり，武装勢力として戦ったりした経験がありますから，治安機関とも近い関係にあります．かつて武力紛争を経験し，軍事活動に従事していた組織ほどその傾向が強く，内戦に勝利して政権の座に就いた元反政府武装勢力の場合はもともと軍事組織そのものでした．治安機関を基盤に政党が出来上がっていますから，反対勢力の摘発や抑圧に走りやすいのです．ただし，治安機関との深い関係は政治的安定性の担保にもなります．軍や警察を押さえていますから，クーデタの危険性が比較的少ないのです．これに対して，民主的な政権交代が起きている国は，政治的自由は大きいものの，政治的安定性という点では不安が残ります．もし軍が介入してくるようなことがあると，簡単に政権基盤が揺らいでしまう恐れがあるわけです．

　先ほど，2000年代半ばごろから，ドナーがリベラルピースという理念のもとで国家建設を支援してきたと申しました．この思想では，複数の政党が競争的選挙を通じて政権交代しながら国家をつくり上げていくというモデルが念頭に置かれています．しかし，アフリカの現実は，必ずしもそうではありません．一党優位制の国が多いですし，国家元首が長期にわたって交代しない国も少なからずあります．

　アフリカの国々が独立以来直面してきた最大の課題は，政治秩序の確立でした．大きな紛争を起こさず，国内に統治を行きわたらせることが，アフリカの指導者にとって最も重要だったのです．19世紀後半のベルリン会議でヨーロッパ列強がアフリカ大陸を分割し，今日のアフリカ諸国が形成されました．独立した国々の指導者は，ヨーロッパ人が勝手に引いた国境線を受け入れて，国づくりを始めざるを得ませんでした．そこでは，与

えらえた領域の中で安定した政治秩序をどう作るかが大きな課題となったのです．独立運動の担い手や内戦の勝利者など，最初の国づくりに関わった人々が長く政権を握り続けているのは，彼ら以外に秩序の確立を任せることが難しいからに他なりません．独立後の一党制も，冷戦終結後の一党優位制も，こうした秩序確立の要請に基づくものと私は考えています．

Q&A　講義後の質疑応答

Q　国家主導型の経済から自由主義的な経済に移っていったということですが，国家の介入を呼び水として民間部門を活性化させるといった政策が行われていたのですか，また，国営企業とは農業企業なのか，資源企業なのか，どういうものなのか，教えていただきたい．

A　経済政策をめぐる近年の議論では，経済自由化政策のなかでも国家が果たすべき重要な役割があるといわれます．民間企業が活動しやすい法制度を整えるとか，正確な情報を提供して民間企業の活動を促すとか，経済自由化政策のなかでも国家の役割は大切なのだということが定説になっています．残念ながら，80年代初頭に構造調整政策が導入された時には，国家の役割が否定され，急速な自由化政策がとられました．その理由として，アフリカであまりに腐敗，汚職がひどいという声が強かったことが指摘できます．80年代は，国家の役割を縮小するための圧力がとても強い時代でした．近年では国家建設と言われだし，風向きは少し変わりました．アフリカでは政府と協力できるような民間部門があまり育っていないので，公的部門を呼び水として民間部門と協力する事例は多くありませんが，経済開発における政府の重要性についての理解は深まっていると思います．

　歴史的に見れば，国営企業にはいろいろな業種がありました．資源産業も，農業プランテーションを経営する企業も，流通を担う企業もありました．ただ，国営企業の多くは経営に行き詰まり，1980年代以降構造調整政策によって民営化された経緯があります．最近では国営企業の数は減っていますが，産油国の石油関連企業は概ね国営企業です．

Q　アフリカ経済がよくなりはじめる 2000 年以降，アフリカの政治体制がどのような好影響を与えているのか，または影響していないのか，を教えてください．

A　アフリカの経済成長については前回の講義でも詳しく説明されたと思います．一言で言って，2000 年代以降のアフリカの経済成長を支えたのは石油を中心とした資源高であって，製造業によるものではありません．アジア諸国の経済成長とは明らかに違います．民間企業主導で経済が成長すれば，稼ぎが賃金として労働者に還元されますが，資源に牽引された経済成長では利益が国庫に入り，統治者の懐を直接潤します．2000 年代のアフリカ経済の成長は，基本的に既存の政治体制の安定化に寄与したと言えます．

　一方で，政治体制が経済成長に好影響を与えた例があるか考えてみると，ルワンダやエチオピアはこの例として挙げられるかも知れません．両国とも政治的自由に対しては抑圧的な国ですが，開発指向を強く持っています．ルワンダでは汚職のコントロールに成功しており，私は 20 年近く毎年訪問していますが，わいろを要求された経験がありません．エチオピアも指導者の強力なリーダーシップの下で開発政策を実施し，製造業の誘致によって高成長を続けてきました．ただ，2016 年のエチオピアでは，政治的自由を認めない政府に反発する抗議運動が全国に広がりました．こうした両国の姿勢は，かつてアジアで「開発独裁」と言われた国々と似たところがあります，こうした開発のあり方を手放しで称賛できないのは，まさに近年のエチオピアで見られるように，政治的抑圧に対する民衆の不満がいつどんな形で噴出するのか，予想できないところにあります．強権的な政治は，それ自身がリスク要因になるということです．

武内先生のおすすめの本

遠藤貢編『武力紛争を越える―せめぎ合う制度と戦略のなかで』（京都大学学術出版会，2016年）.

佐川徹『暴力と歓待の民族誌―東アフリカ牧畜社会の戦争と平和』（昭和堂，2011年）.

川端正久・武内進一・落合雄彦編著『紛争解決　アフリカの経験と展望』（ミネルヴァ書房，2010年）.

第4講

産業資源
アフリカ・ビジネスの可能性と課題

白戸圭一
三井物産戦略研究所 欧露・中東・アフリカ室長

白戸圭一（しらと　けいいち）
三井物産戦略研究所　欧露・中東・アフリカ室長
京都大学アフリカ地域研究資料センター特任准教授
1995年，立命館大学大学院国際関係研究科修士課程を修了．毎日新聞社入社後，外信部，政治部，ヨハネスブルク特派員，ワシントン特派員などを歴任．2014年に退職し現職．
著書に『ルポ 資源大陸アフリカ』（東洋経済新報社，後に朝日文庫．2010年度日本ジャーナリスト会議賞受賞），『日本人のためのアフリカ入門』（ちくま新書），『ボコ・ハラム』（新潮社）などがある．

はじめに

　私が勤めている三井物産戦略研究所は，三井物産という総合商社が出資して設立したシンクタンクです．主たる仕事は，三井物産がビジネスを展開していくにあたって必要な情報収集と調査をして，三井物産に分析結果を伝えるのが仕事です．ですから，今日は，ビジネスという観点からアフリカを見た時に，どういうことが問題になっているのか，どういう現象が起きているのかを念頭において話をしたいと思います．第2講の平野先生は，1980年代，90年代と経済的に停滞していたサブサハラ・アフリカが21世紀になる頃に成長反転して経済成長を始めたということと，そのメカニズムについて話をされたと思うのです．では，その現場は一体どうなっているのか，というのが今日の私の話です．

　ここに3つの写真を出しました．今のアフリカがどれほど経済的に成長しているか，もはや単なる援助の対象地ではなくビジネスパートナーとして，今日のテーマである産業資源も含めたビジネスの展開先になっているかを示す写真です．

　一枚目はナイロビです．これはJICAの援助で作った道路ですが，今やナイロビは，私が2004年から2008年に駐在していた時に5分で移動できたところが，30分40分かかってしまう．私の知人はナイロビの国際空港近くの自宅からナイロビの都心のオフィスまで行くのに，朝4：30に起き，5：30に家を出て，8：30に着いている．かつては車で15分か20分で通えたのですが，3時間の渋滞です．

　ビジネスの話をすると，アフリカは今成長している．だからアフリカに投資しようという，投資欲を喚起するような話で盛り上がるんですが，アフリカのビジネスを考える時に一つ忘れてはならないことは，例えばこのように，もはやもともとのアフリカの都市構造を遥かに超えてしまうような形で自動車があふれていることです．交通事故の死者率も，急速な勢いで伸びています．これはアフリカにおける急速な経済成長の弊害ともいえる部分です．

　その下には，消費爆発というアフリカを象徴する経済現象を示そうと思い，ヨハネスブルグのスーパーマーケットの写真を載せました．そして，

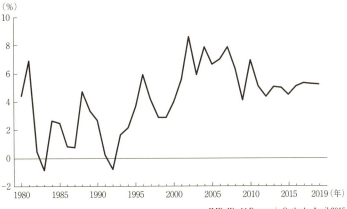

図1 サブサハラ・アフリカのGDP成長率（実質値）（1980〜2019年．2015年以降は予想値）

この2つの写真の根底にある，アフリカにどういうふうにして外貨がこの10年くらいの間に入り続けてきたのか，を示したのが，この縦の写真です．これはケニアの北西部にあるトゥルカナ地方で開発が進んでいる油田の写真で，2014年の9月末に撮ってきました．

1 サブサハラ・アフリカのGDP成長率

アフリカには，2003年以降，資源価格，特に原油価格の上昇によってものすごい勢いで外貨が入り，それが経済的な活況につながっています（図1）．今年以降の年については予想値ですが，IMFのデータをもとに1980年から2019年の経済成長率を見ていきますと，2000年を過ぎた頃から，2009年のリーマンショック翌年あたりを除いて，4％以上5％くらいで安定している状況がお分かり頂けると思います．

これが去年くらいからだいぶ怪しくなってきまして，つい1週間前にIMFが，サブサハラ・アフリカの経済成長率の予想値を当初より低い4％台に改訂しました．来年以降どうなっていくかわかりませんが，少なくとも30年くらいのスパンの長期的傾向で見れば，1980年代にあったようなマイナス成長はないでしょう．

ただし，アフリカの人口増加率は大体2.7％くらいで推移しているので，それを上回るGDP成長率がなければ1人当たりの取り分は少なくなってしまいますから，アフリカが真の意味で経済成長しているというには，実

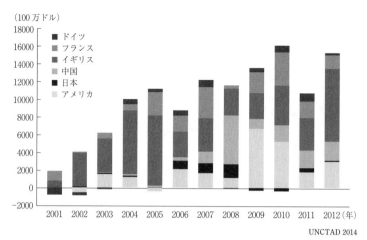

図2 サブサハラ・アフリカ向け外国直接投資額の推移（2001-2012）

質値で3%以上の成長が必要です．

2 サブサハラ・アフリカ向け外国直接投資額の推移

　つぎは経済成長の原動力となった外国からのサブサハラ・アフリカに対する投資についてのグラフです（図2）．アフリカの経済がもうちょっとで成長するかなという2001年あたりから，2012年までのサブサハラ・アフリカに入ってきた投資のフロー額を国別でみています．アメリカ，日本，中国と比べると，イギリスの割合が非常に大きいことがわかります．

　西アフリカを旅行していると，いたるところにフランス企業の看板が見えるし，アフリカほぼ全域において，中国企業の看板が見える．中国人はどこに行っても大勢いる．では，いったいイギリスはどこに投資しているのかというと，これは鉱山業への投資です．

　鉱山業ではないですが，昨日，世界最大のビール会社が世界第2位のビール会社を買収することが発表されました．この世界第2位のビール会社というのはSABミラーのことです．毎日新聞の記事を読んでいたら，イギリスのSABミラーという書き方をしていたんですが，もともとSABというのはSouth African Breweriesという会社で，南アフリカのビール会社でした．それがアメリカのミラーとくっついてイギリスに上場したんです．こうやって，もともとは南アフリカのビール会社や鉱山会社だった

会社がロンドンの証券取引所に上場し，本社を英国に移してきた．だから，イギリスの投資額が非常に大きいことになっているのです．

でも，2001年以降のアフリカの経済成長における最大の変化は，もう皆さんご存知のとおり，中国の登場ですね（図2）．中国は2001，2，3年の段階ではアクターではありませんでしたが，中国を示すグラフ上の幅はどんどん大きくなって，今やアフリカ向け投資の常連です．

中国は，サブサハラ・アフリカの国々にとって，最大の輸出先であり輸入元，つまり最大の貿易相手国になっているという状況があります．ビジネス，産業資源の問題を考えるときに，この十数年の最大の変化は中国の登場だということが一つ目のポイントです．

3　アフリカにおける日本の直接投資総額

では，アフリカへの投資のそうした状況のなかで，日本はどうしているかというと，当然日本企業のアフリカへの投資も増えてきました．サブサハラ・アフリカの経済成長が始まる前の1996年から2014年までの日本のアフリカへの直接投資の総額をストックで見てみますと，どんどん増えています．サブサハラ・アフリカだけでなく，アルジェリア，エジプトやリビア，北アフリカの産油国に対する投資は元々あったのですが，ここから，北アフリカに対する投資額を引いていくと，サブサハラ・アフリカに対する投資というのは，もともとは南アフリカの自動車産業以外のものはほとんどありませんでした．それが2004，5年くらいから増え始めて，今や100億ドル．1兆円近いストックの投資がアフリカ大陸全体に対して行われている．もはやアフリカに投資するのは，トヨタのような巨大自動車会社や三井物産を含む総合商社だけではなく，様々な日本企業がそれぞれの戦略のなかで投資をしているということがおわかり頂けると思います．

4　日本による投資受け入れ上位5ヵ国

次に世界の主な経済アクター，日本，アメリカ，EU（ヨーロッパ連合），中国が，アフリカのどんな国に投資してきたか，という全体的な傾向を見ていきたいと思います．この全体的な傾向にはいくつか面白いポイントが含まれていると思います．

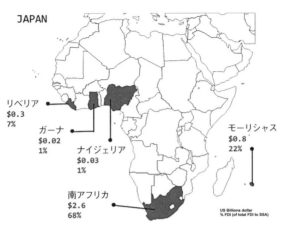

図3　日本による投資の受け入れ上位5ヵ国（Totals 2001-2012）

　まず日本．2001年から2012年までに日本がアフリカに投資した国のベスト5が（図3）です．日本からの投資の68%が南アフリカ向けです．南アフリカでは日本企業が様々なビジネスを展開している．自動車会社もトヨタをはじめとして，ホンダもあるし日産もある．総合商社は発電所を経営したり，レアメタル，プラチナ，マンガンといった希少鉱物資源への投資，他にも様々なインフラ投資がある．

　次に投資が多いのがモーリシャス向けの22%です．一体なぜと思われると思いますが，これは，数字のトリックみたいなもので，モーリシャスが最終目的地ではなく，モーリシャスを経由して，第3国に投資しているということで計上されている数字です．モーリシャスというのは租税の点で，投資をすると有利になるということで，ここを経由して他のアフリカに向かうという投資がある．

　それ以外ですとリベリア向けが7%です．エボラ出血熱で大変なことになっている国になぜ投資がと思われるでしょうが，船を所有するときに，リベリアに船籍を置いてそこに投資するという形をとると統計上，こんなふうに出てくる．それで残りの2%がナイジェリアとガーナです．もちろん今，ケニアなど他の国にも出て行っています．

　しかし今，南アフリカ政府と日本政府の間は正直言ってあまりうまくいっていません．南アフリカがムベキ政権だった1999年から2008年の間は，両国関係の黄金時代と言われていました．しかしその後，ズマ政権が

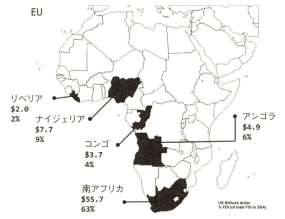

図4　EUによる投資の受け入れ上位5ヵ国（Totals 2001-2012）

明確な対中国シフトをとるようになったことによって，日本企業は南アフリカで大変苦戦している．外交関係も悪いわけではないが，ムベキ政権時代のような黄金時代とはいえません．南アフリカの経済も今悪くなってきて，成長率は0％や1％だったりします．南アフリカのインフラ水準は高く，政治的に安定していますが，残念ながら治安はあまりよくありません．

5　EUによる投資受け入れ上位5ヵ国

EUも日本と似たような状況です（図4）．南アフリカに対する投資が63％で圧倒的に大きい．ほかにアンゴラへ6％，コンゴへ4％，これはコンゴ民主共和国ではなく，コンゴ共和国の方ですね．ナイジェリアへは9％です．さっきの日本の地図を示したときには，少なくともコンゴとアンゴラについては出ていませんでした．コンゴ，アンゴラ，ナイジェリアは，サブサハラ・アフリカの4大産油国のなかの3つなのです．もう一つの産油国はコンゴの左にあるガボンという国です．

最大の原油産出国はナイジェリアで，最大で1日あたり250万バレルくらいの産油量がある．実際には，1日200万バレルくらいで推移することもありますが，サブサハラ・アフリカ最大の産油国であることに変わりありません．そしてそれに近いアンゴラの最大生産量が日量188万バレル．そしてコンゴです．ヨーロッパ企業は産油国に出て行っているという

傾向があるのです.

6 アメリカによる投資の受け入れ上位5ヵ国

　次はアメリカです. 興味深いのは, 南アフリカ向けが17% まで低下し, ナイジェリアが37% を占めていることです. これ以外の国ではガーナとリベリアがあります.

　リベリアは1847年にアフリカで最初に独立した国です. アメリカのいわゆる解放奴隷たちが独立を主導したという経緯があるので, リベリアとアメリカには特殊な関係がある. そしてガーナとナイジェリアという2つの国は, 西アフリカのなかの英語圏で, これらの国に対してアメリカが集中的に投資をしているという傾向があります.

7 中国による投資受け入れ上位5ヵ国

　最後に中国の投資先ですが, 少ないけどザンビア, ジンバブエ, コンゴ民主共和国が入ってます. これはどういうことかというと, ジンバブエは1980年に独立して, 当時は英連邦の一部だったのでエリザベス女王を元首にいただき, ムガベ氏が首相でした. その後, 共和制に移行してムガベ氏はそのまま大統領になる. とはいえ, 35年間いまだに1人の, はっきり言いましょう, 独裁者ですね, 個人支配が続いている国です. コンゴ民主共和国も汚職, 政府のガバナンスという点で様々な問題を抱えた国です. ジンバブエもコンゴも, 日本やEUやアメリカの企業ガバナンスの観点からすると, 汚職の問題があったりして, 投資の適格国にはなり得ません. ところが中国はそこに対しても, 一定の投資ができる. それは中国企業が, 日本や欧米の企業と比べてコンプライアンスの問題を気にしていないということを示していると解釈できます.

8 資源開発

　アフリカは様々な国が様々な分野の投資を受け入れてきました. 今日は産業資源というテーマが与えられているので, 今から2つのビジネス分野のことに絞ってお話ししたいと思います.

　1つは資源開発ですね. 資源開発の象徴として石油産業を取り上げたい.

先ほどお話ししたように，アフリカの4大産油国はナイジェリア，アンゴラ，コンゴ共和国，ガボン．それ以外にもサブ・サハラアフリカには新しい産油国がこの10年の間に次々と出てきました．例えばスーダン．スーダンから2011年に分離独立した南スーダンも産油国．それからコートジボワール，ガーナも産油国．あとチャド．これもアメリカのシェブロンテキサコが入って石油を掘って，少量ではあるが産油国として石油を生産するようになった．

　こうした国々以外にも，まだ商業生産には至っていないが，すでに地下に原油が埋蔵されていることが分かっている国があります．昔ならば採掘しても採算がとれないと考えられていた油田が，原油価格が高ければ採算がとれるということで開発され，アフリカ各地で「え，産油国なの？」という国が登場してきました．まだ商業ベースに乗っていないが，既に採掘が始まり，新しい産油国になろうとしているのがケニアです．海底油田や，北西部のトゥルカナ地方で油田の開発が進んでいます．トゥルカナ地方はケニアの中でも最も開発の遅れた地域で貧しいところです．石油とか資源は，なぜか，よりによって一番貧しいところとか，最も政治的に不安定だとか，アクセスが難しいところから出ますね．

9　アグリビジネス

　もう1つはアグリビジネスです．今，アフリカで最も注目されている，ともいえるし，コントラバーシャルな，つまり論争の的になるような性質をもったビジネスです．理由は後でお話ししますが，どういう会社が何をやろうとしているのかを示したのが，この図5です．世界銀行グループがプロジェクトにお金を貸している場合もあるし，こういった企業とタイアップしてアフリカの農業を盛り上げていきたい，ということで名前を上げている企業ですが，例えば，シンガポールの農業総合企業オラム．タンザニアに本拠を置いている印僑系の農業総合商社 ETG．この会社は私も直接見に行ったことがあるのですが，アフリカの小農，つまり農家に肥料を安く売り，技術指導もし，その結果出来た作物を買い取り，それを工場で製品にして，国内で販売し，輸出もし，という農業の総合企業です．こうしたところがアフリカ各地で，ものすごい規模で農業ビジネスをすすめ

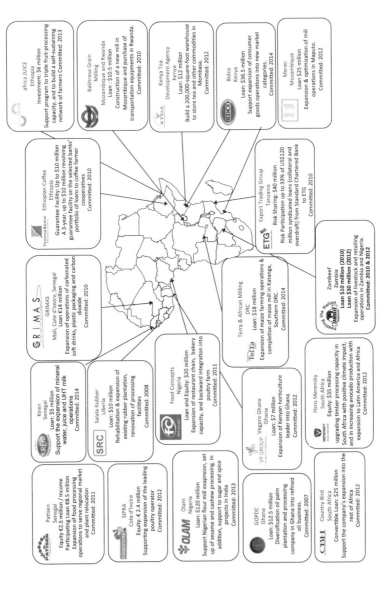

図5 現代アフリカの新しいビジネス アグリビジネス（世界銀行主導）

ようとしています.

　なぜ,そういうことになったかというと,世界銀行が2013年3月に,報告書を出しました.タイトルを日本語に訳すと「アグリビジネスが農業の可能性を解き放つ,成長するアフリカ」というような意味の報告書です.このなかで世界銀行がいろんなことを書いているのですが,ポイントを3つに整理すると,①食用穀物栽培,つまり人間が食べる米,メイズ,小麦などの穀物を栽培するのに適しているにもかかわらず,まだ耕していない土地の半分は,サブ・サハラアフリカにある.②2013年の時点でアフリカには大体年間3130億ドル,日本円だと30兆円くらいになりますね,の農業生産規模がある.これをうまく成長させれば,つまりアグリビジネスとして成長させれば2030年までに1兆ドル,3倍の規模に拡大する可能性がある.それほどアフリカの農業ビジネスはうまくやればアフリカに富をもたらす.③ETGという会社を紹介するときに言いましたが,食料生産のバリューチェーンをうまく構築すると,アフリカ諸国が世界の一次産品の主要輸出国に躍り出る可能性がある.つまりアフリカが世界の食料基地になることができる.世界銀行は,うまくやれば,アフリカはそういう可能性をもっているということをこの報告書で示しました.

10　産業資源の投資が1つの国を作り替えてしまうくらいのインパクトとは

　アフリカの産業資源への投資には,1つの国を作り替えてしまうくらいのインパクトがあります.ここから,そのインパクトについて考えてみたいと思います.

　アフリカへの投資がアフリカの経済を成長させてきたことは,紛れもない事実です.JETROとか,経営コンサルタント企業とか,銀行とかは,サブ・サハラアフリカ・ビジネスセミナーのような催しを頻繁に行っています.そういうセミナーに行くと,「もっとアフリカに投資を」という話はいくらでも聞けますが,今日はそういう話から離れ,企業の投資がアフリカ社会に与えているインパクトのなかで,実は普段あまり顧みられていない,でも重大な問題になっている,と私が考えることについて話したいと思います.それは反企業の動きです.

11 地元の反対運動に直面する石油企業 ケニアの事例

　製造業には雇用創出効果があります．有毒物質を垂れ流すとかいうことがあれば環境を破壊して進出先にマイナスのインパクトを与えますが，小さな工場であれば，そこの土地に与えるインパクトは物理的に限定的でしょう．

　これに対して，資源開発とアグリビジネスは広大な土地を必要とするので，広い範囲の住民に大きな影響を与えるビジネスの典型例です．だが，なぜかは後で申し上げますが，ビジネスの世界では，なかなかそういうことに気が付かない．でも，ジャーナリスト，NGO の視点，アカデミストの視点を持って見てみると，今アフリカ中で反企業の動きがどんどん大きくなってきている，ということに，私は企業のシンクタンクで働いている1人として非常に強い懸念を持っています．

　先ほど紹介したケニアのトゥルカナ地方の油田開発の現場では，デモや抗議が頻発してきました．2013 年 9 月から 11 月に激化し，その後は沈静化したりひどくなったりをくり返している．油田を開発してきたのはTullow という英アイルランド系の石油採掘企業です．

　私は Tullow 社の案内で油田にも行きましたが，別にこの会社が地元の人々を虐げるようなことをやっているわけではありません．かつてのマルクス主義的な立場から，企業を一種の帝国主義の先兵としてとらえて，どうせ大企業は発展途上国の弱い人たちにマイナスのことしかもたらさないんだ，という考え方で活動している NGO が今も日本にあります．ですが，私はそういう立場をとっていません．企業がかつてのようにあからさまに悪いことが出来るような時代ではなくなっており，そういう NGO に反発されたり，下手すれば不買運動を起こされて株価が急落する時代ですから，現代の企業はビジネスを展開するのに細心の注意を払っているわけです．Tullow 社もそうで，環境問題でも非常に厳しい基準をクリアしている．

　現代の企業はアフリカでビジネスを展開するにあたって，様々な環境基準をクリアし，そこに住んでいる人たちのために，学校をつくったり，電気を供給したり CSR（企業の社会的責任）を果たすための様々な活動をしています．

それにもかかわらず，こういう反発に直面することがあるのです．

12　プロサバンナへの反対　モザンビークの事例

　次はアグリビジネスへの反発です．1つの例として，JICA（国際協力機構）がモザンビークで進めているプロサバンナという農村総合開発計画があります．これに対する反対運動を，テレビなどでご覧になった方もいるかもしれません．もう大学をお辞めになりましたが，東京外国語大学で准教授をされていた舩田クラーセンさやかさんたちが中心になって組織した日本のNGOがありまして，そのNGOの招きでモザンビークの農民が来日し，日本のプロサバンナはひどいからやめてくれという集会を国会の中で開き，民主党の左派系の議員の方々や共産党の方が出席し，TBSなどが取り上げていました．

　世界銀行は，食糧のバリューチェーンをうまく構築すればアフリカは世界の食料庫になり，まだ耕していない土地で農業生産を3倍にすることが出来ると言っているわけです．ところが，それをやろうとしたら，反対運動が吹き上がってくる．こうした運動が，先進国のNGOや左派の政治家と連携するケースも増えています．

　意地悪な言い方をすれば，NGOが反対運動をあおっているからだ，という言い方もできるかもしれません．それも，場合によっては1つの要因だろうと，私は思う．しかし，NGOがあおっただけで，アフリカ各地でこうも次々と，アグリビジネスに反対する動きが起きてくるとも思えないのです．それだけでは説明できない要因が，今のアフリカへの企業進出の全体状況のなかに存在しているのだろうというのが，今日のお話のポイントなのです．

13　土地，経済成長を巡る認識のギャップ

資源アグリビジネス企業の進出をめぐる混乱の背景を整理してみます．まず，アフリカの経済成長が顕著になってから，アフリカの土地への投資ブームが続いています．資源ビジネスもアグリビジネスも広い土地を購入，または租借しないと成り立たない．アグリビジネスは特にそうです．石油も掘ろうと思ったら，元々誰かが持ってた土地，使ってた土地に企業が借

地権や所有権を設定して掘らないといけない．掘ったモノを積み出すには，石油であればパイプラインが必要だったり，鉱物資源だったら鉄道や道路が必要になる．そのための土地も収用しないといけません．

アフリカ全体で近年，企業によってどれだけの土地が集積，購入されたかを示すデータはありません．様々な推計はありますが，しばしば恣意的です．アフリカにおける企業の土地集積を否定的に見ている組織，研究者，NGO の人たちは「こんなにひどいんだ」，と数字を大きく見せる傾向がある．一方，アフリカにおける企業の土地集積を奨励する側からすると，データを小さく見せたがる傾向がある．そういうことも念頭に置かないといけないんです．2000 年から 2010 年の間に全世界で 1500 万から 2000 万 ha の土地が取引されたという推計がある一方，アフリカ 27 カ国で 5100 万 ha にも達するとかいろんな統計があります．

しかし，アフリカのかなり広い地域で，膨大な土地が投機の対象になっている，あるいは実際にビジネスをするために買い占められていたり，借り上げられているのは事実でしょう．アフリカの土地に対する世界の企業の関心が高まるにつれて，こうした企業の土地集積に対する反発も同時に広がっているのです．

ここには大きな認識ギャップがあります．企業側は，今まさにアフリカは開発のチャンスで，アフリカの人々にとっても経済成長するチャンスだし，そのためのチャンスを企業は提供していると思っている．三井物産も儲けながら，ビジネスを通じてモザンビークで雇用をうみ，税金を払ったりしてモザンビークを発展させたいとまじめに考えています．

これに対して，アフリカの農民や文化人類学者，一部の NGO や舩田さんのような人々の認識は，これは土地集積ではなく，土地収奪だ，ランドグラブだという認識だと思います．これは重大な人権侵害だし，貧困もよりひどくなるし，企業だけが儲かる．あるいは企業と結託した国のなかのごく少数の有力者だけが儲かって，多くの農民はより貧しくなって，食料事情も悪くなり，環境も悪化していくと主張する．認識が根底から違うわけです．

14 アフリカ農業の低生産性

認識のズレはなぜ起こるのか. 去年, モザンビークに出張で行った時, チャーター機に乗る機会があり, 低い高度を飛んでいたので空撮写真とってみました. モザンビーク北部の, まさに日本の JICA がプロサバンナ, 三井物産がビジネスをやろうとしている地域です.

モザンビークの農村部を上空からみると, 地表に野球のホームベースや台形のような「模様」が見えます. アフリカでフィールドワークやってる文化人類学者や NGO の方は分かるでしょうが, この「模様」は畑なんです.

私は今, 三井物産のシンクタンクで働くようになり, 企業の方と話をする機会が飛躍的に増大した結果, ずっと気になってることがある. 日本の企業の方の中には, アフリカの農村に行くと「とにかくなんにもないんです. 原野です」と言う人が多いのです.

発言をしている人に, 悪気がないのは分かります. しかし, アフリカの農村に精通している NGO や文化人類学者からいうと, なにもないところなんてどこにもない. アフリカって, 実は耕され尽くしているのです.

アフリカの農業の問題点は, 耕していない土地が膨大に残っていることではなくて, 耕し尽くしているにもかかわらず, 耕し尽くしている土地の生産性があまりにも低いことなのです. 1 ha, つまり 100 m × 100 m の土地で, メイズや米といった穀物がどれくらいとれるかという生産性を考えたときに, 世界の大穀倉地帯である北米, オーストラリア, 西ヨーロッパあたりですと 1 ha あたり 6 トンから 7 トンはとれます. 一方, アフリカの場合, 2 トンにも満たない. 他の途上国地域, インドネシア, 印度, バングラデシュといった南アジアの国でさえ, 3 トン台, 4 トン台に達している. そんななか, アフリカの農業だけが, 雨水だよりで, 灌漑も普及せず, 化学肥料もほとんど投入されていません. アフリカは, 世界でただ 1 つ, 緑の革命が起きていない地域でしょう.

15 「農地」を「原野」と誤認する外国企業

上空から撮影した場所を実際に歩いてみると, モザンビークのメイズ畑

ってこの写真みたいな感じなんです．日本人の目からみると，申し訳ないけど畑じゃない．雨水頼りで灌漑もない，ヘロヘロの見た目にも弱そうなトウモロコシが育っている．日本の畑ならば普通，どんな作物でも，植える際に収穫時の効率を考えて直線に植えますよね．それも行われていない．だから，単位面積あたりの収穫量が非常に低い．アフリカの農業の問題点は生産性の低さであって，耕してない地域の多さではないのです．

ですから，アフリカには未開の土地が豊富にあるという認識自体がある種の神話であって，実際は耕され尽くしているわけです．または，遊牧民によって，家畜のえさや水をとるために土地は利用し尽くされています．未開の土地が豊富にあるというのは，企業人の思い込みであって，実際にはアフリカは，人口爆発の状態で，人々を養いきれていません．

第2講の平野さんの授業で，アフリカは就業人口の60％が農業に投入されているにもかかわらず，世界最大の食料穀物輸入地域ですよという話を聞かれたかと思いますが，まさにその通りなのです．急増する人口に対応するために．次々と耕作地を広げており，人口増で農民1人あたりの土地面積はどんどん減っています．

ところで，日本では長い間，私やアフリカに関わってきた人は，少し「変わり者」として扱われてきました．私が身を置いていた新聞業界でも，「海外ならどこへ赴任したい？」と聞かれて，ニューヨークやパリと答える記者は大勢いても，アフリカに行きたいというのはほんとに少数派です．ビジネスの世界でも，学問の世界でも，同じような構造がありました．

ところが近年，アフリカが経済成長して，世界経済の一角を占め，重要な資源供給地になってきたことにより，今までアフリカに全然関わりのなかった普通のビジネスマンがアフリカに関心をもち，企業によってはアフリカ・ビジネスに関わるようになりました．

東京のような都市部で生まれ育って，丸の内や大手町の大企業で働いている企業人からすると，灌漑もなく，作物をまっすぐに植え付けてもいないアフリカの畑は，何もない「原野」や「雑草地」のように見えてしまう．アフリカに出張してくるビジネスマンでも，スーツ着てこういう農村にはなかなか行きませんからね．企業の方々は「アフリカはほんとに何もない」と悪気なく思ってしまうのでしょう．

しかし，そこは「原野」ではなく「畑」であり，「何もない」のではなく人間の「暮らし」があるのです．この辺の大きな認識のずれが，アフリカの庶民の間から出ている「反企業」の動きに関係があるんだろうな，と思っています．

16 土地制度の問題

さらに，土地保有制度の問題があります．私たちが住んでる日本もそうですが，先進諸国には土地の登記制度がありますね．土地を買うと法務局に登記し，毎年路線価が発表されて，その路線価に基づいて土地の価格が決められて，それに応じて固定資産税が決められて，売買される．

これに対し，アフリカ諸国の土地制度は，国によって違うので一概には説明はできませんが，多くの国が非常に複雑な制度を持っています．例えばケニアには土地の私有制度があって，旧宗主国のイギリス人とその子孫が持ってるだけでなく，独立後のケニアにおいては，政権に近かった人とか，ビジネスマンを中心に，あるいは大規模農家を中心に，ケニア人も土地を私有財産として持つことができます．

しかし，さっき紹介したトゥルカナの原油の見つかったところでは，土地の私有制度はほとんど発達していなくて，登記による私有地も存在するけれど，農村を中心に，慣習に基づく共有地になっています．集落には首長，リーダーがいます．その人たちが土地について差配しており，彼らの下で，あなたはここ耕していいよ，先祖代々やってるんだから．あなたはそこで焼き畑をやっていいよ，あるいは遊牧民に対しても，あなたはここで家畜にえさを食べさせていいよ，という形で，伝統的な慣習に従って土地を利用してきているわけです．登記に基づいていないので，慣習としてそうなってる．アフリカはこういう土地が広大で，さっきお話ししたモザンビークの農地も，まさにそういう慣習上の共有地なんです．ただし，それぞれの土地に，それぞれ耕している人がいます．地域のコミュニティのなかで，じゃあここはあなたが耕していいよ，ということが決まっているわけです．

しかし問題は，モザンビーク政府がこうした土地の伝統的な使われ方に配慮して外資企業を誘致しているかというと，そうではないという点なの

です.

　アフリカ諸国の政府は，今は外国企業のアフリカ投資ブームなので，このチャンスを逃すわけにはいかないと考えます．そこで，例えば投資したい三井物産がアフリカに行って最初にどこと交渉するかというと，村の人たちじゃない．当然，相手の国の政府になるわけです．そこで企業はビザをもらって人間を出し，ビジネスが始まる．そして，「ここで石油を掘りたい」，「アグリビジネスをやりたい」と言うと，相手の政府はウェルカムです．交渉相手の政府機関の担当者は「ここは誰の土地でもありません．安心して投資してください」と言います．

　石油を掘っているケニアのトゥルカナ地方も，さっきお見せしたように，人々の生活とは何も関係なく，政府が勝手に石油採掘のための「鉱区区割り」をします．しかし，そこは広大な無人の土地があるように見えているだけであって，土地のほとんどは，農耕民，遊牧民によって，なんらかの形で慣習に基づいて利用されているのです．

　そこに「アフリカには広大な未開の土地がある」と信じているビジネスマンが出て行き，最初に進出先の国の政府と交渉すると，政府は外資を呼び込む千載一遇のチャンスとみて，「どうぞお使いください．このように鉱区割りしてあります．ここは誰も使っていない土地です．治安については政府が責任を持ちます」と言う．企業は政府の言うことを信じるしかない．政府とトラブルを起こすと話は先に進みません．そして「政府がいいと言ってるのだから大丈夫」ということで投資を開始すると，地元の人たちから反対運動が起こる．大まかにいうと，こういう構図なのです．

17　アフリカにおける「国家」とは？

　少しアカデミックな話をすると，この土地を巡る摩擦の背景には，アフリカにおける国家とはなにか，という問題があると思います．

　どの国家，政府も対外的な正統性を持っています．例えば，アフリカのソマリア，中央アフリカという国には，国土のすべてを実効支配している政府がありません．日本政府は北海道から沖縄まで全てを実効支配してますし，ほとんどの国はそうですけど，アフリカには全土を実効支配してないこういう国があります．中央アフリカもソマリアも，全土のごくわずか

しか政府の権力は行き届いておらず，国内各地は武装勢力だらけです．でも，両国政府は国連において一議席，一票を持っています．そして，これらの国の政府が外国の政府や企業と話をする時，その正統性ははっきりしています．そういう意味では，アフリカの国家も，外的な正統性を持っているのです．

しかし，国家の問題を考える時には，もう一つの正統性があります．それは，国家の対内的な正統性，つまり自国の国民について正統性があるかどうかということです．日本人は，日本政府が私たち日本国民に対して十分に対内的な正統性を持っているということを自然に意識することができます．逆にいうと，日本人は国家にがんじがらめなのです．

北朝鮮は，民主的な体制ではないけれども，国家は内的な正統性を持っています．国民を完全に支配しきっています．しかし，アフリカの国は，北朝鮮のような独裁国ではない．ソマリアや中央アフリカは極端な例ですが，そこでは自由に反政府武装闘争を続けることもできる．政府が自国の国民に対して十分な対内的正統性を持っていないという現実があるのです．

外国企業がアフリカのある国に進出していき，その国の政府と話をして問題がないことを確認しても，実際に現場まで行ってみると，地元の人たちとトラブルが起きる．地元の人たちにしてみると，政府が企業に約束したことなど「そんな話は聞いてないよ」ということになる．実際にはもっと複雑で，伝統コミュニティのリーダーが出て来て，その人が政府に買収されていたり，住民の側に立ったり，どっちつかずだったりします．

おわりに　人口爆発にどう対応するのか

最後に考えたいのは，アフリカは今まで通りでいいのか，ということです．雨水頼りの農業のままで本当に良いのか．NGOの人たちの中にはそういう主張をする人たちもいます．「アグリビジネスでは地元の人々の人権が侵害されるし，地元の人たちは同意していないので，世界銀行が推奨しているようなアグリビジネスはだめだ」という主張です．

問題は，じゃあ今まで通り，雨水頼りで灌漑もせず，化学肥料も入れず，区画整理もせずに農業をやっていればいいのか．これは研究者の間でも大きく意見が分かれていて，非常に難しい問題です．確かに地元の住民と企

業の間でコンフリクトが起きているのは事実で，これは地元にとっても不幸だし，進出した企業も，お金を儲けるつもりで行って，トラブルを抱え込むわけですから，幸福なビジネスではない．Win-Win の関係を作って双方利益を得るつもりだったのが，全然そうではなかった．これでは，今のようなビジネスのやり方は見直さないといけないでしょう．

　しかし，旧来の伝統に則ったやり方だけでやっていて，本当にそれでいいのだろうか，という問題は当然残ります．そういう問題意識の根底にあるのは何かというと，それは人口問題なんです．

　現在の世界人口は 73 億人くらいです．これが 35 年後の 2050 年には 97 億人くらい．ほぼ 100 億人近くまで増えます．

　アジアはご存知のとおり国の数も多く人口数も多いので，世界でもっとも人口の多い地域です．2014 年の段階でアジアの人口は 40 億を超えていますが，2050 年に世界人口が 100 億弱になる頃には 50 億を突破して，世界の 2 人に 1 人はアジアの人間だというくらいアジアの人口ボリュームは大きい．ヨーロッパは微増程度．あ，すみません，これはヨーロッパじゃなくて北米でしたね．北米は，アメリカとカナダがゆっくり増えていく．日本とヨーロッパは少子高齢化でこれから子どもが減り，我々は年寄りになり，どんどん人口は減少していく．日本はすでに人口減少局面に入ってますね．アメリカとカナダの人口増加は，両国が移民国家だからです．移民は相対的に貧しい国から来るので，出生率が高い傾向がある．移民そのものが増えると同時に，移民がアメリカ，カナダで産み落とす子どもの数も多いということで，微増とはいえ，ゆっくり増えていく．中南米も 1 人当たりの所得水準，教育水準が，西ヨーロッパや日本ほど高くないので，人口は微増していく．ヨーロッパは今申し上げたように，人口がゆっくりと減少していきます．

　ところが，こういった世界の人口状況のなかで，アフリカだけはものすごい勢いで人口が増えていきます．アフリカは 1960 年に多くの国が独立しますが，その頃のアフリカの人口は 4 億くらいでした．それからずっとアフリカの人口は年率 2.7% くらいの増加率で伸び，現在アフリカの人口は世界 73 億のうち，大陸全体で 11 億くらい．そのうち，サブサハラアフリカには 9 億 5 千万くらいの人たちが住んでいます．それがものす

ごい勢いで増えていき，わずか35年後の2050年に97億の世界人口のうち，24億人がアフリカに住むことになります．世界の4人に1人がアフリカ人になり，そのほとんどがサブサハラ・アフリカに住んでいるという状況になるのです．

　先日，アフリカのウガンダに出張しました．今日本の人口が1億2300万人くらい，ウガンダは3900万人くらいなので，日本はウガンダの3倍ほどの人口がある．ところが，この国連の人口推計値を見て驚いたのですが，35年後の2050年に日本とウガンダの人口は1億人くらいで並ぶんですね．3900万人の国が1億を超えて，今1億2000万人を超えている私たちは，1億まで減るのです．そのくらいの勢いで，アフリカは人口爆発をしている．

　そんな状況の下，アフリカでは全労働人口のおよそ60％が農業に投入されながら，その農業生産性たるや，世界の農業先進地の4分の1とか5分の1に甘んじている．世界で最も生産性の低い農業が行われているアフリカで農業生産性が向上せず，伝統的な農業だけに頼っていると，アフリカは破綻するし，近い将来に世界の4人に1人はアフリカ人になるのですから，最終的には世界の食糧供給体系も破綻するのではないかという危機感を私は持っています．

　この状況を変えていかないと，アフリカそのものが人口爆発で行き詰まってしまうし，それによって世界が被る影響も大きいでしょう．そのためには，一定程度のアグリビジネスは必要だと私は思っていますし，「緑の革命」も絶対に必要だろうと個人的には考えています．しかしそのために前に進んで行こうとすると，今日お話ししたような問題に直面する．これをどのように解決するかはケースバイケースでしょうし，私もこうすればいいです，というような，魔法のステッキは持ち合わせておりません．個別の事例については紹介していけばいくらでもありますが，ここで，そういう問題がありますよ，みなさんどうお考えになりますか，という問題を投げかけて，今日の講義を終わりにします．

Q&A　講義後の質疑応答

Q　アグリビジネスで成功している企業もたくさんあるとおもいますが，そうしたなかで，紛争に発展している所と成功している企業との差はどういったところにあるのでしょうか．三井物産も成功されていると思うのですが，そういった住民問題はなかったのか，あったとすれば，どのように乗り越えてきたのでしょうか？

A　アグリビジネスを中心とする企業進出の成功例，失敗例で言うと，JICA には申し訳ないのですが，プロサバンナは失敗例になりかかっている．なぜかというと，生産性が上がるか上がらないかということ以前に，これだけ反対勢力が増えてしまうと，先に進まなくなる．メディアが「問題がある」といって取り上げ，国会議員が問題があるといって取り上げ，ということになってくると，先に進まなくなるわけですね．

　なぜそうなったかについてはいろんな要因があると思います．アグリビジネスだけでなく，さっき紹介したケニアの石油産業の例も含めてお話ししたいのですが，ケニアのトゥルカナ地方で石油採掘をしている会社は，ご紹介した Tullow という会社だけではなくて，スペインの CEPSA という企業も Tullow とは別の区域でやってるんです．Tullow と CEPSA の石油開発の事例は，よく比較されていて，Tullow はトラブルが多く，CEPSA はトラブルが少ないということは，業界関係者の間では多少知られていることなんです．

　これに着目した研究者がいて，私も個人的に友人ですが，ケニアのナイロビにある United states international university という大学の Kennedy Mkutu さんという准教授です．今年の 7 月まで，京都大学の客員研究員として半年間来ておられました．彼はその問題に関する現場を良く知っている権威で，彼からレクチャーを受けたことがあります．石油開発地域の土地問題で CEPSA と Tullow の間には，住民とのコンフリクトの頻度に大きな違いがある．何が違うかというと，事前に住民とどれだけコミュニケーションしているかという，ごく当たり前の話なんですね．

　もちろん Tullow の方も地元との接触は十分にやったはずなんです．しかし，ここはもうミクロの話になってくるんですが，実際に誰と話をした

か，ということが非常に重要なんですね．これは，地域によって，案件によって全て違っていて，地元のリーダーと話をしたらそれでうまくいくかどうかは，また別の問題なんです．その地元のリーダーがそこでどれだけの信頼を勝ち得ているのか，住民に対して，ほんとうに一定のカリスマ性，権威を持った人なのか，とかいうことを見極めないといけない．Tullowの場合もトゥルカナに油田開発で出ていくにあたって，十分住民の方たちと話をしたはずなんです．しかし，残念ながらそのときに，トゥルカナ出身の国会議員と話をしたそうです．地元選出の国会議員と話をしたんだから大丈夫だろう，と思ったんですね．ところがそうではなかった．

　ですから，地元の政治力学を綿密に調査しないといけない．他にもケニアは，石油開発およびアグリビジネスでマサイランドと言われている地域が注目を浴びていて，日本でもマサイ族というと多少知ってる方もいると思うのですが，高いジャンプをするというので昔コマーシャルに出ていた人々です．

　そのマサイの人たちが住んでいるマサイランドは石油が見つかり，さらに農場として耕したらいいのではないか，ということでアグリビジネスの対象にもなっています．石油採掘については日本のJOGMEC（石油天然ガス・金属鉱物資源機構）が震探調査といって，地面の中にどーんどーんって振動をかけて，それでかえってくる振動の跳ね返りで，地下の石油の埋蔵分布を調べるという調査をやっています．私はJOGMECの方たちもお会いしてないようなTraditional leader14人を集めてヒアリングをやったことがあるのですが，そのヒアリングをやるだけでも，14人のtribe leaderのなかにでも力関係がある．そのなかで，住民との間で指導力を持っている人と持っていない人がいると．こういうことを一つ一つ見極めていこうとすると，現地の政治事情ですとか，場合によっては人間関係まで精通した人たちと相当密なコミュニケーションをしないといけない，という現実があります．

　ケニアのトゥルカナの油田開発の話に戻ると，CEPSAはそれにわりと成功していて，Tullowはそれに残念ながら失敗しているということは言えると思います．住民とのコミュニケーションの仕方でいったん，違うチャンネルを押してしまうと，その後に，CSRで多額のお金を投入し，学

校を開きました，予防接種しました，井戸作りました，と住民の歓心を買おうとしても，なかなかリカバーは難しいということが，資源ビジネスであれアグリビジネスであれ，人々の土地に触れる形のビジネス全般で言えることだと思います．

Q　先ほど中国の話がありましたが，ちょっと質問の趣旨が変わってたのであえてもう一度お尋ねします．農業のところと資源のところで反企業の行動が起こるのはもっともな話で，よくわかりました．一方で，それ以外の分野，例えば中国が各地で，港湾，鉄道，道路，いろんなインフラをたてまくって，これも同じように土地をたくさん使ってやってるわけですが，一方で評判がいい．これは結局，例えばですが，農業や資源と違って，成果がすぐに目に見えるからいいのか，あるいは工場をたてても物理的影響が小さいからいいと言えるのか，もしくはやはり問題は発生しているのかお聞かせいただきたい．

A　個別のインフラ建設で，どういうコンフリクトが起きているかは国や地域ごとにかなり違うと思います．中国のインフラ建設は多岐に及んでいます．中国しかやってないインフラ建設も多い．最も顕著なのが道路です．先進国企業で道路をアフリカに作りにいくというのは，今ではあり得ないです．ベイブリッジやレインボーブリッジ，瀬戸大橋などの建設では高度な技術が要求されますが，単なる道路建設は，もはや先進国の企業がアフリカに出て行っても採算がとれない．決められた予算のなかで作ってくれと言われても，先進国の企業だと人件費がとても高くつきます．

　これに対し，中国がつくった道路はそのうち壊れたりします．技術水準が低くて，最初から設計のスペックの水準が低いからです．しかし，アフリカの経済発展の間尺とぴったり合ってるんですね．中国自身が発展途上国の要素を残している国だからです．

　その中国がアフリカのどこかの国に道路を作った場合，用地は政府によって強制的に収用されている訳ですから，当然不満を持ってる地元の人はたくさんいると思います．鉄道についてもそうです．内陸国のエチオピアは，アデン湾側に，つまりサウジアラビアとかイエメンとかがある側に出て行くしか海へアクセスできないので，ジブチという小さな国を出口として鉄道を引いています．この鉄道建設は，お金は中国とトルコが出してい

て，工事を請け負っているのはトルコと中国のゼネコンです．アフリカで必要とされている鉄道に，日本の新幹線技術は全く必要ありません．

土地収用して線路を引いていくと，行く先々で，地元の人々から「ここは今まで家畜が通っていたのに」といった不満の声が上がるような問題が当然起きるわけです．そのときに，中国は非民主主義国家なので，「相手国の政府がこの場所に作ってくれと言ったんだから」と言って，住民の声にはそもそも耳を貸しません．進出先の住民との間に何か問題が起こっても，中国には内政不干渉という絶対的な原則があります．中国は自国の内政にも干渉されたくないので，他国の内政にも干渉しないという原則です．ですから，援助先の国で人権問題が起ころうが住民問題が起ころうが，それはその国の政府と住民の間で解決してください，私たちは感知しません，という原則を貫くわけです．

反対に言うと，日本や欧米諸国がそういったビジネスに踏み出せない最大の理由が1つはそこにあるわけですね．先進民主主義国では，中国のようなわけにはいかない．NGOがかみついてきたら，株価が下がり，メディアが騒ぎ，となるわけです．三井物産なんかは，いつもそういうことが起きないように必死に考えながら商売してるわけですが，中国はNGOが出てくることもないでしょうし，出てきたら力で潰すでしょうし，関係者を逮捕してしまいますよね．

それから，中国によるインフラ建設は，全体的にはアフリカの人々に評判がいいです．なぜかというと，インフラ建設というのは，インフラができることによる受益者と，そのインフラを建設する時に犠牲になる人の両方が出るものですよね．

例えば，成田空港を作る時のことを考えてみてください．当時の日本には，絶対に大きな国際空港が必要でした．しかし，マクロ的な観点では大きな空港は必要でしたが，成田の土地を空港のために接収するにあたって，死者も出るような大変な騒ぎになってしまった．インフラ建設は，そのインフラができることによって人がAからBに移動できるようになると，膨大な受益者がいるので，マクロの観点からみると，中国のインフラ建設は全体としては歓迎されているといえる．しかし，インフラを作ったことによって，ミクロのレベルでは絶対に犠牲者が発生しているわけです．そ

こで中国が，そのミクロの犠牲にどれだけ真摯に向き合って問題を解決しているかというと，先ほど申し上げたようにほとんど何も解決してないと思います．特に土地収用の問題については，「貴国の政府がクリアした問題なので文句があれば政府に言ってください」などと言って，そういうふうにしてエチオピアでの鉄道開発なんかもやるわけです．そこで中国企業が個別に賠償に応じるとかいうことは，ゼロではないけどほとんど考えにくいのが実態です．それが実は，アフリカに日本企業が出て行くにあたって中国と競争してもなかなか勝てない理由の1つになってるのではないかと思います．

白戸先生のおすすめの本

北川勝彦・高橋基樹編著「現代アフリカ経済論」（ミネルヴァ書房，2014年）.

ダンビサ・モヨ著「援助じゃアフリカは発展しない」小浜裕久訳（東洋経済新報社　2010年）.

華井和代「資源問題の正義　コンゴの紛争資源問題と消費者の責任」（東信堂 2016年）.

第5講
アフリカと日本のかかわり
そのあり方と新しい展開

高橋基樹
京都大学大学院アジア・アフリカ地域研究科教授

高橋基樹（たかはし　もとき）
東京大学経済学部経済学科・経営学科卒業．ジョンズ・ホプキンス大学高等国際問題研究大学院修了．日本郵船（株），（財）国際開発センター，神戸大学大学院国際協力研究科を経て，現職．国際開発学会会長，日本アフリカ学会編集委員長などを務める．主な著書に『開発と国家——アフリカ政治経済論序説』（勁草書房，2010年）『現代アフリカ経済論』（ミネルヴァ書房，2014年，北川勝彦と共編著）がある．

はじめに 「リオリエント」とアフラジア

さて，10年くらい前にリオリエントという言葉がちょっとだけはやったことがあります．この言葉を聞いたことがなくとも従属理論という言葉を聞かれたことのある方は多いと思います．世界の構造は，欧米の先進国を中心に，途上国が周辺にあって，世界が両者間の従属と支配の関係で編成されているという考え方ですね．1980年代以降は長い間下火になっていました．特に，1990年代以降の状況を見ていると，どうも欧米先進国対途上国という構図では物事を捉えきれないのではないかという考え方が現れまして，かつて従属理論の旗手であったフランクという人が『リオリエント』という本を書きました．彼が注目したのがアジアの勃興です．

皆さんがアフリカという対象を考える際にも，お隣の中国をはじめとするアジアの国を抜きにすることはできない．このことを踏まえて，少しだけアジアとアフリカの関係の歴史について振り返ってみたいと思います．それが，『リオリエント』という本に書かれていることです．そこでのキーワードはアフラジアという概念で，アフリカ＋アジアのことを言っています．

ここで，もう一人やはり従属理論を学んで，それを大きく取り入れたウォーラースタインという人にも注目したいと思います．従属理論が衰えた後も，全米アフリカ学会の会長だったことからも分かるように，彼の考えがアフリカ研究に対して非常に大きな影響を及ぼしていた時期がありました．ウォーラースタインの歴史観は西洋近代が膨張して，大西洋の両側がつながることによって世界経済の連動が起こる．それによって世界が一つの経済システムになっていくという見方です．その陰には言うまでもなく奴隷貿易というアフリカ人を犠牲にする状況があったわけですが，日本のアフリカ研究者でもウォーラースタインに依拠する人は少なくありません．しかし，この歴史観はヨーロッパ中心主義に偏りすぎているのではないかとの考えに立ってフランクが，アフラジアということを言いました．

いくつかの証拠は，ウォーラースタイン的な世界システムができる前に，アジアとアフリカの間に広域の緊密なつながりがあったことを示唆しています．例えば15世紀の初めには，李氏朝鮮の知的エリートは既にアフリ

カの南方に海があることを知っていたと考えられています．ですから，よりアフリカに近い中国の知識層は，それよりも早くアフリカの南側の海路を通って大西洋に抜けられることを分かっていたと推測されます．その頃ヨーロッパの人びとは，まだアフリカは地の果ての陸地につながっていると考えており，大西洋からインド洋へと海路で抜けられることを知るのは15世紀末を待たなければなりませんでした．アフリカについての知識で，東アジアがヨーロッパより先行していた時代があったことはあまり日本でも知られていないことだろうと思います．

　アフラジアの豊かなつながりを象徴するのが高校の世界史でも教えられている鄭和という明の提督でしょう．彼は15世紀の前半に皇帝の命を受け，インド洋に大船団を引き連れて7度の航海をしています．しかも，その船団の一部がアフリカに寄港している．マリンディという今のケニアにある港まで足を延ばしている．この辺まで行こうというのは，恐らく中国の側に相当アフリカについての知識がないと思いつかないだろうと思います．

　フランクがアフラジアという言葉で言おうとしたのは，ヨーロッパ人が，いわゆるウォーラーステインが言うところの世界システムをつくる前から，非常に広い地域を統合するつながりが存在していたのだということでした．どうも東アジアとアフリカのつながりは相当に古いようで，中国人のある碩学から，中国とエジプトの歴史的つながりは3千年以上前からある，と聞いて軽い衝撃を受けたことがあります．ピラミッドの中から，その当時は中国でしかつくられなかった絹が出土するらしいんですね．ですから，長い歴史の中では，海で言えば，西太平洋から西インド洋にかけて，無数の東西交流が織りなされてきている．フランクが言うところのアフラジアなわけです．

　さらに言えば，もしかしたら室町時代に跳梁した倭寇や戦国時代に南洋に押し出して行った呂宋助左衛門などの堺を拠点とした商人などもそうしたつながりの一翼を担っていた部分があるのではないか．徳川時代の鎖国まで，日本もアフラジアのつながりの一部だった時代があったのではないか．ともあれ，アジアとアフリカ間の交流史が非常に豊かに存在していたということを我々は踏まえて，もう一回，現代をも見直す必要があるので

はないか．ウォーラースタインが言っている意味でのヨーロッパが主導権を握って（その後，それはアメリカに移るわけですが）きたという世界史の成立は実はそれまで豊かに横につながっていたアフラジアの経済を垂直的に分断してしまって，しかもたちが悪いことに，ヨーロッパ人はその後に歴史を書き換えている．その前には東西交流とかは存在せず，世界をつなぎ合わせたのは自分たちであるという歴史，これは事実ではない．別の歴史をもう一回思い出さないといけない．

　近代になって歴史がヨーロッパ人中心に書き換えられると，いわゆるオリエンタリズムというものの見方が欧米人の間で主流になります．そして，アジアやアフリカというのは，闇の世界で，そこの住人は自分たちの働きかけの客体にすぎない．他者にすぎず，世界を変えていく主体は自分たちだという考え方に変わっていくんだろうと思います．そういう歴史を見直していく必要がある．

　どうしても日本人が集まってアフリカの話をすると，発想の前提が，日本とアフリカ，あるいは日本とアフリカ各国という二者間関係になってしまう．そうではなく，もっと頭を柔軟にして日本はアフラジアの中にいる，あるいは将来の日本をアフラジアの中に位置づけてみてこそ，より豊かな展望が開ける，という発想を持ってみたらどうか，というのが私の申し上げたいことなのです．そして，今，オリエンタリズムを覆してアジア自らが主体となって世界を動かしつつある．そういう時代だからこそ，今申し上げた認識に立ってものを考えていく必要があると思うのです．

1 「希望の大陸（？）」アフリカとその高度成長

　さて，2014 年に，エチオピアのアディスアベバに安倍晋三首相が行って，アフリカは今や，資源がもつ潜在力，経済の成長力で世界の希望を担う大陸となった，と言っています．ここで思い起こしておきたいことは，90 年代まで G7 や G8 で首脳が集まって何を語っていたかというと，アフリカは世界のなかで周辺化されつつある，深刻な問題を抱えた世界のお荷物だ，このままじゃいけない，どうにかしなければ，ということでした．世界はアフリカ「問題」というものに直面しており，それを解決するのが先進国の役割だという認識がそこにありました．つまり，90 年代までは，

	GDP 年平均成長率 ～1990	GDP 年平均成長率 1990〜2000	GDP 年平均成長率 2000〜2010
ケニア	4.6%	1.9%	4.1%
エチオピア	2.2%	2.8%	8.4%
コンゴ民主共和国	−0.2%	−5.6%	4.8%
ナイジェリア	1.5%	2.8%	6.4%
南アフリカ	2.0%	1.8%	3.5%
赤道ギニア	1.3%	19.7%	17.1%

（出所）World Development Indicators（World Databank）.

表1　アフリカ諸国の経済成長率

　アフリカは「停滞の大陸」であるという認識が，「周辺化」，「グローバル化からの脱落」などへの深刻な懸念とともに語られていた．それが，近年になって手のひらを返したように，「希望と成長の大陸」とか「新たなビジネスフロンティア」として語られるようになった．こうした突然の変化には危うさが含まれているように思います．

　ただ，アフリカの将来への楽観論には，もう一つの根拠がある．表1はアフリカの主要国と特徴的な国をいくつか取り上げて，その経済成長率と人口増加率を年平均でとったものです．色を付けてあるのは，経済成長率が人口増加率より高いこと，すなわち，平均所得が増加したことを意味しています．90年代より前の時期を見ると，人口成長率より経済成長率が高い国はケニアを除いてありません．ちょっと上の世代の方にとっては，ケニアはアフリカの優等生というイメージがあると思うのですが，たしかに，経済成長と人口増加の関係だけを見るとその通りです．コンゴ民主共和国は残念ながら成長率がマイナス．つまり経済の縮小期間が長く続いてきた．続いて90年代も経済成長をめぐる状況はまだあまり変わらない．一つだけ異彩を放っているのが赤道ギニアという産油国です．突然石油が出始めて，年ごとに約20%成長している．これは超高度成長期の中国をも凌ぐ，ほとんど暴力的な高度成長ですね．ところが，90年代までの停滞とは異なり，2000年以降になると，ここに掲げた全ての国で経済成長率が人口増加率を上回るようになってきている．希望と成長の大陸，というふうに認識が変わるのも根拠のないことではないのです．しかし，問題なのは，高度成長の中身なのですが，これは後で見ていきたいと思います．

2 日本の自助努力支援と東アジア

　安倍首相は2013年横浜で開かれたアフリカ開発会議で，日本は「自助と自立の重要性を一貫して93年から訴えてきた」と発言しています．「自助」・「自助努力の支援」という言葉は1992年にODA大綱に明記されるようになりました．その後ODA白書や研究者の文章のなかでよく使われてきました．この自助努力支援という言葉は日本人のODAに臨むときの心理，そしてアプローチをよく表している言葉だと思います．日本人の多くの援助関係者の方は北欧諸国の援助に触れると，違和感を覚えます．彼らの教育や保健，その他の社会セクター重視の姿勢，そして貧困削減の強調に，上から目線で困っている人たちを助けてあげる，救貧的という匂いを感じ取ってしまうのでしょう．つまりよくキリスト教の慈善精神と結びつけられるアプローチですね．日本人自身のアプローチはそうではなく，自ら努力して自ら助けようとしている人を対等の立場から支援してきたのだとして，北欧の援助に対置されることがあります．

　自助努力の支援とは，これを唱えられた方がおっしゃっているように，過去主に東アジアに対して行われてきた援助の経験をまとめて日本なりに理念として掲げたものだと言っていいと思います．つまり，この理念は明らかに後づけで作られたもので，最初からこの理念を明確に掲げて援助をしてきたわけではない．日本の様々な政策は何か高邁な理念から作られるのではなくて，経験を積み重ねるなかで形成されていくことが多く，それは，この場合にも当てはまるものと思います．日本が最初から自助努力の支援という理念に基づいて援助をしてきたのではないという証拠の一つは，1950年代から70年代にかけての援助は，日本側の都合と受け身の外交による援助だった部分が大きかったことです．1958年の通産省の報告書を見ると，はっきり，市場と資源供給地を確保するための援助だと書いています．外務省にとっては他の先進国，特にアメリカからアジアの友好国に援助を供与するべしという圧力はとても大きかったでしょうし，ヨーロッパ諸国からの批判の眼も大変気にしていた．なによりも，元々のODAの始まりは戦争賠償で，アメリカの指導のもとでアジアの国々にお詫びの代わりにODAをしていたのです．罪の償いとして受け身でやっている訳で

すから，アメリカやイギリスのように，途上国をこのように変えないといけないという使命感やデザインを持っている国とは違って，相手の国が言うことを言うままにかなえてあげる，対等と言えば聞こえがいいですが，いわゆる消極的な要請主義的になるのは当たり前のことになります．それは別に相手国の開発ニーズへの日本なりの深い理解と自国固有の明確な開発理念に基づいているわけではない．むしろ，早い時期の日本自体の思惑は，要請主義の下で，開発ニーズの中身にあまり関心を持たずに自国の経済的利益を拡張することにあった．

　ただ，日本が，1990年代に至るまで，ずっと相手国の立場をよく理解せず，欧米の圧力や相手の要請に受け身で援助を差し上げ，その陰で自国の経済的・外交的利益だけを求めてきたと言い切ってしまうのは間違いでしょう．特に1970年代，徐々に日本以外の東アジアにおける産業開発ニーズが何かというのははっきりしてきた．その一方で，市場と資源供給地の確保という自国の利益しか考えてない，あるいは他の先進国から言われて渋々やっているのでは，到底援助受入国の信認を得られるはずはない．1974年に田中角栄首相が東南アジアを歴訪したときに発生した反日暴動は，深甚な影響を日本の対アジア外交に与えたと思います．これを受けて1977年に福田赳夫首相が表明したのが福田ドクトリンです．戦後，約30年経っても東南アジアの日本に対する強い反感を払拭できていないことへの反省を，ODAを通じてかたちにすることが必要だと考えたのですね．当時の保守政権においては後の村山談話のような形での謝罪は国内的な理由で難しかったでしょうが，その政治的限界のなかで懸命に東南アジアとのより良い関係のあり方を考えた．そのなかで出てきたのが，軍事大国に戻ることはしないという約束と，相手の国の産業開発ニーズをよく踏まえて，それに対して支援するということです．まさに東南アジアの工業化の努力そのものを支援するということが福田ドクトリンで明確にされました．この頃から，理念として明示することはなくとも日本の援助は援助対象国の自助と呼応しながら支援をするというかたちに変わってきたのだと私は思っています．

　さて，本講にとって重要なことは，日本人が自助努力支援だと見ている従来のアプローチは，東アジアとの経済関係のなかで形成された，世界的

に見ればかなり特殊なものだということです．例えば，ヨーロッパ人にとっては主な途上国とはアフリカなのです．アメリカが援助の対象としてきたのは戦略的必要で支援をしている中東を除くと，アフリカとラテンアメリカですね（過去に東アジアにも関わってきましたが，次第にそこでの援助は相当程度日本に任せるという形になっていった）．つまり日本の援助は，その主な部分が，工業化にめざましく成功していった東アジアの国々に供与されたという意味で非常に特殊です．安倍首相はさらにアフリカに対して「成長重視」の支援をすると言っていますが，その中身は具体的にアフリカでは一体何を意味するのか．果たして東アジアの工業化という自助努力を支援したのと同様の ODA を展開する，ということでよいのか．アフリカ側の「自助」の中身やそれを取り巻く要因を考える必要がある．

3 開発・工業化のための条件とは―先進国と東アジアの経験から

そこで，問題となるのはかつて日本のいわゆる自助努力支援を受けてきた東アジアの状況とアフリカの現状はどう異なるのか，ということになるでしょう．自助努力支援あるいは日本の東アジアへの貢献という言葉は，学者を含む日本の指導的な立場の人たちによって，援助―貿易―投資の三位一体論という言葉とセットで語られてきました．その根底にあるのは，この三位一体の経済協力を通じて途上国側の工業化を支援していくという発想です．

私自身もアフリカにおける産業開発のコアになるべきなのは工業化だと思います．それは何故か．イギリスで産業革命が起こってから，現在の中国の高度成長まで，人口規模の大きな国の開発を進めていく中心には，常に工業化がありました．工業化には，もちろん悪い副作用も多々あるわけですが，様々な開発上の効果が伴います．例えば労働集約的な産業を育てていけば，多数の雇用が創出される．産業が成長するとともにそれは貧困削減につながっていって同時に賃金をもらった勤労大衆が，そのお金を使うようになれば消費が拡大します．今のアフリカの多くの国のように鉱産物・農産物だけに頼っていると，輸出収入はいつまでたっても多角化せず，不安定なままにとどまってしまいます．そこで輸出産業として競争力のある工業が必要となります．現在の世界の貿易の大半は工業製品で占められ

ているのです．そして，工業製品は多種多様ですね．重機械から家庭用品まで様々なものがあるので，広範で多様な技術を高度化させるのは工業の発展があってこそのことだろうと思います．

　これらのことを踏まえて，工業化はどのような過程を経て，援助とどのように関わってきたのか，また工業化を起動させるための条件は何かを，そして現在のアフリカには，そうした条件がそなわっているのかどうかを以下で考えていきたいと思います．2000年代に経済産業省の諮問を受けた産業構造審議会（産構審）の下に財界や学界の有識者をメンバーとする経済協力小委員会が設置され，報告書が出されています．そこで言及されている「ジャパン・ODAモデル」のなかに，過去の東アジアとの関わりの経験に基づく日本の産業開発についての経産省，及びそれに近い有識者の考えが反映されています．その議論は，わたしたちの疑問を考えるにあたってヒントになると思います．

　まず経済協力小委員会は，援助の役割として，円借款を柱としてハードのインフラをつくっていく，同時に技術協力を通じて，制度づくり及び産業の人材づくりなどの能力構築を支援する，それが呼び水となって，日本の民間直接投資が東アジアにいき，それと相補いながら，貿易が盛んになるという，正に援助─貿易─投資の三位一体論を示しています．援助が貿易や投資とそれほど密接な関係があり，常に有効な役割を果たし得たかについては，議論の余地がありますが，1970年代以降の日本の東アジアとの関わりを整理するにあたってそれなりに有益な考え方ではないかと思います．

　少し私なりに補足をしておくと，三位一体かどうかはともあれ，援助，貿易，投資が多少なりとも連動した日本の経済協力は，東アジア内での国境を越えたサプライチェーンの構築に，つながっている．今起こっていることは，一つの企業グループのなかで行われる国際貿易です．高度な技術により日本でつくられたエンジンが，東南アジアに運ばれて，直接投資でつくられた現地法人の工場やその他の現地企業から調達された他の部品と組み合わされて最終製品に仕上げられる．そうしたサプライチェーンを一つの企業グループが国境を越えて組織する時代になっている．このような国境をまたがる産業組織の編成は日本の援助の東アジアにおける展開とと

もに進んできた面がある．援助は，運輸・通信を中心とするインフラの整備と技術水準の向上を通じて，貿易と投資を組み合わせたサプライチェーンの構築に役立ってきました．ただ，このサプライチェーンの構築に伴ったのは，日本の産業活動のリロケーションであることも指摘しておかなければなりません．それは，日本国内の産業空洞化・脱工業化を加速させたと言ってよいでしょう．

　さて，経済協力小委員会の報告書では，援助，貿易及び投資の相互補完的な展開の指摘に続いて，工業化による持続的な高度成長とそれを通じた貧困削減が実現されると論じている．ここで大事なことは，成長の後に貧困削減がある，という位置づけです．それとともに指摘されていることは，東アジアには，良い条件が備わっていたということです．一つ目は，良好なガバナンス．政府のありかた，権力の用い方が，民間企業のためになったということです．二つ目はインフラへの投資が大きな正の外部性をもったということです．それはつまり，インフラ整備の波及効果が高く，恩恵に浴する民間企業が多かったということを意味します．三つ目が，東アジアでは最初から所得分配が比較的公平でありしかも成長に公平さが伴ったということです．

　さらに，わたしが，この三条件に付けくわえておきたいのは，工業が発展していくためには，それを支える制度とサービスが整備されなければならない，ということです．資金調達のためには銀行に加えて，株式制度，社債制度，その他のシステムがないといけない．そして法律職や税理士，会計士，さらには運輸，通信などのサービス産業も必要です．

　さて，①ガバナンス，②インフラの広い波及効果，③公平性，④制度・サービスの整備という四条件はアフリカの今後を考えるうえでも，非常に重要でしょう．しかし，肝心なことは，たしかにアジアではこれらの条件はある程度整っているように見えますが，果たしてアフリカの現状ではどうなのか，将来どうなっていくのか，ということだと思います．先述の経済協力小委員会の報告書で少しふれられていることを一つ指摘したいのは，アジアはこれらの条件をあらかじめそなえていたということですが，多分それは半分正しく，半分は正しくない．

　ガバナンスについて言うと，東アジアには日本をもはるかに超える，国

家とその統治の長い歴史がある．まずこれを踏まえなければなりません．加えて，近現代になって工業化が進んでいくとそこで産業を取り巻く環境に敏感な企業家層や中間層が発展してきました．彼らは自分にとって政府がどのような政策で対応してくるかに，特に強い利害関心を持つようになる．そういう人々が育てば，ガバナンスは恐らく，彼らの影響力によって良くなっていくのではないか．ガバナンスが最初からよかったから，工業化が進んだと単純には言えない，逆の因果関係も重要に思われます．

　また，東アジアは人口密度が高く，商業活動も元々さかんだった国が多いので，インフラがうまくつくられれば，その波及効果は高くなりやすいでしょう．インフラの広い波及効果を実現するのは，企業の発展そのもの．インフラがつくられたから波及効果が当然出てくる訳ではない．ですから，工業化が進んで，軽工業から重工業まで産業が多様化していくと，多様なインフラへのニーズが拡大してきて，それに応じたインフラ整備は当然，より広い波及効果を及ぼすことになる．再びここでも逆の因果関係も考えないといけないということになります．

　また平等に関して言うと，たしかに，東アジアの多くの国では人口の大半の人びとが近代以前に，同じように農業に従事しており，同質性の高い社会が多かったように思えます．それが公平性ということと関係しているのかもしれません．ただ，公平性が近現代にどうなっていくかは，どのような開発・工業化の過程をたどるかによってかなり異なってくるでしょう．多くの人びとに雇用をもたらすような，労働集約的な部門，雇用創出効果の低い資本集約的な部門のどちらが主体になるか，によって所得の分配のあり方は大きく違ってきます．ですから，平等についても逆の，しかも少し複雑な因果関係が考えられるのです．

　産業開発・工業化を支える制度やサービスに関して言うと，東アジアの近代以前における商業の発展は，これらの制度・サービスに近いものをある程度伴っていたのだろうと思います．ただ，恐らくこれらの制度やサービスも工業化の進展によってニーズが高まり，整えられていく面があるでしょう．

　まとめると，産構審経済協力小委員会がかかげる三条件及び制度・サービスは，恐らく東アジアにも工業化開始以前に一定の基盤があったのでし

ょうが，最初から万全に備わっていたものではない，と言えるだろうと思います．かなりの部分は工業化が起動することによって，その後にそなわって来るものなのではないか．そして，それらの条件が強くなってくれば，また工業化が進みやすくなるという循環的な関係にあるのではないかと考えます．

　ではそもそも，工業化を最初に起動するにあたって重要な要因は何なのか，が問題となると思います．工業化の初めに必要なのは，単純に考えて資本＝お金と，人だと思います．何より重要なのは人でしょう．工業化という動態的な過程を進めていくためには，優秀な産業人と労働者が必要です．今していることよりも少し難しい技術の習得を求められても対応できる労働者，もちろん彼らはできる限り健康で勤勉である方がよいわけですね．そして労働者を組織して日々の仕事を運営する中間管理職，さらには経営者層．そして，工業化に適した制度と政策を立案し，民間の企業や人びとの開発ニーズに有効に応えられる官僚層と政治的リーダーも求められます．つまり一言で言えば人的資源がなければならない．人的資源もまた，先に述べた三条件と同じように工業化しながら厚みを増していくものだとは思いますが，最初にそれが全くゼロであれば，恐らく工業化は起動しないでしょう．

　では工業化を起動させるために必要な資金はどうやってつくりだされるのか．一つには農業の商業化と生産性の向上ですね．先進国及び東アジア諸国の歴史を見ると，工業化が起こる前に農業部門の発展が生じている．イギリスの産業革命の前には農業革命がありました．日本での農業の近代化や東アジアの緑の革命もありました．これらの過程で食用作物の生産に科学技術が導入され，生産性が飛躍的に向上して，農業部門に余剰資金が蓄積されました．その余剰資金が発展しつつあった金融システムを通じて工業化に動員されたわけですね．

　もう一つ工業化の条件の創出において，とても重要なことがあります．それは人口増加と人口の年齢構成が変化することによる効果で，人口ボーナスと言われるものです．人口増加は，まず労働力・人的資源の絶対量を増やすことにつながります．そして，その後出生率が下がり，労働人口が増えて従属人口が減る段階が訪れます．従属人口とは，子どもやお年寄り

で労働人口による扶養に頼っている人たちです．少子化はしても，高齢化が本格的に始まらない状況では，この従属人口の比率が減っていく．そうすれば，生活に余裕が生まれ，貯蓄率が向上する．あとで見るようにこれはしばらく前の日本，続いて東アジア諸国が経験してきた状況なのです．そして，そこで生まれた余剰資金としての貯蓄は開発・工業化の資金をまかなうために動員されたと考えてよいでしょう．

資金について，整理をすれば，農業などの既存の産業が生み出す余剰資金と，人口ボーナスによって扶養の負担が相対的に減ることによって増える貯蓄とが，先進国や東アジアの開発・工業化の資金になってきた，と考えられます．円借款やその他の援助資金はそれを補完する役割を果たしてきたのだと考えられますが，そのことは後で触れたいと思います．

4　アフリカに開発・工業化の条件はそなわっているのか

ここまで述べてきたことに照らして，アフリカの状況はどのように捉えられるでしょうか？

そもそも，アフリカでは，人口の大半は未だ農村部にいて，何らかの形で農業に関わりながら暮らしています．製造業の競争力はおしなべて低く，南アフリカや少数の例外を除けば国際的な競争力を持った製造業はまだ現れていません．製造業の未発達は，表2のGDPに占める比率に現れています．過去（1980年）の主要な東アジア諸国と比較すると，その低さが分かると思います．コンゴ民主共和国だけが高いのは，鉱物（主に銅）の精錬業の数値が製造業として算入されているからでしょう．むしろ，中国などの安価な工業製品に国内市場を侵食されている状況にあります．そのために，日本とは違う意味ですが，アフリカでも脱工業化が起こっていると言われています．このことは後で見ましょう．

では，工業化を支えた条件や起動する要因について，アフリカについて何が言えるでしょうか．皆さんがお聞きになるアフリカ諸国についての評価では，ガバナンスは悪く，インフラ整備の波及効果が低く，たいへんな不平等があるということになっているのかもしれない．概略，間違っていないと思います．

表2に示した政府能力指数は，政府の政策策定実施能力とか公共サー

	製造業の対 GDP 比	政府能力指数 （−2.5〜2.5）	国内総貯蓄の対 GDP 比
現在のアフリカ			
ケニア	11.4%	−0.29	7.9%
エチオピア	4.1%	−0.64	21.8%
コンゴ民主共和国	19.0%	−1.63	10.2%
ナイジェリア	9.5%	−0.95	15.4%
南アフリカ	13.2%	0.27	19.7%
過去の東アジア			
インドネシア	14.0%	−0.42	40.9%
中国	40.0%	−0.25	34.8%
フィリピン	25.7%	−0.18	24.2%
タイ	21.5%	0.27	22.9%
マレーシア	21.9%	0.75	30.4%

(注1) 現在の3つの指標は2015年の数値である．過去の東アジアの「政府能力指数」については
最も古い1996年の数値をとったが，他の2つの指標については，日本の工業化支援が本格
化したと思われる1980年の数値をとった．

(注2) 「政府能力（Government Effectiveness）指数」は政府の政策策定実施能力や公共サービス・
行政サービスの質等についての認識を指標化したものである．

(出所) 製造業の対 GDP 比及び国内総貯蓄の対 GDP 比：World Development Indicators（World
Bank World Databank）；政府能力指数：Worldwide Governance Indicators（World Bank World
Databank）．

表2　工業化，ガバナンス，貯蓄の指標：現在のアフリカと過去の東アジア

ビス，行政サービスの質を見たものです．南アフリカを除いてアフリカの
数値は低いですね．東アジアのいちばんさかのぼれる過去（1996年）の同
じ指標と比べてみても，かなり低いのです．ちなみに，96年以後現在ま
で東アジアのこの数値はおおむね改善しており，インドネシア以外はプラ
スに転じています．つまり，政府のガバナンスのあり方は工業化の進展に
よって変わり得るのです．ともあれ，アフリカの低さはガバナンスの脆弱
さの一つの証拠と言えると思います．深く論ずることはできませんが，こ
れはやはり，アフリカの国家が植民地化によって人為的に作られたという
事実と関係をしているでしょう．現在の国境に合致した国家の歴史，そし
て行政機構の歴史も浅いことは，政府の能力が十分でないことの要因でし
ょう．

　そして，アフリカではもともと人口密度の低い地域が多く，人びとの生
活はかなり自給自足的で，商業活動も地域によりますが，都会を除いてさ
かんではない（これについては，近年いろいろと変化があり，もはや多くの農

	絶対的貧困人口の比率	最富裕層 10% の所得比率	計測年
ケニア	43%	38%	2005
エチオピア	37%	28%	2010
コンゴ民主共和国	88%	35%	2005
ナイジェリア	62%	33%	2010
南アフリカ	9%	54%	2011

（出所）World Development Indicators（World Databank）.

表3 アフリカ諸国における貧困と不平等

村住民も市場とは無縁ではいられなくなっていますが）．そのことだけを考えれば，インフラ整備の波及効果は低くならざるを得ない．

　さらに表3では，それぞれの国で一番富裕な 10% の人がその国の所得のどれだけの比率を得ているのかという数値を示しました．ケニアでは4割近い所得を得ている．比較的平等だと思われるエチオピアでも3割くらい．アフリカ最大の工業国南アフリカに至っては，最富裕層だけで半分以上の所得を得ているという極端な不平等——これは明らかに過去の人種差別体制の負の遺産なのですが——が放置されているという現状があります．そして，こうした不平等と表裏をなすのが，絶対的な貧困人口の比率の多さですね．絶対的な貧困人口，ここではミレニアム開発目標にしたがって一日 1.25 ドル以下で暮らしている人たちの比率を目安にしていますが，近年の高度成長はその比率を低下させるはずなのに，まだまだ非常に高い．石油の価格急騰によってアフリカの高度成長の先頭に立ってきたナイジェリアで，6割強の人びとが絶対的貧困の中に暮らしている．混乱から抜け出せないコンゴ民主共和国にいたっては9割の人が一日 1.25 ドル以下で生活している．国の豊かさは，決して国民の豊かさにつながっているわけではない．

　しかもアフリカの国家の歴史の浅さや商業活動の不活発さと関連して，制度が未整備で産業活動を支えるようなサービスも概して未発達だと言ってよいと思います．政府の徴税能力は非常に弱く，人びとの所得を十分に捕捉できていませんし，銀行口座を持っている人びとは極端に少ないので国民の貯蓄を動員できていない．表2を見ると，過去（1980年）の東アジアに比べてアフリカの国内総貯蓄の比率がおしなべてかなり低いことが分かります．また証券市場もほとんどの国で設けられたばかりで，本格的に

	出生時 平均余命	平均就学 年数	国民平均 所得 （米ドル）	人間開発の 順位（A）	所得順位 （B）	B－A
ケニア	59.2 歳	6.3 年	944	147	160	13
エチオピア	63.6 歳	2.4 年	351	173	176	3
コンゴ民主共和国	50.0 歳	3.1 年	325	186	187	1
ナイジェリア	52.5 歳	5.2 年	1,593	152	126	−26
南アフリカ	56.9 歳	9.9 年	6,371	118	84	−34
赤道ギニア	53.1 歳	5.4 年	17,979	144	48	−96

（注）人間開発とは健康状態，教育水準，及び所得水準の3つを合わせた概念．

（出所）*World Development Indicators*（*World Databank*）；Human Development Indicators.

表4　アフリカにおける人間開発及び所得水準と両者のギャップ

産業活動のための資金調達をする場にはなっていない．

　つまり，端的に言って東アジアがそなえていたとされる条件はまだ十分整ってはいないということです．

　それでは，先に指摘した，工業化の起動に必須の人材と資金という点ではどうか．

　まず，アフリカでは人口がどんどん増えていますので，量的な意味で人的資源は拡大しています．しかし，教育の普及では，初等教育の就学率が，学校の無償化により，やっと近年90％に近づいてきましたが，他方で，全般的に教育の質は極めて低いと言われています．表4を見て頂きたいのですが，いくつかの国について2015年の，国民の健康状況の指標である出生時平均余命（寿命），学校教育の年数を示しています．さらに人間開発指標（健康，教育，所得の程度を合成したもの）の世界における順位を所得だけの順位と比較しています．まず寿命の短さが目立ちます．以前大飢饉で有名となったエチオピアは60歳以上と意外に長いですが，50歳ちょうどでしかないコンゴ民主共和国もありますね．世界でいちばん平均寿命の短い地域，それがアフリカなのです．こうしたことの背景には，エイズやエボラ出血熱の流行に象徴されるように保健システムもまだまだ弱い，ということがあります．

　エチオピアでは，学校に平均して2.4年しか行けていない（ただ，これは成人も含めているので，現在の学齢児童はもう少し長く学校に行っているかもしれません）．南アフリカは過去人種差別体制で有名でしたが，一応学校制度は他より整備されてきていて，就学年数はこの中で最も長いですね．

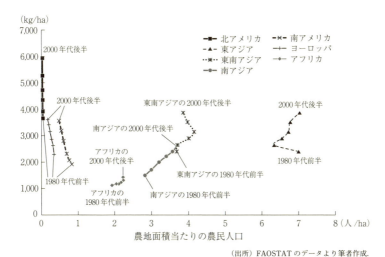

図1　世界各地域の穀物の土地生産性の推移

しかし，どの国も，日本で言えば高校一年生までの年数にも至っていない．いずれにせよ，国民の健康や教育の状況はまだまだ低位であることが分かるものと思います．言い換えれば，大量の良質の労働力や多数の優れた熟練労働者，相当数の技術者，経営者が出てくる状況にはまだまだないのです．

　開発・工業化のための余剰資金を創出することが期待される農業の状況は，どうでしょうか．図1は農業の代表として穀物を選んで，その生産性の推移を見たものです．縦軸は1ha当たりの穀物の収量ですね．ほぼ土地生産性を表していると言ってよいと思います．横軸は1ha当たりどれだけ農民が働いているのか，を示している．この図からまずわかることは，世界には両極端の農業があるということですね．一つは北アメリカ型です．1ha当たりほとんどゼロ人で，人を使っていない．しかし，高い土地生産性を達成している．他方，人をいっぱいつかって，一定レベルの穀物生産性，収量を上げているのがアジアです．大事なことはやや変わった軌跡をたどっていますが，東アジアが90年代から2000年代後半にかけて着実に土地生産性を伸ばしているということです．その後を東南アジア，南アジアが追いかけている．南アジアのインドは緑の革命の経験国だと言われていますが，それがここに現れている．少しずつ土地当たりの農

民の数も増えていますが，土地生産性も上がっている．さて，どちらのパターンにも入らず，うずくまっているように見えるのがアフリカです．土地生産性はアフリカ全体としてほとんど上がっていない．つまり，緑の革命はアフリカ全体に関していえば，まだ起こっていないということです．ですから，そこから開発・工業化のための資金が潤沢に出てくるとは期待できない．ただ，この姿はアフリカ全体を集計したもので，地域や国ごとの状況を見ると，南部アフリカでは順調な土地生産性の上昇がみられる反面，東アフリカや中部アフリカでは土地当たりの農民の人口はどんどん増えているのに，土地生産性が横ばいで低迷したままという状況があり，アフリカの中にも大きな差があります．南部アフリカの土地生産性の上昇は，大きな部分が南アフリカで過去の人種差別体制の下で作られた大規模農場で生じているものなので，不平等の拡大をもたらしている面があるかもしれません．

　次に，先ほど人口の年齢構成の中で労働人口比率が高くなると，貯蓄率が上がり，開発・工業化のための資金が潤沢になるという人口ボーナスについて紹介しました．さて図2，図3を見てください．1960年以降の東アジアとアフリカの，人口年齢構成の推移を示しています．いちばん下が子ども（14歳以下），上の層が高齢者（65歳以上），その間が労働人口（15歳〜64歳）です．東アジアを見ると，子どもの数が絶対的にかなりの勢いで減ってきている．中国の一人っ子政策が影響していますね．そして，まだ高齢者の数がそれほどでもない．結果として労働人口の比率がかなり高い．これは貯蓄のためにはとても理想的な構成だと言えます．その証拠に労働人口比率の高まりとともに，貯蓄率が向上している国が多いのです（ただ，将来的には東アジアも少子高齢化していき，現在の日本が抱えている困難に直面することは想像に難くありません）．ところが，アフリカでは子どもの数は絶対的には全体の人口増加とほぼ同様に急速な勢いで増え，結果として比率としてもほとんど下がっていません．ということは，労働人口の比率が余り増えていないということを意味しています．今のところ，アフリカでは東アジアのような人口ボーナスによる貯蓄率の向上は望めません．表2の数字の低さにそれが現れています．

　ただし，アフリカでは例外的に貯蓄率の高い国が見られます．コンゴ共

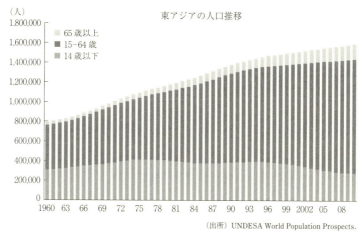

図2　東アジアにおける人口年齢構成の推移

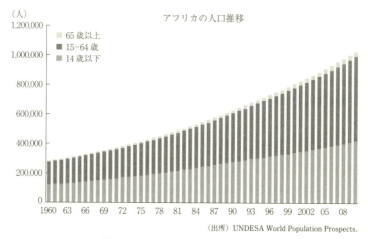

図3　アフリカにおける人口年齢構成の推移

和国，ガボン，赤道ギニア，ボツワナなどですが，皆人口がそれほど多くない資源国ですね．こうした国では，自前で開発・工業化を成し遂げられる余剰資金があるともいえますが，人口が少ないことが制約要因になるでしょう．近年の高度成長を支えてきた資源採掘＝鉱業部門の余剰資金を開発・工業化に動員することについてはまた後で立ち返りたいと思います．

　こうした状況を踏まえた時に，日本の従来型の支援は果たしてアフリカで機能するのでしょうか．

確認しておきますと，日本の従来型援助とは，東アジアで機能したと言われる，円借款を中心とした援助と貿易，投資が三位一体のかたちで援助受入国の工業化を促進する，というものですね．最初に結論から言いますと，援助や直接投資は国内から生み出される資金を全く代替して工業化を推進することはできないでしょう．援助の役割はせいぜい，国内で動員される資金の補完にとどまると思います．もう少し簡単に言いますと，全くお金のない国に巨額の援助を注ぎ込んだからといってその国が工業化するかと言えば，それは夢物語だということです．

　先の経済協力小委員会の報告書の背景にあるのは，日本政府の中には円借款は繰り返し継続的に東アジア諸国に供与され，その成長を長期にわたって支援した非常に優れた援助ツールであるという考えがあります．そして，現在，多くの円借款がアフリカに供与されようとしています．しかし，ここで忘れてはいけないことは，継続的にお金を貸すということは相手が常時返済能力を有していないとできないわけですね．実際東アジア諸国は返済能力を保持し続け，それを強化してきました．たしかに日本の東アジア援助は円借款主導であり，それを柱とするいわゆる「自助努力支援」が一定の成功をおさめたことは事実ですが，それはもともと条件が相対的に良かった国々に，限定的に役立ったものではないでしょうか．

　他方で，そうしたことは多くのアフリカ諸国には当てはまりませんでした．その決定的な理由は1990年代末に日本の公的な借款はほとんど棒引きにさせられた，という事実です．円借款も13の貧困国に対して帳消しに追い込まれた．ここでは円借款が非常に優れたツールなどとはとても言えない．したがって，アフリカとアジアの円借款のあり方は区別して考えないといけない．別の言い方をすれば，過去の東アジアのように商業や農業など一定の非工業部門が発展していて，十分工業化が進まない段階では，返済の肩代わりをこれらの部門ができた状況と，アフリカの状況とを区別しないといけない．非工業部門にそういう余力がないなかでは，日本の従来型の自助努力支援は機能しない．

　ただ，皆さんは，アフリカには豊富な天然資源を開発する鉱業があり，それが東アジアにおける農業などの代わりに工業化を支えられるのではないか，とおっしゃるかもしれません．実際，すでに見た通り，一部の資源

国では貯蓄率が高くなっています．鉱業生産の拡大は，近年のアフリカの高度成長を支えたものでもあり，この点は検討に値するでしょう．

　他方で，多くの皆さんがご存知のように，鉱物資源に依存した工業化には落とし穴がある．資源は福音ではなく，呪いになり得るのです．同じことは特定の輸出向け農産物についても言えるでしょう．その特定の産品の輸出だけが伸びたときに何が起きるかというと，その成長部門に従事している人びととそうでない人びととの間で大きな不平等が起こる．それが社会的政治的不安定につながる可能性が高い．また，植民地からのアフリカの課題となってきたのは，単一作物・産品の輸出への過度の依存です．例えばコーヒーだけで成長した国があるとします．今，中国でもどんどん珈琲店が増えている時代ですから，コーヒーの輸出にとっては需要が拡大する状況にあります．しかし，コーヒー輸出に依存しすぎると，ブラジルのような大きな生産国で大豊作だったりしたら，アフリカの小国のコーヒー輸出依存経済は大きな負の影響を受ける．こういう不安定さばかりでなく，資源の呪いには，通貨を上昇させて競争力を失わせ，他の部門から人材や資金を吸い取ってしまうことで製造業など他部門の発展の芽を摘んでしまうという重大な問題がある．

　もう一つ，アフリカの大変な問題を挙げると，例えば原油生産部門で外貨収入が潤沢に流れこんでくる．果たして，それは国内で開発・工業化のために還元されているのか．結論から言えば，アフリカは極めて残念な状況にあります．資源収入を押さえている一握りの人びとやその余沢にあずかっている階層が，消費的な支出を増やしたり，国外に資金を持ち出したりしている．後者のような状況を資本逃避と言いますが，これはグローバル化でどんどん容易になっている．こうしたことを防ぐためには，政府に腐敗と寡占を防止し，資源収入に課税し，さらに開発・工業化のために財政資金を有効に配分していく能力がなければならない．また，開発・工業化につながるような国内の優良な投資機会を見つけ出して，そこに資源収入を投下していく金融サービス（銀行システムや証券市場）も必要でしょう．いずれも，多くのアフリカ諸国ではまだうまく機能していないのです．

　政府の徴税と国内での有効な資源配分がうまくなされていない証拠が，先に述べた教育や保健の状況です．工業化を起動するために何よりも重要

な人材の育成を進めるには政府の役割が重要です．何より，基本的人権としての教育を国民の間に普及させるために税収その他の財源を確保して，教育政策や保健政策を通じてその基盤を作っていくのは，政府の最も重要な役割ですが，それがまだ十分に果たされていないことは，既に述べたことで明らかだろうと思います．

次に，表4に戻って，国民平均所得のところで注目して頂きたいのは，さっき暴力的な経済成長を遂げた国といった赤道ギニアです．この国の18,000ドルといえば，アジアの新興国よりも高い所得レベルですね．所得の水準は世界の200足らずの国のなかで48位となっています（B欄）．次に，南アフリカはアジアの新興国並みに高いですね．しかし，この国には既に触れたように人種差別の名残による不平等があって，国民の多くが貧しいのですが，少数の富裕層の高い所得によって引き上げられています．しかし，他の国の所得はまだまだ低いですね．B欄を見て頂くと世界の中での順位が相当低いことが分かります．

さらに注目して頂きたいのは，人間開発と所得水準とのギャップです．これはA欄の人間開発の順位とB欄の所得の順位を比較するとわかりやすいので，B－Aの数値を掲げておきました．赤道ギニア，南アフリカ，ナイジェリアはマイナスになっています．これはつまり所得水準に見合った人間開発を進めていないということを意味しています．赤道ギニアは何とこのギャップが96にもなっています．この3か国に共通のことは，資源収入が大きいということですね．つまり，資源収入に課税し，それを人間開発あるいは人材育成に配分することができていないということを意味しています．このことは，同時に資源に依存した成長の果実が一部の富裕層を潤しているだけで，国民がその恩恵に浴していないという歪んだ不平等が放置されている，ということをも意味しています．

東アジアで成功したとされる従来型支援で想定されているような条件，あるいは要因のうちの何が，アフリカでは同じで異なるのかをきちんととらえたうえで，アフリカ諸国への支援を構想しなければならないのだろうと思います．

5　世界経済の構造変化とアフリカ

　さて，産業開発・工業化のための条件や要因を欠きながらも，近年のアフリカが比較的高度の成長を経験してきたことは既にみた通りです．そしてそのことには，天然資源や一次産品の輸出の伸びが関係していたことに触れました．こうした資源・一次産品のブームをもたらしたものは何か．そのことについて考えることが，アフリカと日本の関係の将来を考えるうえで重要になると思いますので，少し踏み込んで考えてみましょう．

　本講義の中で，たびたび中国を含む東アジア諸国での工業化の進展について言及してきました．そして，中国での珈琲店の増加についても触れました．そのことは何を意味するかというと，工業化の帰結として国民が富裕化し，大衆消費社会がこの地域に出現してきているということだろうと思います．現在の中国の大都市での消費生活は，四半世紀ほど前には考えられなかった豊かなものでしょう．こうした工業化・大衆消費社会を支えるためには，資源・一次産品が必要となります．他方で，中国をはじめ東アジア諸国では，日本など先進国に比べて，まだまだ資源の利用効率は低い．そのため，たくさん資源を使わないと，外国向け輸出の需要や国内の大衆消費の需要に応えられないという状況がある．このことが国外の資源，一次産品への需要の爆発的拡大を促してきました．図4は，アフリカの主要産品，ここでは原油，チョコレートの原料であるカカオ，銅，とうもろこし（メイズ）の価格の推移を，90年を100として見たものです．原油があまりにも華々しいので目立たない部分もありますが，全て2000年代の当初までは低迷していたものが，その後大きく上昇している．リーマンショックのときに一度大きく下がって直ぐ持ち直しましたが，最近再び下落しているのは憂慮すべきことです．2015年以降アフリカの高度成長に急ブレーキがかかっているのですが，これは明らかに国際市場における資源・一次産品の価格の下落を主因としています．アフリカの成長をより安定的で自律的なものにしていくためにも，工業化は避けて通れない課題と言えます．

　最近のことは措いておいてこうした2000年代前半からの主要輸出品の価格の急騰はアフリカに大きな影響を与えました．また，中国など新興国

図4 アフリカの主要産品国際価格の推移
（出所）国際通貨基金データ.

の輸入が直接的に拡大して量も増えています．ですから，アフリカへの外貨収入が増えるのは当然です．

　あまり十分日本では語られていないと思うのは，こうした資源・一次産品主導の成長の他の産業への影響はどうなのか，ということです．図5と図6で示したのは90年頃の鉱業（白）及び製造業（黒）のGDPに占める比率です．ボツワナというダイヤモンド輸出に依存している国があって，鉱業の比率が50％に近いですが，他の国ではそれほど高くない．そして5つの国では製造業の比率が20％を越えているという状況がありました．

　これが20年経ってどう変わったか．図6をご覧ください．いくつかの国が鉱業の比率を大きく伸ばしてきたのがわかります．例えば暴力的な高度成長と申し上げた赤道ギニア，産油国であるコンゴ共和国，アンゴラ，ガボン，少し前まで内戦に引き裂かれていたチャドという国が目につきますね．図5と比べてみて頂ければわかりますが，製造業の比率については，20％を越える国はスワジランド一カ国しかなくなっている．つまり，アフリカの経済成長は目指すべき工業化によるものではない，ということですね．他方で，既に述べたように，人びとの消費は，外貨収入の急増とともに伸びている．その消費のかなりの部分は工業製品ですが，残念ながらこれまたかなりの部分は国内製ではなくて，輸入品ですね．それも競争力の高い新興国，特に中国の製品が増えている．

　少し大ざっぱな言い方になるかもしれませんが，アフラジアの工業化の

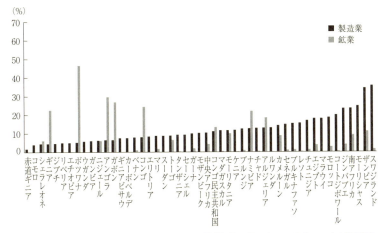

（出所）World Development Indicators より筆者作成.

図5　1988-90年の製造業・鉱業等の対GDP比

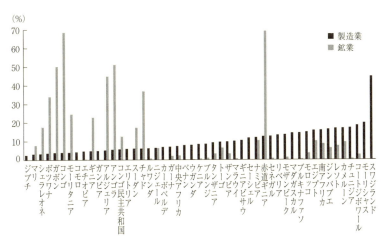

（出所）World Development Indicators より筆者作成.

図6　2008-2010年の製造業・鉱業等の対GDP比

波はまず日本で起こり，それがお隣の韓国や東南アジアや中国，インド，バングラデシュにも及んできた．しかし，その工業化の波は西インド洋上で停止してしまっている．むしろ逆の現象がアフリカで起こっている．既に触れましたが，私はその現象を「負の脱工業化」と呼んでいます．なぜ「負」かというと，日本で起こっている脱工業化は，一部は確かに産業の空洞化によって起こるわけですが，もう一つは産業の重点がより知識集約

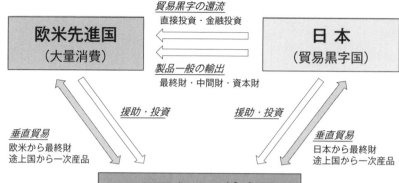

図7　1980年代までの世界経済の構造

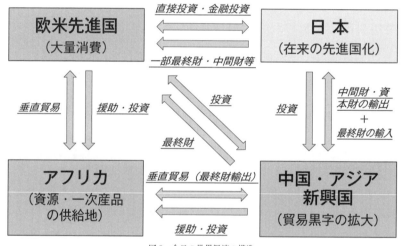

図8　今日の世界経済の構造

的な産業にうつり，それらの分野が経済の主力になることで生じている．アフリカで起こっていることはそうしたことではなく，工業自体が経済の主力になった経験がないところへ脱工業化が起こっている．

　今まで述べたことを踏まえて，世界経済の構図は日本がジャパン・アズ・ナンバーワンと言われ，アジアの多くの国での工業化が本格化していなかった1980年代半ばと比べてどう変わったか，批判を覚悟の上で単純化して説明させてください．その構図はどう変わったか，図7と図8に示

しています.

2つの図では先進国のなかで欧米と日本を分けています. 欧米は, 昔からの大量消費社会. それに対して工業部門が最盛期であった日本は消費財から機械まで工業製品一般を, ほぼなんでも輸出していた. その結果, 特に欧米との貿易で独り勝ちとなり, 貿易黒字が巨額に膨張しました. そこで, アメリカから黒字を還流しろという圧力をかけられると直接投資, 金融投資, 開発援助を大量に供与した. 1980年代半ばは日本の政府と生命保険の資金が世界の資本主義を動かしはじめた時代でもあったと言ってよいでしょう. 他方で, 日本及び欧米先進国とアフラジアの途上国の関係というのは典型的な垂直貿易, すなわち途上国から見ると, 一次産品を輸出して, 欧米日から消費財を中心とした最終財が入ってくる. 輸入に最終財が多く, 資本財や中間財の輸入が少ないのは, 途上国では製造業が未発達だからですね. 特にアフリカの低所得国についてはそのように言えると思います. そして, 多くの援助と投資が欧米からなされ, 日本も加わっていった. ただ, 日本の途上国向けの投資は主に資源開発に向かっていき, 垂直貿易を補強した面があったでしょう.

ところが, 30年経って状況は大きく変わりました. 構図はより複雑化します. まず, 日本はある意味欧米先進国と同じような状況になってきている. 他方で, アフラジアの途上国がアジアとアフリカに分化しつつある. さて, 日本が輸出できるものはすべての分野の工業製品ではなくなっています. だんだんと技術集約的な資本財や中間財に限られるようになってきている. もちろん最終財も, 自動車などではまだ一定の競争力はあるわけですが. 他方で技術がそれほど必要とされない最終財などでは中国などアジアの新興国からの輸入が増えてきている. 先ほどアジアの中の, サプライチェーンの構築ということに触れましたが, それもあって, 日本と中国やアジア新興国との間には工業のなかでの分業関係が生まれてきている. そして, 中国やアジアの新興国は欧米先進国やアフリカに多くの最終財を輸出するようになっていますね. 日本は中国・アジア新興国に資本財や中間財を輸出して, 中国からは大量の最終財が入ってくる. 100円ショップにあふれる中国製品を見れば分かりますね. その結果として, 世界の貿易黒字の多くの部分が, アジアの新興国, とりわけ中国に集まるようになっ

てきました．つまり，投資や援助のための元手となる資金がこの地域に蓄積されています．今世界の関心を集めているのが，中国が資源開発や援助と連動したかたちでアフリカに流しこんでいる多額の投資ですね．他方で，欧米とアフリカの間の垂直貿易構造は変わっていません（図では省略していますが，日本とアフリカの関係も同じですね）．

　さて，問題はアフラジアの中の，中国やアジア新興国とアフリカとの関係です．ここには新たな垂直貿易構造が形成されつつあると言ってよい．アフリカは「負の脱工業化」の状況にありますし，ますます資源・一次産品の供給地としての性格を強めています．これは中国やアジア新興国との垂直貿易を深める中で生じてきたのです．資源開発のための中国による資金提供は，それをさらに補強している．

　一つここで，日本の経済を考えるにあたり忘れていけないことは，国同士の関係とは別の次元で見ると，実は中国・アジア新興国からの工業製品の輸出では，相当に日本の企業が大きな役割を担っているということです．つまりアジアに設けた現地法人の工場などで作られた製品が，同じアジア，欧米先進国，そしてアフリカに輸出されています．このことは日本とアフリカの関係を考える上で，非常に重要な点だろうと思います．つまり，日本から直接アフリカへ輸出することばかり考えていても恐らく展望は開けない．むしろ日本はアジア・新興国にある現地法人や提携先に資本財や中間財を供給し，そこで作られる最終財の輸出をアフリカに増やしていく，というしなやかな発想を持つべきではないでしょうか．

おわりに　アフラジアの復興と日本の役割

　さて，お話しのしめくくりにあたり，日本社会で注目されている将来のアフリカの人口増加ということに触れておきたいと思います．先ほど，アフリカではまだ子どもの比率が高い，ということを申しました．アフリカの人口は若い．アフリカの人口の中央値は20歳足らず．つまり，人口の半分は未成年なのです．ちなみに日本の人口の中央値が既に45歳を超えていると言えば，アフリカが如何に若い大陸かが，分かっていただけると思います．若い人口が多いということから，これから生まれてくる人口の数も非常に多いことが予測できます．恐らく21世紀の後半に入るころに

は，アフリカは世界最大の人口をかかえるようになっているでしょう．

　このことはいくつかのことを意味しています．日本の経済界の方が口にしておられるように，アフリカは将来きっと大きな市場になる．人口が多いのですから，それは当然ですね．

　他方で，若い人が次から次へと増えていくことは，アフリカと世界にとって大きな課題を突き付けています．増えていく若者が，経済活動に参加できるような機会を，端的に言えば雇用・所得源を増やしていかなければならない．このことの難しさは既に問題になっていて，犯罪・暴力の蔓延，紛争の広がりの背景には，多数の若者の失業と貧困が存在しています．アフリカが今のまま，資源や特定の一次産品への依存，大きな不平等，そして深刻な貧困をかかえたまま，ひたすら人口増加を続けていくことが，アフリカばかりでなく，ますます相互のつながりを強める世界にとっても大きな不安定要因となり得ることには，説明は必要ないだろうと思います．だからこそ，アフリカの開発と工業化に日本も貢献していかなければならない．では何をなすべきか．

　ここまで述べてきたことでお分かりのように，アフリカへの援助において日本は，過去東アジアで成功させてきたと自ら語っている自助努力支援とは異なる発想を持つ必要がある．アフリカでは，恐らくもっと開発と工業化の根本に立ち返って，それを起動する要因と条件そのものを整備していく，という観点を持たなければならない．改めてまとめれば，その要因とは人づくりであり，アフリカの内部から生み出される資金の豊富化ということでしょう．そして，その条件とは，民間の成長を促すガバナンス，高いインフラの波及効果，社会の中の平等，工業化を支える制度・サービスの創出ということです．

　強調したいことは，日本の人びとが救貧的だといってすぐ懐疑的になる教育や保健での支援は，人づくりにおいて何よりも重要だということです．経済成長が貧困削減を促すだけではなく，貧困削減が経済成長の礎であるという発想に立たなければならない．そして，アジアではある程度整っていたと考えられる条件を，極端に言えば一から整えることを手伝う，という覚悟を持つ必要がある．これは確かにきわめて困難な課題のように思えますが，既に申し上げたように，この条件自体が工業化の進展に伴って整

備されていくものでしょうから，長い時間はかかるかもしれませんが，悲観する必要はない．むしろ，日本らしく息の長い取り組みをしていくことが必要となるでしょう．

　他方，民間の次元では，やはりアフラジアという発想のなかで，日本が単独でアフリカとつき合うのではなく，日本企業がアジアの中で築き上げたネットワークを活用し，他のアジアの諸国や企業と連携し，アフリカでのビジネスの機会を増やしていくという発想が求められると思います．さらには，そのネットワークをアフリカに拡大していくという発想があってもよいのではないか．中国との難しい関係を考えると，やや現実的でないように聞こえるかもしれませんが，ビジネス拡大の機会を国家間外交のこじれによって損なってしまうことほど，経済的に無意味なことはありません．既に述べたように，アフリカの安定と成長は世界の課題であり，日中両国政府も関心を共有すべきことのように思います．アジアに築かれた産業ネットワークのアフリカへの拡大はアフリカの工業化に直接貢献することにもなり，日本が得意とする中間財，資本財の輸出先にアフリカ諸国が成長していくことにもつながるかもしれない．

　大切なことは，アフリカ諸国自体が，そうしたアフラジアのネットワークに自ら参画していくための，しっかりした開発政策上のビジョンを持つことです．開発ビジョンの策定支援は，実は日本が援助を通じて，実績を残してきた分野なのです．こうした知的支援にこそ，希少となった日本の援助資源を傾けていくことが重要なのだろうと思います（終）．

高橋先生のおすすめの本

高橋基樹『開発と国家—アフリカ政治経済論序説』（勁草書房，2010 年）．

北川勝彦・高橋基樹編『現代アフリカ経済論』（ミネルヴァ書房，2014 年）．

平野克己『経済大陸アフリカ—資源，食糧問題から開発政策まで—』（中央公論社，2013 年）．

第6講

アフリカにおける〈伝統〉の創造と変容
マダガスカルの改葬儀礼から考える

森山 工
東京大学大学院総合文化研究科教授

森山 工（もりやま たくみ）
1984年3月，東京大学教養学部教養学科卒．1994年7月，東京大学大学院総合文化研究科博士課程修了．博士（学術）．広島市立大学国際学部専任講師，同助教授，東京大学大学院総合文化研究科助教授，同准教授を経て，現在，同教授．国際協力機構（JICA）国内支援委員，外務省経済協力評価（マダガスカル国別評価）アドバイザーなどを務める．

はじめに

「地域」と一般に言われますが，それは一義的に規定されうる固定した実体ではなく，それを捉える人の問題関心のうちでさまざまな形で立ち現れる可塑的なものだということを今日はお話ししようと思っています．特に旧フランス植民地であるマダガスカルを中心的なフィールドとし，ある農村部という狭い地域が国内の他の地域とどんな関係にあって，それが国家レベルで見たときの地域，さらには他の国家との関係という国際レベルでの地域とどんな関係にあるのかということについて，ある「伝統的」とされる文化的慣習とその来歴を通じて考えることを狙いにしています．

1 マダガスカルと〈シハナカの地〉

ミクロなところから入っていきたいと思います．まず，マダガスカルとシハナカの地ということでお話しします．マダガスカルはアフリカ大陸の東に位置しています．インド洋に浮かぶ大きな島で，面積が 59 万平方キロですので，日本の約 1.6 倍の大きさです．そこに住んでいる人たちはオーストロネシア語系の言語を話しています．オーストロネシア系の言語というと，一番分かりやすく言えば，東南アジアの島嶼部のことばになります．特にボルネオのことばと一番近縁であるという言語学者の研究がありますが，東南アジアの島嶼部から人がここまで渡っていったということになります．もちろんブラックアフリカ系の人も入っていますし，9 世紀以降になるとアラブ系の人も入ってくるという形で，ここでは人はさまざまな様態で混淆しております．16 世紀以降になるとヨーロッパが進出してくるわけで，ヨーロッパ系の文化要素も非常に強く入っております．ただ，人々の言語がオーストロネシア系ですし，生業の基盤が稲作，水田稲作もしくは焼畑における陸稲耕作ということなので，こういったところから東南アジア島嶼部の影響が非常に強く見られると言えます．

マダガスカルの中央部分は高地地帯になっているのですが，その高地地帯の北東部にアラウチャ湖というマダガスカルで一番大きい湖があります．その湖の周りが盆地になっていて，その盆地周辺に居住する人たちがシハナカと呼ばれている人々です．シハナカの土地には大きく分けて 2 つの

村の作り方があります．盆地なので周りが山地になっているのですが，その山や丘の上に村を作るという作り方が1つ．それからもう1つは，湖の周りで盆地の一番低いところですね，水辺に村を作るという村の作り方があります．マダガスカルは季節でいうと，雨季と乾季に大きく分かれる気候で，雨季は11月から5月頃まで．この時期は暑い．6月から10月頃は乾季で，気温も冷涼．人々の生業の基盤は稲作なので，彼らの日常生活でもっとも重要性を持っているのが農作業，米作りということになります．雨季の最初の時期に耕起の作業を行う．牛に金属製の犂を引かせて耕起するのが一般的ですが，犂というのはヨーロッパがこの土地に持ち込んだ比較的新しい技術で，ヨーロッパが犂を持ち込む以前は，水の入った田んぼに牛を追い込んで，牛のひづめによって土を砕いて柔らかくしていました．これを踏耕とか，蹄耕とかと呼びます．そのようにして田んぼを起こした後，土の表面を均質にならしていかないといけませんが，それには鋤を使って手仕事で行う．次いで，そこに稲の苗を移植する．田植えです．稲が実ると稲刈りをします．稲を刈る前に，田んぼのほとりで笹を立てて，一種の「よりまし」のようなものですが，神様や祖先に祈りを捧げてから刈り取りに入ります．鎌で根元から刈り取ります．山間部に入っていくと焼畑地帯になりますが，焼畑地帯では，根元から刈るのではなく，穂だけを摘んでいく．穂摘みというやり方ですね．ですので，今日は詳しくお話ししませんが，水田稲作なのか焼畑稲作なのか，ということは，稲の品種だけでなく稲作の仕方全般において大きな違いをもたらすものなのです．

　それから，刈り取った稲を1ヵ月ほど積んだ状態にして水田に寝かせておきます．これを稲積みと言います．それをどのように脱穀するかですが，ここでも牛が登場しまして，牛のひづめで稲を踏みしだかせて，稲の籾だけを脱落させる，そういう仕方で脱穀をします．牛蹄脱穀と呼びます．それだけですと，稲藁とか草，ゴミ，籾が混ざった状態になるので，脱穀したすぐそばで，女性たちがカゴにそれらを一緒くたにすくい取って上から下へ落とすという作業を何度も繰り返すと，藁とか草とかは風に乗って飛んでいく，籾は落ちて下に残るという形で籾だけを選別していきます．これを風選と呼びます．

　今ご紹介したのが，マダガスカルでの私の調査地域，シハナカでの人々

の日常的な稲作などの風景ですが，先ほども述べたとおり，マダガスカルは雨季と乾季に気候が大きく分かれるので，雨季が農作業を主に行う時期です．雨季の最後，雨が降らなくなった5月から6月くらいに脱穀の作業を行います．農作業のない乾季は農閑期になり，人々はさまざまなお祭りや儀礼を行う．結婚式は決まって乾季に行う．結婚式はあらかじめ日取りを決めておくことができるので，それに向けてもちろんお金をためておくなどの準備ができます．それから男児の割礼があるので，それも乾季に行う．女児の割礼はありません．お葬式だけは日を選べないので別ですが，これからご紹介するファマディハナと呼ばれる儀礼は，これも乾季に集中して行われる儀礼です．彼らがシハナカの伝統文化の1つだとして言及するファマディハナという儀礼についてまずご説明し，彼ら自身がみずからの伝統文化だと言っている儀礼が，実は起源においてはいかに新しいものか，ということを次にお話ししたいと思います．

　マダガスカルのお墓は地域によって若干の違いはありますが，この中央高地においてはほぼ例外なく集合的なお墓です．個人墓ではなく，家族親族で1つの大きなお墓を共有している形です．1960年代頃までは，埋葬のときに人形（ヒトガタ）を作っていました．死者の生前の似姿に作った人形です．それから，山繭の絹布を竿に差し掛けたものが，何本か墓に持ち寄られていました．ところが，わたしが調査を始めた1989年には人形も絹の布も見られませんでした．これは1980年代末までのおよそ30年の間で失われたものの1つです．人形を作って立てるとか，絹の布を立てかけるとかいった慣習が，わずか30年の間に消えてなくなりました．私は埋葬にかなり立ち会いましたが，人形を作っている埋葬式には一度も立ち会ったことがありません．このようにこの30年，89年から見ますとさらに20年近く経っていますので，ここ40年から50年の間に，彼らの習慣が変わっていることがここから垣間見られるわけです．

2　シハナカにおける墓とファマディハナ

　次に，ファマディハナと言われる儀礼についてご説明させていただきます．「ファマディハナ」（*famadihana*）というのは，マダガスカル語で「ひっくり返す」という意味です．お墓に埋葬した死者の遺体をいったんお墓

から取り出す．その遺体を担いで踊りながら行進します．そして再びお墓に遺体を戻す．

シハナカでもともとあったお墓は土の中に穴を掘って，そこに親族の遺体を次々と埋葬していくというタイプのお墓でした．これを私は仮に土墓と呼んでいます．大体1.5メートルくらい掘り進んでいくと，丸太が縦にすき間なく並べてあって，それがお墓のフタになっているのですが，丸太をとりのけると，遺体を安置してある空間が出てきます．その遺体を布でくるんで，外で待っている遺族たちに渡す．すると遺族たちがその遺体を担いで踊って回るわけです．踊って回ったあとでどうするかというと，石造り・セメント造りの新しいお墓のほうに遺体を移すのです．このタイプのお墓を私は仮に石墓と呼んでいます．これは土のお墓であったものを石のお墓に造り替えるということですね．ですので，違う言い方をすると改葬儀礼になります．遺体を土のお墓から石のお墓に改葬する儀礼が，ここでファマディハナと呼ばれているものです．実際に写真でご覧いただきましょう．写真1は小高い丘のようになっていますが，これが土のお墓の上部です．それを掘り進んでいくと，丸太でしつらえたふたが出てきて，この丸太をどけると遺体が出てくる（写真2）．遺体を引き取るために遺族がこの下で待っていて（写真3），名前を呼ばれると遺族たちの一団がこの遺体を引き取るために丘の上まで上がってくる．写真3の背後に写っているのが新しい石造りの墓です．このときは町から警察官が立ち会いにきていましたが，事前にこの儀礼の主宰者が市の当局に，これこれの遺体を改葬するというのを書面で届け出ています．それで，警察官が書面を持ってきて，1つひとつ名前と照らし合わせて遺体をチェックするということをやっています．ここで誰の遺体かを特定した上で改葬するということです．

写真4ではビニールでくるんだものがありますが，この中に遺体が入っています．ビニールシートにくるまれていない遺骨もありました．それらを1体ずつ新しい布でくるんで，先ほど見ていただいたように，下で見ている遺族たちに渡していくのです．

布にくるまれた死者の名前が呼ばれると，遺体を引き取りに遺族たちが丘を登ってきます．引き取った遺体は下のほうに小屋掛けを作って遺族た

写真1　土墓の上部

写真2　土墓の上部を掘る

写真3　遺体の引き取りを待つ遺族

写真4　ビニールシートにくるまれて保存された遺体

ちが写真5のように並べておく．ここでは死んだ人の写真が一緒に飾られています．後で説明しますが，石のお墓を造るということ自体がシハナカでは新しいことなのです．石墓造りは概ね1960年代から始まっています．さらに70年代になると，石墓を造るというのがこの地域で一般化していきます．それ以前はすべて土墓だったわけです．その土のお墓だったものを石のお墓に造り替えて，そこに遺体を改葬するという儀礼をしているわけです．

　もともとの土墓の場合は，埋めたら埋めっぱなしという形になりますので，土のなかで遺体はどんどん朽ちていくわけです．最終的には塵芥に帰っていくことになります．その一方で，遺族たちは死者の名前を覚えている．自分のおじいさんとかひいひいおじいさんとか名前を覚えていて，おじいさんはこのお墓に入っているというのはみんな記憶しているのです．けれども，ひいひいおじいさんくらいになってくると，遺体は塵芥になっているので，固物としての遺体はアイデンティファイすることができないのですね．そういう場合には，名前で死者をアイデンティファイしておいて，土墓のなかにある塵芥をすくいとり，これはひいひいおじいさんの遺

写真5　安置された遺体

体だ，とその場で見なして，そして遺族たちが引き取るという形になります．これに対して，ビニールにくるまれて土墓に埋葬されていた遺体は新しい遺体です．下から順に遺体を積み重ねているので，上にあればあるほど新しい遺体ということになります．ビニールでくるんであるのは，遺族たちが，いずれこのお墓は石墓になるんだから，そのときにこれが私のお母さんだとか，おばあちゃんだとかということが分かるように，つまり土のお墓のなかで朽ちて散逸しないように，あらかじめビニールでくるんで遺体をお墓の中に埋葬したということなのです．遺族たちはそれを記憶しておけばいいので，この青いビニールはお母さん，あるいはおばあちゃんだ，ということで，名前と遺体が一致してアイデンティファイすることができるわけです．

　そのような形で死者をアイデンティファイする．このファマディハナでは，先ほど言ったように警察がリストと遺体を照合していましたので，私も一緒に照合させてもらいました．没年で言いますと，1999年から1988年，この儀礼自体は1999年のものですが，1999年から1988年の11年間にここに葬られた遺体が10体あって，すべてそれぞれ青いビニールシートでくるまれていた．1988年に亡くなった方の遺体で，骨だけが明確に残っていた遺体が1体あり，遺族がこれは誰々の遺体だと特定すること

がきちんとできていました．それから，1988年よりも前の遺体は大体，例外はありますが，固体としての遺体の形はとどめていませんでしたから，遺族たちがその塵芥だけを集めて，これはおじいちゃん，これはひいじいちゃんというふうにそこで誰々の遺体として見なすということをして，その遺族たちに手渡していました．全部で56体遺体がありました．一番古い遺体が，推定で1888年のものとされていました．

次に，こういった儀礼がシハナカの地で一般化した背景についてご説明したいと思います．

実はこの地域で，非常に特徴的であると私が見ていることは，私もここで30年くらい調査しておりますので，その30年間でその傾向はますます顕著になっているのですが，お墓がどんどん増えているということなのです．お墓の数自体が．増えているお墓は例外なく石のお墓です．先ほど申し上げたように，もともとは土のお墓だった．土のお墓に遺体を次々と埋め入れるという形式のお墓だった．その墓を新たに造り替えるということですが，これはかつての土墓のみの時代にもありえたことだというふうに語られています．しかしそれほど頻繁ではなかったと推測される．そもそも土の中に遺体を埋め入れていけばいいだけなので．そして埋め入れた遺体は一定の年月が経てば塵芥に戻りますから，それほど場所をとるわけでもない．土のお墓を1つ造っておけば，子々孫々に至るまでそこに遺体を埋葬できるということで対応できた．にもかかわらず，石のお墓を造るようになってから，お墓の数がどんどん増えているのは一体どういうわけか，ということなのです．ある村の場合，もともと土のお墓が7つありました．7つあったというのは，お墓というのはこの地域では固有名詞をもっていますので，その固有名詞の数から分かります．

ところが1960年代の後半から土のお墓を石のお墓に造り替える動きが本格化していきます．1999年に7番目の土のお墓が石のお墓に造り替えられました．これをもって，この村の場合，もともと7つあった土のお墓はなくなって，すべて石のお墓に造り替えられたことになります．ところが，1980年代以降に限ってみると，土のお墓に替えて造った石のお墓から別の石のお墓がどんどん分岐して造られていくという現象が起こっているのです．たとえば，もともと1つの石墓だったのが，そこから2つ

が分出して全部で3つになった石墓がある．あるいは3つ分出して4つになった石墓がある，など．もともとの土墓の数は7つだったにもかかわらず，1999年9月の時点では，石のお墓の総数が21に及んでいました．

どうしてこのようにお墓が増えていくのか，ということについて，人々の説明を聞いてみると，それが流行だからという説明がまずは出てきます．けれども，もっと話を聞いてゆくと，次のような語りが出てきます．「かつては土のお墓で，一族の全員がお墓をともにしていた．ところが，今日では，各人が自分と自分の子孫のために石のお墓を建てるため，墓の数が増え続けている」．「人にはそれぞれ思惑がある．人が多くなりすぎた．自分のために墓を造れば，自分1人の思惑で通すことができる．邪魔するものはいなくなる」．「人が増えすぎたため，今日では人々が個人主義的になっている」．「親族内で不和があるとすぐに墓を分岐させて自分たちのために新しい墓を建てることになる．かつては親族全体の共有であった墓なのに」，といったような具合です．

これらの説明に共通しているのは，まず人が多くなったということ．つまり石のお墓になり，そこに遺体を安置するようになって，石のお墓のキャパシティが小さくなっていった．人が増えて．これは人口増加率とも密接にかかわっている．かなり早いスピードで人が増えている．私が調査していた1980年代の終わりから90年代初めには，マダガスカルの総人口は1200万くらいと言われていましたが，今では2500万くらいと言われています．ですので，人口増加には激しいものがあろうかと思いますが，この地域で見ると，それがお墓のキャパシティと見合わなくなってきているので，人々が新しい墓を建てていく．

もう1つには，人々が自分の思惑でなにかを通そうとしているということがあります．1つの例でいうと，この地域では夫婦別墓です．夫は夫，妻は妻でそれぞれに親族があり，その親族たちのお墓があります．そのため，夫婦は死んだらそれぞれの親族の墓に葬り帰されるのが原則．ですので，夫婦が同じお墓に入ることはないわけです．ところが，生前非常に仲のよい夫婦で，お互いに強い愛着を持ち合っていて，死んでも一緒の墓にいたいと思うようになったときにどうするのかというと，夫婦で新しい石のお墓を建てるのです．自分たちでお墓を建てれば，それは自分たちの思

惑で通すことができるので，夫婦でそこに入ることができる．すると，その夫婦から生まれた子々孫々が今後そのお墓に埋葬されることになる．もちろんそのように新しくお墓を建てるためには，夫は夫で，妻は妻で，それぞれのお墓に義理を果たさないといけません．言い換えるなら，それぞれのお墓の所有者たち，つまり親族たちの許しを得て，祖先の許しを得ないといけません．祖先の許しを得るためには，そのための儀礼を行わないといけない．そのために牛を1頭屠るとか，何らかの供犠を祖先に捧げないといけない．そういった儀礼を行い，親族の了解を得られたならば，このように墓を分岐させて自分たちだけの石墓を造ることができる．そうすれば自分たちの思惑で通すことができる，という1つの例です．

それからもっとよくある例は，兄弟同士が土地争いや財産相続などで喧嘩沙汰になった，などといったときに，兄弟同士ですから，本来なら同じ墓に入るのが普通なのですが，あいつとは一緒の墓に入りたくないということになる．それでどうするかというと，兄弟の一分派が石のお墓を新しく別に造るわけです．そのように人々がそれぞれの思惑で通そうとすると，自分たちの専用の石墓を造ることになる．それをここでは，今日では人々が「個人主義的」になっている，という言い方で説明している人がいたということになります．

これを私は個別化する意志の生成，ちょっとかたい表現ですが，という言い方で言っています．1つには墓が個別化されている．つまり，どんどん石墓の数が増えている．もともとの7つから21とか30とかに増えていくというのは，これまで1つの親族に共有のものであった土墓が，石墓になってからどんどん個別化していっているということです．

それからもう1つ，先ほどご紹介したようにビニールシートで遺体をくるむというのは，60年代後半になってから行われるようになった慣行です．ここには，遺体を個別のものとして保っておきたいという意志が見られます．それまでは土のお墓でしたから，いったん埋葬すれば塵芥になってよかったわけですが，それではすまなくなってきていて，遺体を個別化して保持する．たとえばビニールシートにくるんでおくとか，これもよくある例ですが，遺体のかたわらに名前を書いて置いておくとか．名前を書いた紙をビンに入れて，それを遺体の脇に安置しておく．そのように遺

体が個別化されると，それに対応して子孫たちが個別化していくことになります．つまり，今までは親族の全員がすべてこのお墓に入るということで集合的に考えられていた子孫という概念のなかに，個別化された子孫という考え方が出てくる．誰々の孫たち，誰々のひ孫たちと，誰々という個別の祖先を参照点として，子孫がどんどん個別化してくる．個別化された子孫たちが個別化された死者の遺体とともに個別化された石墓を造って，その死者の遺体を改葬するためにファマディハナを挙行するというプロセスが，1960年代後半から，特に1970年代以降になってこの地域では現象化してきたことが分かるのです．

　これを見ると，いかにシハナカの人々が自分たちにとってこのファマディハナが伝統文化なのだと説明しようとも，これはきわめて新しい，70年代になってから一般化した現象だということになります．このきわめて新しい現象が起こってくるなかで，昔あった埋葬の風景から，たとえば生前の死者の姿をかたどった人形（ヒトガタ）が消えてゆくといったような変化が起こってくる．ところが，人形は消えたけれども，その代わりに登場したものがあります．それは写真なのです．写真が人形のいわば代わりのような働きをして，ファマディハナの場面では遺体1つひとつに対応する写真が置かれる（写真5）．

　この死者の写真というのは，往々にして家のなかに祀られる，というのは日本語的な表現で語弊があるかもしれませんが，家のなかのひときわ高い位置に飾っておかれます．マダガスカルの家は，もしマダガスカルで方角が分からなくなったときは家の作りを見ていただければ一目瞭然ですが，南北の軸に沿って建てられています．入り口は西側にある．マダガスカルは南半球なので，太陽は東から昇って北を回って西に沈んでいく．日が暮れてきて，もっとも日の光を屋内に保っておくいい方法は，西日が入るように西側に入り口を作っておくことになります．ですので，家を見れば必ず西側に出入り口がある．それから太陽が昇る方角である東と，太陽が「立つ」方角，とマダガスカル語で言いますが，つまり北とは，方角のなかでも聖なる方角だとされていて，北東はそういう意味ではマダガスカルにおいてはもっとも聖なる方角なのです．で，先ほど言った死者の写真ですが，これは決まって，家のなかの北東の隅の高いところに飾ってありま

す．非常に聖なる位置づけを与えられていることが分かる．日本のように仏壇を作ったり神棚を作ったりしてお参りするということはございませんが，それでも死者をある意味で敬う，敬い方が北東の隅に死者の写真を高く掲げることだというふうになります．

3　シハナカにおける墓の個別化

　シハナカのお墓は集合的な親族全体に共有のお墓で，個人墓ではない．それからあるお墓への被埋葬権は，共系的（双系的）に継承されます．ちょっとかたい言い方ですが，1人の人がお父さんお母さん両方を通じてお墓につながりを持つというのが共系的あるいは双系的ということばの意味です．お父さんお母さんを通じて，というと，お父さんもそのお父さんお母さんを通じて，お母さんもそのお父さんお母さんを通じてと世代を遡っていくことになるわけですから，理論上，祖先の数は2のn乗にどんどん広がっていきますが，そのなかで1つの系統を子どもたち，生きている人たちは選び取っていく．理論上は祖先の数は無限に増えていくわけですが，実際はお墓が無限にできるわけではなく，お墓の数自体は限られているので，そこのうちのどのお墓に入るのかは大体決まってきます．これについては社会学的なメカニズムが働いてくるので，今日はお話しできませんが，大体3つなら3つ，4つなら4つというお墓の選択肢の中から兄弟たちはここのお墓ということを決めていく．元来は土のお墓で地表面からわずかに盛り上がった小塚，もしくは丘陵の外観を呈していた．そのもともとのお墓に対応して彼らはどういう祖先観を持っていたか．

　個別化された死者と未分化の包括的範疇としての祖先と言ったらよいでしょうか．これもかたい言い方ですが，死者というのは個別なのです．1人ひとりが死者．マダガスカルを含めた多くの地域で同じような考え方があるのですが，死んですぐの死者というのは，この世とあの世の間の中間的なところをさまよっているのですね．ところが，ある一定の期間を経ると，死者は最終的にあの世にいってしまう．あの世にいった死者はこの世には帰ってこない．シハナカの場合だと，ファマディハナが行われるくらいの頃合い，大体遺体がお墓のなかで乾燥化して，血や肉が全くなくなったような状態，そのような状態になるまでの期間がこれに当たります．そ

れを経て，死者は祖先になったと考えるわけです．これは実際に遺体を見て確認するわけではないので，大体3年とか4年とか経てば死者は祖先になったとされます．

　死者はこの世とあの世の間のどっちつかずの世界にいますから，生きている人の世界に立ち帰ってくることがあるのです．帰ってくる死者は大体悪いことをする．いわゆる祟るというやつですね．ところが祖先になってあっちの世界にいってしまうと，祟ることはなく，いいことしかしません．子孫に対して祝福，繁栄，加護を与えてくれるよき存在になる．死者としては個別化されている．たとえば私が病気になったとします．占い師のところにいって見てもらうと，お前のおじいちゃんが祟っているよ，といったふうに，誰かが特定される．特定されると，その死者が君に祟っているので，その死者に対して何らかのお祈りをしないといけない．たとえば牛を殺すとか鶏を殺すとか，というふうにして，日本語風に言えばお祓いをしないといけない．これが個別化された死者です．ところが祖先は大きなカテゴリーであって，個別の誰かは問題にならない．祖先は全体的に子孫全体を支えてくれる．祝福と加護を与えてくれる．死者は忌避すべきだが，祖先は祝福の源泉になる．元来は死者を風化にゆだねる態度をシハナカの人々はとってきたというのが私の考えで，1つは死者の個人名の風化ということです．世代を下るにつれて死者の個人名を忘れていく．忘れていって，よかったのです．忘れていくと，個人としては残っていないわけです，子孫の記憶のなかに．すると，文字通り包括的なカテゴリーとしての祖先としか言いようがない．そうなれば，祝福と加護の源にしかならないということになります．

　死者の遺体も風化にゆだねていた．土の中に埋葬してきたわけですから，塵芥になって最後は散逸していく，という形で風化していく．それから死者のイコン．死者をかたどった人形がありました．あの人形は埋葬したときに，お墓の脇に立てておくのですが，これもそのまま朽ち果てるままに放っておいた．個人名にしろ，遺体にしろ，イコンにしろ，どんどん忘れていく，風化にゆだねていくというのが，シハナカの人たちのもともとの態度であった．忘れ去られてしまえば，それは祖先という名の包括的なカテゴリーになってしまうので，それで祝福の源になる．

そこにどういった変化が起こったのかというのを今お話ししてきた訳です．土のお墓から石のお墓に造り替えるようになった．1970 年代から本格化したと言いました．1960 年にマダガスカルはフランスから独立しましたが，このことには独立後の農業政策が非常に強く関係しています．独立後にメリナと呼ばれる人々がこの地域に大挙して移入してきました．後ほどお話ししますが，それによって，お墓の形態の変化が引き起こされたと考えられる．土の中の遺体と接触するというのはそれまではなかった．それまでは土の中に埋葬してそれっきりだった．もちろん次の死者が出れば，お墓を開けるのですが，開けても遺体を埋葬したら墓は閉じてしまっていたわけで，過去に埋葬した遺体と改めて向き合うことはなかった．ところが，石墓に造り替えるということは，その土墓の中にあった遺体を取り出して石墓に移すということを意味しているので，そこですでに埋葬されていた遺体と触れ合うという新たな経験を彼らはすることになる．その経験のことを彼らはファマディハナと呼んでいる，ということなのです．

　ファマディハナの起源にもかかわってきますが，これについても後ほどお話しします．シハナカにおける祖先観の変化を生む条件としては，記録媒体，たとえば文字があります．マダガスカルの識字率はアフリカでは高い方ですが，それでも文字の知識が普及してくるのは植民地化されて以降のことです．もともとは文字にもとどめていなかったわけですから，文字通り，死者の名前も忘れられていったわけですが，今では死者の名前を記録している人は結構います．自分が分かる限りでおじいちゃんのおじいちゃん，そのおばあちゃんと名前を書き出しておいて，それを子孫に伝えていくといったこともやりつつある．私が調査しているときに時々出会ったのですが，ご老人のところにいって，祖先の名前とあなたとの関係を 1 人ずつ教えてください，と聞き取りをしてメモをする．するとそのおじいちゃんのお孫さんが後で私のところにきて，この前，お前がつけていた記録を俺にも写させてくれって言うのですね．あんな話は初めて聞いた．貴重な話なので，お前が記録したもののコピーを俺もほしいと．つまり文字に残しておくことによって，祖先の名前を伝えていこうとする，ある種の意識が生まれてくるわけです．

　それから，死者のイコンの保持ということで言えば，写真も重要な契機

になります．写真に撮っておけば色あせてはきますが，ネガさえあれば焼き増しすることはできるわけです．それから今だとデジカメもマダガスカルの農村部の人でも持っていますし，それどころか，写メで撮っているわけで，そういうもので人の姿を残しておけば，姿も残っていく．

　それから，遺体の個別性の保持ということでは，ビニールシートで遺体をくるむのがそうです．ビニールという過去にはなかった新たな素材の登場によって，遺体の個別性を保持することが可能になっています．遺体と接触し，あるいは，いずれは遺体と接触するであろう，つまり，今は土のお墓だけど何年か経てばこのお墓も石のお墓になるに違いない，と未来のことを予期しているからこそ，子孫たちは自分の親兄弟の遺体をビニールシートにくるむわけです．ビニールシートにくるみ，死者の遺体を大切に保存し，死者の名前を文字で書いて，遺体と一緒に埋めておく．数年後に石墓に移すための改葬儀礼を行うときには，これは誰々の遺体だ，ということが名実ともに分かるわけです．そのように，死者を風化にゆだねてきたシハナカの人たちのなかに，風化に対して抵抗しようとする態度が生まれてきたのが，1970年代以降の大きな流れだろうと思います．それは死者の個別性の保持という方向に向かっている流れであって，死者の個人名の風化に対しては文字による記録で風化に抵抗する．死者の遺体の風化に対しては，ビニールシートで遺体をくるむことによって風化に抵抗する．死者のイコンの風化に対しては，写真や肖像を残すことによって風化に抵抗する．風化に抵抗するという方向に彼らの行動の習慣が変わってきた．

　ここで家とか歴史とかの生成というような言い方ができるのではないかと思います．家については人類学のやや専門的な話になるので，ここでは触れませんが，歴史について考えると，シハナカのもともとのお墓は土のお墓で埋めたら埋めっぱなし．死者の名前も忘れていっていい，という話だったので，ある意味で歴史はない．包括的な祖先というカテゴリーは歴史を超越したものだった．お墓を彼らが目にすると，これは自分たちの祖先が眠っているところだという感覚はもつのでしょうが，でもその祖先は個別の名前のない，包括的な範疇としての祖先でした．祖先の世界は現世を越えたところのどこかに広がっている世界．マダガスカルでは一般的に死後の世界についての観念は希薄で，死んだら人はどんなところにいって

どんな生活をしているのか，ということをあまり人々は語りませんし，それについてのイメージはかなり漠然としたものです．ですが，現世とは隔絶したところに祖先の世界が開かれているという考え方では一致している．その現世とは隔絶しているのを象徴しているのが土のお墓だったと考えることができる．

そこに記録という行為が入ることによって，さまざまな年代がそこに記録される．石のお墓は土のお墓と違うので，そこには文字を刻んだり，ペイントで書き込んだりすることができます．ほぼすべての石墓には，そのお墓が何年に建立されたかが書かれている．たとえば 1975 年にその墓が建立された，と書いてある．その墓を建てるにあたって，それを主宰した人が誰か，個人名が書き込まれて，年代が書き込まれて，さらにその代々の祖先の名前まで文字化して書き込まれているとなれば，そこにクロノロジーが生成してくる．クロノロジーはここで私が歴史と呼ぼうとしているものです．ことば遊びになりますが，現世から隔絶した，超越したところに開かれていた匿名的な包括的なカテゴリーとしての祖先の世界，これはある種の「永遠性」の世界，"eternity" の世界だと考えることができる．現世とは異なる次元に，しかも現世からは超越して開かれている世界．ところがそこに，文字なり遺体なりを個別化するとか，墓を個別化するとかという行いが生じることによって，ある種のクロノロジカルな連鎖が出てくる．これを私は「永続性」と呼んでいます．「連続性」"continuity" と言ってもいい．Eternity と continuity の違い．クロノロジカルな continuity がそこに生じることによって，それまでは eternity として概念化されてきたものに，クロノロジカルな連鎖が起こってくる．クロノロジカルな連鎖が起こるということは，死者の世界と生者の世界とが同じ平面でつながるということなのです．この墓は 1970 年に造られたのだ，この墓にはこの人とこの人が入っているのだ，そしていずれは私も，私の子どもも入る．そういった連続性のなかに自分の存在が位置づけられるし，祖先の存在も位置づけられる．これはかなり大きな変化ではないでしょうか．彼らの死者，祖先に対する態度の非常に大きな部分が変化している．

4 メリナにおける墓の形態

　それが1960年代後半，70年代に入ってから現象化してきているということがポイントになります．どうしてこういったことが起こるのか．石墓を建てるにはそれなりの出費が伴うはずなのに，どうしてその出費を耐え忍ぼうとするのか．それにかかわるのがマダガスカル独立後の農業開発事業です．この地域は先ほども申しましたように盆地地帯で，湖周辺で土壌が稲作に適した肥沃な土壌であるということで，植民地時代からここにはフランス人が入植して，現地のマダガスカル人を使って農業開発を行おうとしてきた．1960年にマダガスカルがフランスから独立して，独立後の政府がまずしたことの1つがこの地域に農業公社を作ることだったのです．半官半民の農業事業団をここに設立します．ソマラック（SOMALAC）という名前の事業団が1961年に設立されて，1991年まで30年間ここで農業開発事業を行いました．

　農業開発事業には大きく分けると2つの面があって，1つはインフラ整備です．水田を平らにならす，水田の区画をきちんと定める，灌漑水路・排水路をきちんと整備する．それによってインフラを整備するのが1つ．

　もう1つはソフト面での整備です．この地域では男女均分相続なのです．年長の子も年少の子も，男性も女性も，男親・女親の双方からそれぞれ等しいだけ相続する．これはあくまでも原則ですので，実態としてはバリエーションがありますが，土地についていうなら，原則として男女が均分に相続する．私の調査によると一世帯あたりの構成人数は5人から6人です．そうなると，子どもは3人か4人．3，4人の子どもで親の土地を分け合うことになる．親が5haの土地を持っていたとすると，それを3，4人で分けると1人1haちょっとになり，次の世代になるとさらに分けられる．どんどん細分化される．と同時に，結婚によって人は村の外に出ていきます．結婚が何世代にもわたって続けば，たとえば私が親から相続した土地が，私から見るといろんなところに分散しているという事態になる．つまり，お父さんはこの村の出身だから，お父さんの田んぼはこの村に，それは自分が身近に耕作することができる土地．ですが，お母さんはよその村から入ってきている．だからお母さんの土地はその村とは違う

村にある．そのお母さんのお母さんはさらにまた別の村からきている．お母さんのお父さんもさらによその土地からきている．それらがすべて細分化，均分化されていきますから，私が相続する土地はいろんなところに分散していて，一筆の土地としては非常に小さい．そういうところで有効な耕作ができるかというと，できない．細分化された小さな土地，トラクターも入れられないような土地，そんな土地があちこちに分散していたら，私はその土地を全部耕作してまわることはできない．当然放っておかないといけない土地も出てくる．

　そこで，ソマラックがやったことは農地改革をすることです．相続制度に手を入れることになる．均分相続をやめなさい，相続するときは誰か1人が相続するようにしなさい，と．二親から等しいだけ相続すると，今言ったように細分化されて分散するので，できるだけそうならないようにしたい，とソマラックは考えました．それで，たとえば分散したところを集めると全部で5 haの土地を持っていたような人の土地を5 haにまとめて，今居住しているところの近隣の水田で代替します，と．その代わり，向こうに散らばっていた土地はもらいます，というふうに農地を再統合したのですね．これがソフト面での社会的な変化です．

　結果として，これがうまくいきませんでした．日本語では「たわけ」って言いますが，田を分けるというのは生産性を低下させる愚かしい行為とされているわけです．けれども，シハナカではどんどん田を分けるのです．それが彼らのプラクティスの根幹だったので，そこに手を入れて田を分けないようにさせてもなかなかうまくいかない．30年，ソマラックは開発事業をやりました．30年と言えば，たかだか一世代です．それなのに，一世代でさえも持たせることができなかった．たとえば，ソマラックが事業を始めたときに，ある農民は再統合された水田を5 haもらいました．その5 haは絶対に分けないってソマラックに誓約書を出して，年賦金も支払って土地所有権をもらうのですが，次の世代になると，どんどん分ける，というふうになってしまう．結局一世代経ってみると，また細分化が始まっている，となるわけです．

　細分化が起こると何が問題かというと，分割された小区画の土地と灌漑水路とがうまく連絡してないということです．だから，上流から水を垂れ

流しすることになってしまう．あるいは，あぜ道に違法な水路を設けて，そこから水を導入したりする．すると，今度はその水路が排水路と連絡していないから，水を有効に排水することもできなくなってしまう．結局インフラ面にそれが跳ね返っていく．そんなわけで，実はソマラックの事業は全体的に見れば失敗したと言われています．けれども公式には，ソマラックは所期の任務を終えたということで，91年に解散しました．ソマラックが解散してから，誰もここを管理する人がいなくなりました．農民の組合はあるが，有効に機能していません．これは大変だということで，JICAが日本工営さんと一緒に農業開発の研究調査に入ったりというようなことが90年代にはあったりしたわけです．

　今ここがどうなっているかは申し上げませんが，そういった農業開発事業の一環としてソマラックが行ったことが，中央高地の中心部を主たる居住地とするメリナと呼ばれる人々をシハナカ地域に呼び込むことだったのです．メリナの人々は後に述べるように王国の組織を持っていて，フランスに植民地化されるにあたって最後まで反抗したのがメリナの人々です．フランスへの対抗勢力になっていたのがメリナ王国ですが，その基盤にあったのが稲作と奴隷貿易です．奴隷貿易についてはここではお話しできませんが，稲作については，メリナの人たちは在来でかなり高度な技術を持った稲作民だったのです．メリナの農村にいくと，山の斜面に棚田を配した光景を目にすることができる．見事に管理経営された棚田技術です．そういう高い在来の技術を持っていた稲作民のメリナの人々がシハナカと近い地域にいるので，ソマラックは土地を持っていないメリナの人たちをこの地域に呼び込み，定住させて土地を与えるということをしました．それによって農業事業を活性化させようとする．そしてシハナカの人たちがそれに見習ってメリナのように在来の農業技術を向上させることを目論んでいた．それはある一定の成功をおさめます．シハナカの地に田植えが普及し，定着したのにはメリナの影響が非常に大きい．もともとシハナカの人たちは田植えをしていなかった．直播きの粗放的な水田稲作だったのです．したがって，シハナカ地域全体の農業技術の向上の点で，メリナ系の移入民の存在はある一定の成功をおさめました．

　もう1つ，メリナの人々がシハナカに影響を与えたのがお墓なのです．

（出所）M. Bloch, *Placing the Dead*, 1994［1971］.
写真6　あるメリナの墓

石のお墓を造る．メリナの人々がシハナカ地域に石のお墓を持ち込んだ最初期の人々です．1960年代，メリナの人々がここに大挙して定住するようになり，自分たちはここに定住するんだということでお墓を建てる．そこで造ったのが石墓だったのです．メリナの人々がもともと造っていたお墓の様式です．それを見て，シハナカの人々が，先ほど流行だと彼らは説明すると言いましたが，自分たちもこういうお墓を持ちたい，と思うようになる．

　それから農業開発事業によって，先ほども申しましたように，一時的にはシハナカの人たちも最低限5haくらいの土地は持てるようになります．持てるようになって，彼らのある種の生存戦略として，農業によって潤った家計をお墓に投資していく．お墓に投資してもお墓が利子をうむわけではないので，銀行に預けたほうがいいのではないか？　あるいは牛とかヤギを飼った方がいいのではないか？　と思われるかもしれません．牛に投資すれば，牛は子どもを産みますし乳も出すし，と考えるところはあると思いますが，ここはある意味で富の考え方のポイントだと思うのです．豊かさあるいは貧しさでもいいですが．我々は富というのは人とモノとの関係だととらえている．モノがないのが貧しくモノがあるのが豊かだと思いますが，シハナカの人々を見ていると，富というのは人とモノではなく，人と人との関係だというのがよく分かる．つまり，人に対して見せることが，いかに彼らの富概念の中心にあるかということなのです．自分たちはこれだけのお墓を建てているんだ，それが自分たちの存在意義を社会的に示す，1つの示し方であるということです．周りの人に対して自分たちの存在を示す，その回路が富なのだというふうに考えるなら，彼らが墓に投

写真7 1901年のメリナの墓（Foiben-taosarintanin'i Madagasikara 所蔵）

資するのはある意味で分かりやすい．それを彼らは流行だと説明している．

そうすると問題になってくるのは，メリナにおけるお墓の形態です．写真6はモーリス・ブロックというマダガスカル研究者の著書，*Placing the Dead* からとりました．建造物の形をとったお墓です．このタイプのお墓をメリナの人々がシハナカに入植して造るようになって，それをシハナカの人たちが模倣するようになり，土墓を石墓に造り替えるようになっていく．そこに経済的にも若干の潤いが出てきたということで，彼らの投資戦略がそこに生かされてくる．こういった形になります．

5 メリナにおけるファマディハナ

メリナの場合には，シハナカと同じように，お墓から遺体を出し，その遺体をかつぎ回して，お墓のなかに埋め戻すということをしますが，厳密に言えば，シハナカのファマディハナとはかなり様子が違います．そこまで今日はお話しする余裕がありません．ここでお話ししたいのは，メリナのお墓の古い形態のことです．写真7は1901年の写真ですが，マダガスカルの国土地理院にあたる機関がマダガスカルの古い写真を保管していて，そこからとってきた写真です．もともとのメリナのお墓はこういう土盛りのお墓なのですね．石で土留めはしてあります．土留めはしてありますが，石造り，セメント造りの建造物の体はなしていない．つまり，盛り土のお墓なのです．盛り土のお墓だったのに，どうして，先ほど写真6で見ていただいた建造物のお墓を彼らは建てるようになっているのか，歴史をひもといてみましょう．

写真8 ライニハルの墓

　マダガスカルの首都はアンタナナリヴという町です．これは，メリナ王国の王都でもあったところです．このアンタナナリヴの中心地に巨大な建造物のお墓があります（写真8）．これは，ライニハルの墓と呼ばれていて，ライニハルというのがこのお墓に最初に葬られた人です．一辺が20mくらいある大きなものです．墓の西側には上層部に登っていく階段があり，それを登っていくと門があって，墓の中に降りていけるようになっている．そこに遺体を安置する部屋があります．

　ライニハルというのは，メリナ王国を19世紀前半から半ばにかけて統治した女王ラナヴァルナ1世の宰相をつとめた人です．この女王ラナヴァルナが宰相ライニハルを深く愛し，信頼していて，ライニハルが亡くなったとき，ライニハルのために大きなお墓を建ててくれと，王宮技術者だったフランス人に依頼するのです．フランス人のラボルドという人です．ラナヴァルナのところには外国人のおかかえ技術者が何人かいました．フランス人とイギリス人と．そのうちのフランス人のラボルドに，ラナヴァルナが命じて大きなお墓を建てさせます．それでラボルトが，先ほど写真8で見ていただいたようなお墓を造るのです．つまりこの墓はフランス人のアイディアで造られたお墓なのですね．ところが，これがメリナ地域の石造りの墓のその後のモデルになっていきます．モデルになっていって，お墓に富の象徴としての意義が見出されるようになるのもこのお墓からです．このお墓が建てられたのが1850年代で，19世紀の半ばになってからです．それ以前は土盛りのお墓だった，メリナにおいても．ライニハルのお墓が，その後19世紀の後半になってメリナの人のお墓のモデルになり，

メリナの人々がこの宰相のお墓のミニチュア版のようなものを真似て造っていくことになる．同時に，富を蓄積したときの資本の投下先としてのお墓という考え方が登場しました．

さらにメリナにおけるファマディハナについても興味深い話があります．ファマディハナというのは，お墓から遺体を出してそれを埋め戻す儀礼だと申し上げましたが，実はメリナにおいてファマディハナが行われだしたのも，比較的新しいことではないかと思われます．マダガスカルのドキュメンタリーなどでは，お墓から遺体を出して埋め戻すのがマダガスカルの伝統的な祖先崇拝の儀式だとよく紹介されるので，もしかしたらドキュメンタリーでご覧になった方もいるかもしれませんが，実はメリナにおけるファマディハナ自体も非常に新しいものではないかと考えられている．その1つのきっかけになったのが，宰相ライニハルの息子のライニライアリヴニという長い名前の人ですが，この人が父を継いでメリナ王国の宰相になるのですね．で，フランスがマダガスカルを侵略してきたときに最後まで抵抗したのは，このライニライアリヴニが率いていたメリナ王国なのです．最終的にフランスに屈し，ライニライアリヴニはフランスによって捕らえられて，アルジェリアに流されます．アルジェリアに流されて1年足らずでライニライアリヴニは死ぬのですが，その遺体を6年ほど経って，マダガスカルまでアルジェリアから移すという儀礼が行われる．これには植民地行政府の思惑などがいろいろ絡んでいるのですが，それもここでは時間の関係でお話しできません．アルジェリアから遺体を戻されて，ライニハルのお墓，さっき見ていただいた女王様が造らせた墓，つまりライニライアリヴニから見れば自分のお父さんのお墓に，彼が再埋葬されるという儀礼が行われる．1900年のことです．これが1つのきっかけになって，メリナの人々の間でもファマディハナというのが恒常的に行われるようになったと，ルイ・モレというマダガスカル史の学者は考えています．そういう意味では，メリナにおけるファマディハナも比較的新しい時代に起こったことだと言えると思います．

おわりに

今日の話は，最終的に何が言いたいかというと，人類学者は限られた空

間と時間のスパンのなかで，まさにミクロなところに密着して調査を行う，それが人類学の真骨頂であるわけです．ミクロなところに分け入っていく．そのためには現地語を習得するとか，彼らと寝食を共にするとかといったそれなりの試練を経るわけですが，それによってミクロなところに分け入ることができる．ところがミクロなところに分け入っても，私が調査したのは1980年代から90年代です．でも，その時期のことしか見えないのではやはりだめだということなのです．その時期にシハナカで彼らが行っていることの由来を知ろうとすれば，1960年代以降にここで行われてきたことが何なのかを見ないといけない．つまり，ここで言いたいのは，ミクロレベルの地域とマクロレベルの地域と，さまざまなレベルで地域を設定することができるということなのです．たとえば，シハナカの農村部という地域があって，そこでは1980年代から90年代にかけて，そして今でもそうですが，墓の個別化であるとか遺体の保持，名前による死者の記録とかといった新しい慣行が生まれてきているけれども，それが新しい慣行であることが分からないといけない．それが分かるためにはメリナとの関係の理解が必要です．国内入植民としてメリナがここに入ってきたことが1960年代以降は起きているのだと，つまり1960年代以降というところまで時代の幅を広げないといけない．ところがそれだけでも十分ではなくて，そもそものメリナの土地において，そういったお墓ができたのはどういった経緯によるのかも知る必要が出てくる．そうすれば，メリナの農村部にまで地域が広がってくる．すると，不思議なことにあるフランス人がアイデアをひねり出した墓の形態が実はきっかけとして大きく働いている．そうすれば，19世紀後半のメリナの歴史にまで時代を遡らないといけなくなってくるし，そうなると，どうして19世紀後半にフランス人がメリナ王国の宮廷にいたのか，どうしてイギリス人がメリナ王国の宮廷にいたのか，これはマダガスカルをめぐるイギリスやフランスの植民地進出の歴史と密接にかかわってくることです．そういった歴史にまで視野を広げないといけない．言い換えれば，ミクロレベルの歴史とマクロレベルの歴史を考えることができる．ミクロヒストリーというのは，私が等身大の人間として調査したその時点がミクロヒストリーの時点です．ところがそのミクロヒストリーは1960年代，また19世紀後半まで広げる，あるい

は19世紀初めの植民地の争奪戦というところにまで話を広げていくことによって位置づけられていく．それはマクロなレベルの歴史ということになるでしょう．ですから，シハナカにおけるファマディハナという事象を把握しようとするとき，それを捉えようとする人の問題関心に応じて，さまざまな地域と歴史が立ち現れる．シハナカにおける現代のファマディハナというのがフォーカスになるとしても，それがどういうフレームのなかでフォーカスとして立ち現れてくるのかは研究者の側が設定する問題関心によって変わってくるということが今日は一番お話ししたかったことです．

　開発の現場でも，現地の慣習を理解することが必要だとよく言われますが，その現地の慣習を一体どのレベルで理解しようとしているのか，どの地域レベルで，どの歴史のスパンのなかで捉えようとしているのか，というところまで視野を広げることが必要だと．これが私の一番言いたかったことです．実はシハナカとか細かいことはどうでもいいと言えばどうでもいいのですが，そう言ってしまうと，最後に全部ひっくり返すことになるので．このあたりで時間もちょうどいいようなので，終わりにさせていただきます．

Q&A　　講義後の質疑応答

Q　この石墓への移行はマダガスカルでもシハナカだけの動きなのか，ということと，まるでお祭りみたいだなという気がするのですが，石墓に移行するときのきっかけというか，なにか宗教的なものがあったのか，というのと，分出するときに，新たに入る人だけでなく前からあった人も引っ張りだして新たなところに入れるのか，といったところが気になりました．

A　とても人類学的な質問をしていただきました．まず，最初のシハナカだけかということについてですが，もともとどういうお墓を造っていたのかということにかかわってきています．わたしの知る範囲で言えば，この動きはシハナカに特徴的なことなのですが，マダガスカルのそれ以外の地域でも現象としてみられることなのかもしれません．それから二番目の点

は石墓に移行するきっかけですね．宗教的なものが根底にあるのか，ということですが，そういったことはないようです．一種の流行のようなものだと彼らは説明します．流行だから，うちのお墓だけ土の墓だと恥ずかしい，というような言い方で彼らは説明しようとしますので，少なくとも彼らの意識のなかでは宗教的きっかけがあってということではないのですね．ただ，祖先が夢枕に立って，という話は時々あります．そろそろ石のお墓に建て替えてくれと祖先が言っているとか．そうすると子孫としてはそれを受けなければいけない，といったことはありますが，基本的には何らかの義務観念に従って，というよりは，彼らのなかのある種の流行に乗るというところがあると思います．

　お祭りのようだというのはまさにその通りで，彼らにとっては，亡くなったお父さんお母さん，おばあちゃんおじいちゃんの遺体と接触しあうということで，その瞬間には涙ぐんだりするのですが，墓を建て替えるとか分出させるとかという儀礼なので，石墓をちゃんと建てられましたということを周りの人に示すという点では，ある種晴れがましい場でもあるのですね．そういう意味で，彼らはお祭り騒ぎをする．それから，どういう遺体を移すのか，ということですが，兄弟たちがまとまって，たとえば，いとこたちと仲が悪くなったので，兄弟が一緒にお墓を分出してしまおうというときには，その兄弟の親の遺体を取り出して安置します．すると，親から子々孫々に渡って受けつがれていくお墓が構成されることになる．それ以外の遺体は一度外に出したりはしますが，それはもとに戻すので，新しいお墓に移したりはしません．

Q　2つほど質問させていただきます．1つはファマディハナのことで，彼らは近年になってファマディハナを経験するようになった．遺体を目の当たりにすることになって彼らの子孫や祖先に対する観念は変わったのでしょうか．2点目は，シハナカの人たちは元来は死者を風化にゆだねていた，それは文字や写真といった記録する媒体がなければ当然そうなってしまうのかと思いますが，たとえば日本とか他の文化と比較して，シハナカの人たちは特別に死者を風化にゆだねる人たちだったのか．日本も他の国も文字や写真といった記録媒体を持つ前は，死者を風化にゆだねるのがどの国でも普通だったのでしょうか．

A　遺体と接触するようになり，彼らの死者に対する考え方に変化があったのか，ということについては，私が今日述べたような変化，つまり個別のものとして死者をとどめておきたいというモチベーションが生じたということ以外には大きな変化はない．個別の死者は祟るので，いつまでも祟り続けるのかという問題はあります．名前が保持されているわけですから．そこは祟り続けるかもしれないけれど，ある時点で祖先になってしまったと考えるのですね．名前としては保持しているのですが，祖先になってしまえば，みんな祝福を与えてくれるので大丈夫と，そこには変化はない．そういう意味では大きな実質的な変化は多分ない．

　それから2つ目の点ですが，記録する媒体がないと風化にゆだねられるのか，については，たとえば私が今思いつく例ですと，西アフリカにはグリオという専門職がいて，彼らが王様の名前と系譜をずっと覚えている．それを歌にして語り継いでいる．文字なしでも口承でそのように語り継ぐというのはありえたと思います．他方，記録する媒体がないとどこまで風化にゆだねるのか，というのは日本との比較で言うと難しいです．

　私が思い出すのは民俗学の柳田國男が『先祖の話』という本を書いていることで，そのなかで柳田國男は大体次のようなことを言っています．日本は仏教が入ってきて，仏教とともに年忌供養という考え方が入ってきた．地域によって33回忌とか50回忌といったように違うけれども，33年とか50年経てば祖先は神になる．33年50年の間は死者の個別性をとどめている．位牌という形で死者の名前，戒名を書いて，仏壇に祀っておく．そういう意味で個別性を保持している．でも，仏教が入ってくる前の日本人はそうではなかったのではないか，と柳田國男は推測するわけです．そうではなくて，仏教が入る前は霊融合の思想とか祖霊の融合単一化の思想とかと柳田は言っていて，死者の霊はある年限が経つと個性を失い，先祖という1つの霊体として融合していくというふうに考えたんじゃないかと柳田は言っている．そうすると，日本の場合は，死者の個別性を33年なり50年間保持しようとする宗教的習慣が入ってくることによってある変化が起こった．少なくとも柳田の説によれば．もしかすると，それとパラレルに考えることができるかもしれません．シハナカの場合には，たとえば死者の名前を語り継ぐということはやっていなかった．ところが，隣

のメリナには文字が入ってくる前から死者の名前を語り継ぐ，系譜語りという慣行がありました．メリナもすべての階層ではないのですが，ある特定の階層では系譜語りによって死者の名前を語り継いでいくという考え方があった．マダガスカルでも地域によってバリエーションがあるので，シハナカの場合はそういうプラクティスはなかったということなのです．ですから，文字のような記録媒体がなければ風化にゆだねられるとは，必ずしも言えなくて，ということかと思います．

森山先生のおすすめの本

飯田卓・深澤秀夫・森山工編著『マダガスカルを知るための62章』（明石書店，2013年）．

小池誠・信田敏宏編『生をつなぐ家──親族研究の新たな地平』（風響社，2013年）．

第7講

現代アフリカの農村開発
三国三様の現状

関谷雄一
東京大学大学院総合文化研究科准教授

関谷雄一（せきや　ゆういち）
1996年から1998年まで，青年海外協力隊員としてニジェール共和国にて砂漠化防止のための緑化推進及び農村開発活動に従事．帰国後，同活動における日本人とニジェール人の相互学習に見出された効果と可能性について組織学習論を用いて考察し，博士学位請求論文として執筆．2004年に東京大学より博士学位を取得．さらに，同学位論文を基に著書『やわらかな開発と組織学習』を出版した（春風社 2010）．2000年から2003年まで早稲田大学アジア太平洋研究センター助手，2003年から青山学院女子短期大学教員，2010年にはフランス地中海大学医学部生物文化・人類学研究室に留学，2011年10月より現職．2012年1月以降，「人間の安全保障」の観点から，原発事故後の福島の人々の暮らしや問題点に関しても研究調査活動を継続中．

はじめに

　今日の講義はニジェール，ケニア，マラウイという3つのアフリカの国における農村開発を取り上げてみたいと思います．三国三様の農村開発が進んでおりまして，横並びにしたところで比較検討をしても意味は余りないですし，ましてや優劣をつけることなど不可能です．でもサハラ以南アフリカの農業について，西，東，南部方面の現地調査に基づく報告をしますので，アフリカの農村開発の現状をみなさまがイメージすることに少しでもつながることができれば幸いです．

1　ニジェール（**参加型アグロフォレストリー**）

　ニジェールは，世界最貧国を地で行くような国で2014年の人間開発指数ランクは最下位の187位です．ニジェールについて，たくさんお話ししたいことはあるのですが，長い話に折り目をつけてわかりやすくするために2点だけお話ししたいと思います．その2点が長い話なのですが．1つは1993年から2001年まで，8年半という年月をかけて展開された国際協力事業団青年海外協力隊とニジェール共和国によるプロジェクトの内容です．2番目はプロジェクトに配属された協力隊員だった私自身が人類学の研究者としてプロジェクトでやったこと見てきたこと，考えたことを帰国後7年間かけて考察をし，メタの次元から見下ろしたときにわかってきたことを説明してみたいと思います．それを私は「目的と手法の創発的形成過程」と呼んでいるのですが，それについて触れてみたいと思います．

(1)　ニジェール緑の推進協力プロジェクト

　図1の1997年末当時のプロジェクトメンバーの集合写真に象徴されるように，日本人とニジェール人が協働して1つのゴールを目指して突き進んでいった充実したプロジェクトでありました．そうは言ってみたところでいろいろと困難もありました．私自身の話を申し上げると恐縮ですが，私は大学，大学院と本を読んだり勉強することに1人で悶々とすることが得意な人間で，あまり社会性があったとは言えませんでした．このような若者たちが集まるメンバーで朝，昼，夕方までずっと仕事をやっていま

図1　ニジェールカレゴロプロジェクトチーム　集合写真

すと人間関係が悪くなる．協力隊員はそれぞれの村に居候させてもらっていたのですが，夕方に仕事が終わるとそこに帰って，今度は村人とのコミュニケーションが始まるのですが，そっちの方が私は得意でしたので，なかなか事務所に出て行かないということもあったのですが，そういう苦労があって，人間的にも鍛えられたと思っております．

①概要

プロジェクトの概要について簡単に説明したいと思います．大きく分けて4点あったと思います．

第1に，セネガル・タンザニア両国における緑の推進協力プロジェクトが先行プロジェクトとして展開されていまして，それに続く第3番目の砂漠化対策農業開発プロジェクトとして，発足しました．第2に1990年よりバニバングというところで，実際に活動していたカレゴロというところからもう少し北西に行ったところで開始されたのですが，ご存知の方もおられると思いますが，トゥアレグ族という遊牧民族の自治独立運動が昔から，今もなお続いておりまして，その反乱があって事務所が襲われたということもあり92年に再度変更して今の，最終的に活動していたところに移されたということであります．第3に日本円にして年間上限予算2000万円で1フェーズ6年間，2フェーズ12年間の予定で開始されたの

ですが，結果的には1フェーズだけで2年半の延長で8年半はやらせて
いただけたということで，2001年には終了しました．そして第4番目で
すが，物質的・金銭的援助をせずに技術移転実施を目指す，ということが
きつく協力隊員の訓練所でも言われておりまして，自助努力を促進するこ
とがあくまでも原則であると言われておりました．実際に現地に行ってみ
ると，当時白人を見ると「カドー（cadeau）」と村人たちが手を広げる状
態で，つまり，お土産をくれ，ということですね．大人も子どもも近寄っ
てくるような様子が見受けられる地域で第4番目の点をいかに当たり前
にしていくか，ということがプロジェクトの最大の壁であり，試行錯誤が
続きました．

②プロジェクト成立の背景

　また，このプロジェクトの背景を帰国後に調べてみたのですが，実にい
ろんな出来事がプロジェクト実施まで影響していたことがわかりました．
1980年代終わりから地球環境問題の興隆及び国際的なアフリカの危機へ
の認識と国際的な情勢がありました．その背景を受けて，今の安倍晋三首
相のお父様，安倍晋太郎外務大臣が，ボン・サミットでアフリカ援助政策
をこれから展開する，という宣言をして，そのなかにアフリカの緑の協力
隊といった内容のプロジェクトを実施するという政策を打ち出したので，
外務省と国際協力事業団がそれを踏まえてプロジェクトを始めざるを得な
かった展開が続きます．一方でニジェール共和国政府自体も，開発政策の
なかで，当時飢饉が頻発しておりましたので，食糧増産のための政策であ
るとか，砂漠化を食い止めるための政策を展開するためにはどうしたらい
いのだろうということで，西アフリカ一帯の国々の国家元首が集まって会
合を開いたりしていた背景がありました．そういったことを踏まえてなん
ですが，国際協力事業団，それから青年海外協力隊が開発援助事業を行う
上で，まずはセネガルとタンザニア等で緑のプロジェクトがはじめられま
した．

　ところで，住民のニーズはどのようであったか．先週，森山先生（第6
講）が世界銀行の方のお話の中で，プロジェクトに人類学者を混ぜるとま
ずいというようなことを言った，という件がありましたが，まさしくそれ

を地でいくような発言をしてしまいますが，このプロジェクトでもやはり住民のニーズはあまり考えられていない．このことが人類学徒としてはすごく気になっていたことは確かでした．例えば，農民たちに，あんたらに来てほしいと頼んだ覚えはない，などというセリフをしばしば発せられたのも事実です．そうなると，純粋な気持ちでこの国の人たちのために2年間辛抱するんだ，がんばるんだ，という気持ちで入ってきた若者はやはりショックなんですね．そんな協力隊の仲間たちの声も聞きました．私たちのプロジェクトのなかでも，協力隊員が村に帰って夜遅くまで，村人はイベントが好きですから，協力隊員が居候している部屋に入り込んでいろいろ好き放題しゃべって帰るんですが，帰る頃には真夜中を過ぎているというようなこともあったのですが，ある時，私の先輩隊員が，そういう村人の図々しさにたまりかねて，「もう眠たい．頼むから家に帰ってくれ」と言ったところ「お前こそ日本に帰れ」と言われてしまって困ったというような話もありました（笑）．往々にして外部の人たちによる開発プロジェクトで住民の声はなかなか反映されにくい，というのはこの講義のなかでお伝えしたいことの1つなんですが，まあそういうことが私たちのプロジェクトでも例外なく起こりました．

③プロジェクト対象地域

　図2の地図にあるように協力隊員やニジェール政府の関係者たちは，カレゴロ村は首都ニアメから，20キロ北西に進んだところにあるんですが，現地語で「ワニが座っている」っていう意味なんです．カレがワニ，ゴロが座るっていうことなんですが，このワニが座っている村から北西の端っこのナマロ村までの幅が10キロから長いところで20キロ．縦の長さが40キロですね．ニジェール川がこう，北西から南東に向かって流れているのですが，そこの川沿いの地域，22カ村を対象にしていた．この地域は南西から，砂丘が侵食していて，川沿いの一番肥沃なところに田んぼがあったり畑があったりするのですが，そこの村に侵食しているという状況でした．この地域はニジェールの農業生産のなかでもとりわけ大事な地域でして，都市近郊型の農業も盛んに行われていたところでした．日本政府による円借款でここに灌漑設備付きの水稲耕作地帯ができたことも確

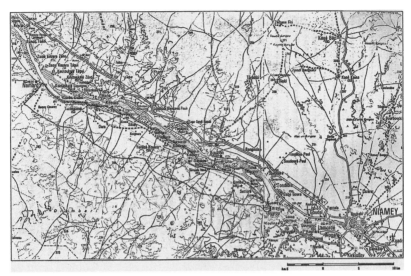

図2 プロジェクト対象地域

かであります．これがプロジェクトの対象地域の説明であります．

④対象地域データ

　図3の左右の写真は，二つともカレゴロ地域の砂丘側の景色です．ニジェール共和国も先週の森山先生のフィールドと同じように，マダガスカルと同じく雨季と乾季に分かれています．右の風景は9月から翌年の5月頃までによく見出すことのできる殺伐とした風景です．これが一転して，6月～8月までの間はこう左のようになります．青々とした雑草をはじめ，村人が植えた穀物が伸びている状況なのですが，写真は森山先生ほど計画的に撮れずに，地点は全然違うところを2つ並べましたが，雨季と乾季の対照的な違いはおわかりいただけるかと思います．この地域の農民にとって，雨季にどのように農作物を生産するかは全ての生存戦略を決めてしまうくらい重要なことでありました．白戸先生（第4講）のご講義を覚えておられるかと思いますが，国際協力の世界では私の理解ではなかなかこうした，アフリカの農村，この景色が貧しい農村の景色なのか，豊かなのかよくわからない，ということがよく言われていますが，本当に難しいです．十分に穀物がとれている状態なのか，このままだと危機にならざるを

図3 雨季と乾季の砂丘

図4 水無し川

えないのかは一見しただけではわからず，1年2年の定点観測は必要だと思います．

　それで，図4の写真ですが，中央で先を急ぐ男性の背丈は私の記憶が正しければ2m弱ですね．ソンガイザルマの人たち意外と大きいのですが，それを申し上げればこの景色の寸法のスケールをご想像頂けるかと思います．これは雨季の猛烈な雨でえぐられた地表を歩む人の姿です．こういうえぐられたところはたくさんあるのですが，現地の人たちはコリ，日本語に訳すと水無し川と呼んでいました．雨季にはここに大量の雨水が注ぎ込んでニジェール川に注ぐわけですが，乾季になるとそのままえぐられた状態で残る．この地表の上にこの男性の畑があるのです．ですから男性は畑の大部分を失ってしまったわけですが，こういった水無し川が拡大していって人々の耕作地を奪ってしまうことを防ぐために，砂丘上の畑を守

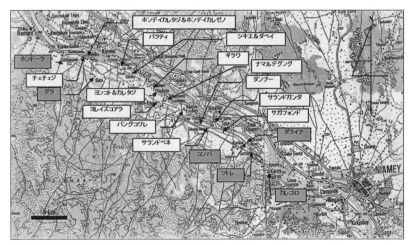

図5 カレゴロ ソンガイ・プールの分布

るための植林活動を私たちのプロジェクトが推進していた．つまり畑の回りに植林すれば根が張って保水力が高まり，地盤がしっかりするという理屈です．カレゴロプロジェクトの地域として選ばれたのは，砂丘が侵食する農村の過疎地域であることは今まで申したとおりですが，年間の降水量は年間 450 mm 以下ということで，大体サヘル地域の農耕限界が 500 mm 前後と言われているのでギリギリのところでした．特に夏でも冬でも気温の日格差が激しかったです．冬場の朝は冷え込んで，コートが必要なくらい寒かったのですが，日中は半袖でないと暑いという具合でした．私が行っていた 1990 年代末はこの地域に 25,000 人くらいの人々が，22 カ村に分かれて住んでおりました．したがって，約 25,000 人のソンガイザルマ，プールの 2 つの社会の人たちと一緒にプロジェクトを進行していました．この地域の社会集団はソンガイザルマとプールであります．それで川沿いの農耕地帯に住むのがソンガイザルマの人々，砂丘地帯に定住し始めたのがプールの人たちであります．定住し始めたというふうに申し上げたのはご存知のとおり，西アフリカのプールは遊牧民族で，昔から家畜を連れて移動しながら生活をしてきた歴史があります．現在でも，家族の一部は定住して，残りは家畜を連れて移動する，という暮らしを続けております．

地図中灰色のテキストボックス，カレゴロ，ソトレ，コンバ，ダライナ，ダラ，ホンドーラ，この地域は砂丘上の村でプールの人たちが住んでいま

活動計画における個別目標	実施内容
① 地域住民等の啓蒙・活性化・養成	① 植林
② 堆砂対策	② 果樹
③ 土壌改良・農耕地保護	③ 野菜
④ 苗木生産及び植林の推進	④ 村落開発
⑤ 野菜栽培の改良	⑤ その他（視察旅行）
⑥ 果樹栽培の改良	

図6 プロジェクトの活動内容

した．白のテキストボックスはソンガイザルマの人たちで肥沃ないい土地を占領していた．そういう共存状態がありました．プール語とソンガイザルマ語系統は全く言語が異なります．ですので，コミュニケーションはどういうふうにしていたかというと，プールの人たちが後から来たのでソンガイザルマ語を話すようになった．ということで，大体ソンガイザルマ語を使って活動をしておりました．ソンガイザルマの人々は，ニジェール共和国の西部に暮らす農耕民族で多くの政治家や軍人，大統領も輩出している主要な構成社会です．ニジェール東部のハウサ社会も同じく農耕民が多く，ハウサといえばニジェール共和国だけではなくてお隣のナイジェリアとかにも広がっているので，西アフリカ全体で考えるとハウサの方が圧倒的に社会的な勢力が大きいのですが，農業も商業もどちらかというと素朴なソンガイザルマよりもハウサの方がいろんな意味で，知恵もあったし技術に長けていた，という部分はあります．

⑤プロジェクトの活動内容

　ここからプロジェクトの内容に入っていきますが，住民を巻き込むにはそれなりに日本側に，プロジェクトの正当性や，住民を引きつける魅力がなければ，活動を展開できませんでした．平均年齢27歳の若者が多少農学を勉強したり，農業大学校に行って技術を身につけていたりしたとしても，熟練した農民たちからはあまり相手にされないという厳しい現実があります．当時の活動計画というのがあって，図6左側が恐らく国際協力事業団の人が作った青写真のなかで提案されていた本プロジェクトの個別目標なのですが，それが実際には図6右側にあるような素朴な形に変え

られていってしまったということですね．これをかいつまんで説明すると，砂漠化対策のアグロフォレストリーを目指した出発点の目標設定が活動が進展するにつれて，徐々に住民のニーズに合わせたものに変化していった，というふうにも考えられます．プロジェクトの隊員は4職種あり，植林，果樹，野菜，村落開発の4職種の隊員が2〜3年で交代しながら，常時植林2名，果樹2名，野菜3名，村落開発2名の合計9名の日本の若者が配属されていました．

⑥4つの活動

　各活動の詳しい説明をしていきます．植林の活動は，まず，村人に紙芝居を使った啓蒙活動を数回展開し，まめに出席した村人を対象に要請調査をとります．村人が出した要請に基づき，育苗計画を立てて，プロジェクト単位全員で苗木が移植に適した大きさになるまで，事務所の横にあった中央苗畑で管理して雨期の始めにいっせいに配布することをくり返していました．配布された苗木は村人の手で植えられ，生け垣や暴風林になりますが，苗木配布の時期と村人が主食のパールミレットやもろこしを播種する時期とが重なることが当然あり，配布された苗木を全部植えるのは村人にとっては至難の技であった，ということです．プロジェクトの課題は実施期間終了後の村人たちの手でいかに植林活動を持続させるかということだったのですが，当初住民の意識も低かったので，期間中に植えまくることに専念すればよい，という考え方が支配的でした．後半になって意識が少しずつ変化していき，活動にも広がりがでてきて，例えば直播き法とか挿し木法とか，いろいろな植林の技術を伝授したり，あるいは住民苗畑の計画を立てて，試しにやってみたりとか，そういった技術的可能性の広がりも見えてきたことは確かですが，あまりうまくいきませんでした．その中でもとりわけうまくいっていたのは，私どものプロジェクトでいまだに村へ行くと，これは日本人がやったと言われるのですが，サランドベネ村の生け垣で，これは大成功でした．図7の左は1997年のときの写真で右が追跡調査をした2003年のとき，すでにプロジェクトは終わっていて，でも村人自身による生け垣の管理が整っていて，木も大きくなっていることがわかります．全然大きさが違うのがおわかりいただけるかと思います．

図7　サランドベネ村の生垣　左（1997）＆右（2003）

　それから果樹分野についての活動については，実はこれは初めから実施するつもりはなかったのですが，村人の強い要請でマンゴー，レモン，グアバ，パパイヤといった換金作物になるような果樹の苗を配布してほしいというような要請があり，どうせ配布するのであれば，まず果樹の育て方を教えて果樹苗木の生産者を育てよう，と村人との話し合いのなかで，そういう形になっていった．私がプロジェクトに参加していた頃は，普通の村人に対する技術指導やデモンストレーションは終わっていて，4人の苗木生産者候補が育っていた時期でした．そのなかで，今，生産者として生き残っているのは1名です．今も果樹苗木をあの地域で販売しているそうです．それから野菜は，村人に対して換金作物として野菜栽培を教えるというようなことも，これもどちらかというと村人が望んだことでもあり，協力隊の野菜隊員が入ったことにもより双方の需要と供給が一致したプロジェクトです．特に西アフリカの市場に広く出回っているガルミオニオン，ニジェール有数の産物ですが，ガルミ地方で作られるガルミオニオンの種をガルミ村から持ってきて，それを西の方でも栽培するという栽培技術を普及させたということがあります．

　本書の中でも，平野先生（第2講）が，日本の農業技術援助で成果を出しているのは野菜作りだけ，とおっしゃって少し極端に思われたかもしれませんが，実際にはうなずける評価です．目に見える効果はどちらかというと，こういう換金作物がどれだけ作られるようになったかということなので，そういうマクロからみると，こういった変化が嬉しいわけで，図8がタマネギの花です．

　それから村落開発分野の活動ですが，この分野は私が担当していた分野

図8 タマネギ畑

なんです．薪炭材の節約をはかるためのいろいろな技術のなかで，改良かまどをアメリカの平和部隊が技術として普及していたのでそれをまねてこのプロジェクトにも導入した経緯がある．それから日本人のこともよくわかってほしいということで，日本のお侍さんが出てくるようなビデオを流して，理解を深めたりとか．最初はそうだったのですがそのうち，このプロジェクトのなかで目立った活躍をしている人たちにフォーカスして，その人たちの活動をビデオにおさめた番組を現地語で作ってそれを22カ村に配布するということもやりました．あとは報告書等を作ったりとか．当時まだインターネットもそれほど普及していなかったので，かなりアナログな作業だったのですが報告書づくりとか，データベースとか，そういったものを作るような活動をしていました．

(2) 目的と手法の創発的形成過程

カレゴロプロジェクトで，もっとも顕著に見られた特徴とは，根本的な活動目的がプロジェクトプロセスを経て変化を遂げたことにありました（図9）．具体的には，植林活動や土木施工を中心にした，砂漠化対策とい

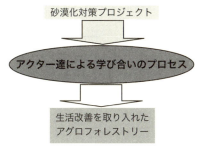

図9 目的と手法の創発的形成過程

う活動目的が，プロジェクトスタッフと村人による学び合いのプロセスを通して，お互いの働きかけによって，生活改善を取り入れたアグロフォレストリーを実現するという目的に変化していったのです．

このような目的と手法の創発的形成過程をもう少し具体的に説明したことが，私の博士学位論文の内容でした．まず，アクション・リサーチと呼ばれる自発的な現状改善活動がプロジェクトにかかわった人々によって行われていたと想定しました．次に，実際にはそうした活動はプロジェクトのグループ活動によってなされており，組織的なパターンを組んで進められていたので，その組織の動態をとらえるために，学習する組織の理論を援用しました．それだけでは組織の中の人たちがどのように学習していたかが伝わらないので，そこに認知科学の考えを取り入れ，コミュニケーションをどのようなツールで行っていたかを分析しました．ニジェール農村の大人の大多数は，文字によるコミュニケーションよりも，直接対話・紙芝居・ビデオ・デモンストレーションといった視覚に訴えるツールによるコミュニケーションを好みました．当然現地語が主となるコミュニケーションがダイナミックに行われて組織学習が成り立っていました．

しかし，残念なことにプロジェクトの成果を説明するときの情報発信の方法は文字が中心にならざるを得ませんでした．会議の記録や報告書といった紙媒体によるコミュニケーションに頼ったのですが，問題は，プロジェクトの現場で行われていたオーラル・ビジュアルなコミュニケーションの動態が，報告書になると途端に集約されてしまい，なかなか精確に伝えられずに終わったことでした．協力隊員たちは，実際には実に豊かなコミュニケーションを行いながら村の農民と協働していたのに，外部でプロジ

ェクトの運命を決める評価をする方々には十分に伝えられていなかったことが悔やまれます．ただ，私たち協力隊員が学んだことは，農村開発の理想的な基本態勢は，住民の参加を促し，ニーズを反映した技術移転・経済的支援である．そこから，やわらかな開発過程が生み出されうるということとでした．

2 ケニア（地域社会組織の台頭）

次にケニアなのですが，私は文科省の科学研究費補助金の研究プロジェクトの一環で調査をしました．私は研究分担者だったのですが，どのような調査だったかというと，2005年から7年までの間の科研費のプロジェクトで，ケニアで流行しているマイクロクレジット，あるいはマイクロファイナンスの活動．それとともに普及し始めていた市民社会組織の実態を見てくることが役目でした．ご存知の方も多いと思いますが，バングラデシュでムハンマド・ユヌスさんがグラミンバンクで一躍有名になったのも2006年の頃ということで，ケニアにも少なからず，マイクロファイナンス革命，クレジット革命という場合もありますが，マイクロファイナンス革命の波が押し寄せていたのを肌で感じたのを覚えています．ケニアは地域社会組織という言葉を使っていますが，Community Based Organizationですね．日本でいうと，NPOにあたるような組織ですが，成り立ちにはどのようなきっかけがあり，それぞれにどのような特徴があるかをそれぞれに説明したいと思います．

ケニアには2回ほど訪問し，1つはナイロビ近郊の地域です．もう1つはケニア西部のキスムというところで，2回に分けて調査しました．

(1) 地域社会組織（CBO）の一般的定義

結論としては課題には2つの大きな問題があって，1つは行政サービスが行き届いていないということと，もう1つはCBOそのものの組織強化の問題があったと結論づけています．まず，Community Based Organizationの一般的な定義でありますが，CBOの成り立ちはだいたい，地域社会の需要と主体的動機．これはもともと地元の人たちのやる気とニーズで形成される場合と，公的な社会開発プログラムの延長線上にCBOが形成

される場合，それから，国際援助機関やNGOによる開発プログラムがま
ず行われていて，その上で，後で申し上げますが，こういう社会開発プロ
グラムとか，国際機関やNGOによる開発プログラムというのは，時限付
きなので，やりっぱなしで終わってしまうということを避けるために，
CBOを形成して持続的にするという手段として地域社会組織というのが
形成されていた例が多かったように思います．日本のNPOなどはむしろ
こういうパターンが主体的でして，一生懸命NPO法人の資格を得ても今
度は補助金がもらえないという逆の悩みがあるのですが，ケニアの場合は
その逆パターンであったという話ですね．

(2) ケニアCBOの事例

まず事例1ですが，ナイロビ近郊のケニア政府とデンマークの
DANIDAによるジェンダー・スポーツ・文化・社会サービス省管轄下の
共同体キャパシティー支援プログラム，「CCSP」と地元の人たちは呼ん
でいましたが，CCSPのもとで作られていた様々なプロジェクトとそれを
支える地域社会組織ですね．図10左上はキルングというところのウォー
タープロジェクトで水不足がケニア農民の深刻な問題なんですが，これは
井戸をセメントで固めるところまではやったんだが，後の水路を作るため
のお金がないからなんとかしてほしい，みたいなことは言っていました．
図10左下は診療所ですね．キャンガンダというところなんですが．それ
もCCSPの一環で作られていたCBOであります．CCSPは参加型開発プ
ログラムでケニア国内13の県において，168のCBOを実施しているとい
うことです．プログラム自体は1980年以来，ケニア政府とデンマーク政
府による助成を受けていましたが，2005年12月以降デンマーク政府の撤
退により，国際的支援を要している，ということで，私が伺った2006年
2月の時点では次のドナーが見つかっていないということで，私はなんか
JICA職員と間違われて，JICAになんとか言ってほしいと言われましたが，
僕は研究者なので勘弁してください，と言ったのを覚えていますが，よく
ある勘違いなんですが．図10右はヤギプロジェクトです．一生懸命得ら
れた資金で地元の人たちの活動がうまく行きかけたところでドナーが引き
上げていく，というようなことがくり返されていた，ということですね．

図10　事例1：社会開発プログラムを契機に形成された地域社会組織
　　　［調査地域1：ナイロビ近郊］

　それから事例2です．キスム県で見てきた実態ですが，住民の自主的な活動によって組織された地域社会組織が一般的であったということであります．キスム県社会開発局DSDOに登録されている地域社会組織は6,000以上あると聞きました．にわかに信じがたく，開発局に行って名簿を見せてもらって目分量で数えて確かにそのくらいは登録されておりました．でも登録していない組織も多いということで，実際にはこういった自発的な地域社会組織はもっとあるだろうと，関係者は言っていました．どちらにしてもキスムというところは結構自発的に農民たちが地域社会組織をつくって助け合っている，というようなことが展開されていました．恐らくこれは，バングラデシュで起こっていたムハンマド・ユヌスさんのマイクロファイナンス革命の影響がアフリカにも及んでいたのだろうと今では思っています．

　住民主導型の地域社会組織の特徴としては，明確な目的意識．図11上の方は目の見えない人たちや体の不自由な人たちが集まって，手作りのお土産ものをつくってそれを販売する組織，それも地域社会組織の1つのやり方なんですが，そういった明確な目的意識を持っていたということですね．それから，図11下は栄養剤入りの小麦粉ですね．これを地域社会

Mats made by the handicapped member in KATIENO/KOWE Disabled Group, Katieno, Kisumu Kenya

Sacs of nutrition flour made by the member in GRAIL/COFIDO, Maseno, Kisumu Kenya

図11　事例2：住民主導型の地域社会組織　[調査地域2：キスム県]

組織のグループでお金を出し合ってまとめ買いして小分けにしていくというやり方があるのですが，それをやっていた組織の様子です．普通，NPOでもそうですが，地縁みたいな地域でまとまって同じような仕事をしていて同じような収入，世帯の人たちが集まってやる組織が一般には考えられるのですが，どうもそうではない．同じような状況でお互いに助け合うことができるような社縁的な紐帯というものが強く背景にあるような組織が多かった記憶がある．それゆえになんですが，なかにはやはり所得格差が大きくて，組織の質的なばらつきが激しいという特徴もありました．

(3) CBO の機能と役割

　地域社会組織の機能と役割なんですが，これは日本のNPOをイメージしてもらえれば言うまでもないことなので，さっさと次にいきたいと思います．日本でいう頼母子講はケニアではMerry-Go-Roundって言っているんですね．グループのメンバーが1人いくらかずつ出し合って，それで1週間ごとにメンバーが1人1人に集めたお金を自由に使っていいというふうに分け与えるわけですね．このようなMerry-Go-Roundがケニア社会では結構浸透していました，ということです．

　それをきっかけに組織の紐帯がかたまってファンド・レイジングにつながっていくわけですが，社会的互助とか孤児対策とか．AIDSの蔓延がひ

図12 イスの写真

どい国でしたのでAIDS孤児，あるいは未亡人の人たちが助け合って作った地域社会組織も少なからずありました．あとは地域社会の振興にも活躍するようなCBOがありました．私が見る限り，機能としては，例えば障害者の社会参加促進だとか，若者への仕事の供給，AIDS未亡人のエンパワメント，それからAIDS孤児の保護みたいなことで活躍している組織がキスムの地域では多かったということであります．

図12のイスは何を示しているかというと，市場でマーケットマミーが座るイスなんですね．このイスを貸すことも地域社会組織の1つの稼ぎ口だったわけです．このイス1つ1時間借りるといくら，みたいな値段がついていて，そういうことも資金集めのファンド・レイジングのためにやっていた組織もあったということですね．

(4) CBOの長短

地域社会組織の長所としては，彼らにとっての，という意味ですが，銀行口座を開設できる．個人ではとてもそういうことはできないんだけれども，グループで銀行口座を開設できる．そうなるとプロジェクトを開設することが可能になって，政府の補助金対象となる．あるいは運が良ければ海外の援助がまた受けられるようになる，ということで，WIN-WINの形で地域社会組織を作れば，こういういいことがあるということが指摘されています．これは地域社会組織の代表から聞いたので必ずしも公平な情報

ではないのですが，こういう長所があると．逆に，短所にあたるのかもしれませんが，社会開発プログラムによる形成組織の場合はプログラムが終わると機能しなくなる組織が多いということですね．持続的にCBOが力をつけてくれれば，もとになっていた開発プログラムが終わっても，持続的に残された人たちがファンド・レイジングをしながら回して行くことは可能であるはずなんですが，どうしてもそこらへんは難しいところであります．住民主導型の組織であっても，先ほども申しましたが，所属メンバーの多様性が連帯性を弱める場合がある．ですから，CBOの作り方というマニュアルがケニア社会には結構あるのですが，まず，同じ職業の人で作ってください，とか，同じ職業でも大体同じ世帯収入の人たちでまずは作ってください，ということがよく言われていました．さらに，県の開発局に出す，CBOのcertificateがあると銀行口座が開ける，で，プロジェクトを進めることができる．これは，ある農村プロジェクトでは貯水タンクはできたんですが，あとの水をくみ上げておろすためのパイプをつけるお金がないからプロジェクトが先に進まない状態でした．そういう中途半端なCBOの活動が目について心配になったのですが仕方がないかな，というふうに思います．

(5) CBO と行政システム

　県の社会開発局，先ほど申し上げたCBOを管轄しているところ，DSDOと言っているんですが，ここは何をしているかというと地域社会組織に定款を提出させて登録する．コミュニティ支援官の実質的な監督をする．コミュニティ支援官という役人がいまして，この人がある地域の地域社会組織をまとめて面倒をみるということですが，広大な地域の膨大な数のCBOを担当しないといけないので，実質的にはあまり機能していなかったという事情があります．それから助成金等の情報を提供する，県開発委員会集会の運営もありました．県の開発委員会というのは結構お飾りでして，市長とか郡長とか政治家の人たちがCBOで一生懸命やっている市民の人々を励ます集会を開くわけですが，そういう住民集会のことを伝統的な首長の開いていた集会の名前をとってバラーザと言っているんですが，この住民集会は結構重要でそのときは県の開発委員会も形だけは機能

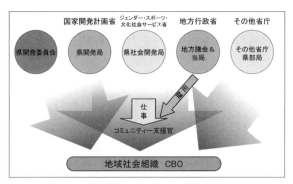

図13　ケニア CBO と行政システム

しているように姿を見せるというようなことがあります．あとはキスムの市議会とキスム県の協同組合局がそれぞれ，役割分担をしていて，コミュニティ開発支援官というのはキスムの議会が雇っているのだが，給料は他のところから来るはずなのだが来ない．ということで給料を払えない状態である．で，独自に社会開発局も設置している．ということでかなりバラバラなことをやっている．

　キスム県協同組合局のほうは，財政面を支援しているはずなんですが，その財政支援のファンドのもとはドナーだったりするので，ドナー国が引き上げるというともう機能しなくなる．そういう行政システムの欠陥がたたって，CBO を作ってもうまくいかない，ということが 2006 年当時多く見られたケースでした．双方に課題があると思います．1 つは行政システムの整備，それから地域社会組織そのものの強化，これは Widows Group という名が示すとおり，AIDS 未亡人と孤児たちです．小学校に上がるまでは衣食住の面倒をみる，というようなことをやっております．このグループは結構成功しているほうで，USAID のファンディングを受けて，かなり財政面では困っていなかったように記憶しています．

　先ほどから申し上げていることを整理して図にまとめると図 13 のようになっていて，雇用は地方の行政省から雇用されて仕事は県の開発局からおりてくる．それぞれの県単位のユニットは中央省庁のそれぞれの管轄を受けていてみんながバラバラに仕事を持ってきて，コミュニティ支援官は 1 人しかいない．CBO がどっちを向いていいかわからないという状況がありました．

行政システムのこういう状況を鑑みると，行政システムの整備のあり方としては，まず技術情報支援，コミュニティ開発支援官をもう少し増やすとか十分な給料を受けられるようにするとかいうことが課題としてあるのではないかと考えられる．

(6) CBO の課題

あと財政的支援のほうですが，これも行政が提供する補助金を獲得するために，CBO のなかで会計管理をする人たちが読み書きだけでなく，計算もできるような人を置かないといけない．というようなことが言われていました．それほど，ケニアのように教育システムが行き届いているような社会ではあってもなかなか行政が求めるような文章をさらりと書いたり会計管理をしっかりしたり，というのとはまた別次元の苦労があって，なかなかできないというような現状がありました．それから行政的支援というのは，ただ CBO として登録するのではなく，登録した以上は面倒を見てほしいというのが，CBO の人たちのたっての願いだったわけですね．ですから，儀式的でもバラーザのような集会を設けて，そこに県の開発委員会のお歴々が並んでいろいろ表彰したりということがあると，支援官の人や行政の人たちはちゃんと私たちを見てくれているんだな，ということが肌で感じられるようになり，それ自体が地域社会組織のエンパワメントにつながるというようなことを関係者は言っておりました．

地域社会組織自体にも問題があります．組織運営から始まって，資金管理や運営，それからプロジェクト活動，社会振興活動，そういったいろいろな仕事があるわけですが，これが円滑に運営されていくために地域社会組織そのものを強化していく必要があるのですが，なかなかうまくいかない，というようなことが指摘されていました．

(7) CBO の位置付け

Goran Hyden というアフリカ政治学の権威がいるのですが，その方のアフリカの社会集団の分類に従って CBO の分類を位置づけると表 1 の真ん中に当てはまるのかなと思います．目的意識に基づいて参加型の組織形成が行われている，ということと，人々の結束は地域性を背景にしてはい

Type	Origin	Objective	Method	Behavior
Collectivity	By choice	Achieve specific good	Voice	Autonomous
Community Based Organization	By needs and opportunity	Achieve common purpose	Voice and Authority	Participatory
Community	By Birth	Achieve generalized benefits	Loyalty	Interdependent

Goran Hyden, *African Politics in Comparative Perspective*, Cambridge U. P. 2006に掲載のTable5（p.54）をもとに筆者作成

表1　ケニアの社会開発における地域社会組織の位置づけ

るものの共通の需要こそ，社縁的なネットワークが重要になっている．Hydenの言う，集団と共同体の中間に地域社会組織は配置できるのではないか．というふうに考えたのが10年前の考察ですが今もあまり変わってない．

(8) ケニア CBO と JICA の連携

最後，2012年にケニアでJICAボランティアの事業の一環として海外技術補完研修をケニアのナイロビで行いました．私はインストラクターとして立ち会いましたが，当時東南部アフリカで活動中のJICAボランティアでちょっとコミュニティ開発支援に行き詰まっている隊員たちがアフリカ各国からナイロビに集まってきて1週間くらい，技術補完研修を受けるわけですが，そのときに地元のCBOの人たちに手伝ってもらいました．地元のCBO4グループに手伝ってもらって，それぞれに今ぶつかっている問題を提起していただく．それをJICAボランティアがケニアであろうと，エチオピアであろうと，モザンビークであろうと各国で活動中の隊員が一生懸命頭を寄せ合って担当を決めて，それぞれのグループにふさわしいアクションプランを立ててあげる．それをこのようにCBOの人たちと一緒に話し合いをしながら提案をしていき，最終的に1つのアクションプランにまとめてアウトプットを出すといったようなことをやったんですが，建前ではJICAボランティア側がCBOの人たちを助けたという理屈になっていますが，インストラクターとして見ていると，CBOの人たちの方が一枚も二枚も上で，実は行き詰まりを感じていたJICAボランティ

アが逆に助けられていた，という様子が見られて，やはりアフリカの農村開発はアフリカの農民に学ぶべきだなというふうに思った次第であります．これがケニアの話です．

3　マラウイ（農民自立支援の最先端）

　マラウイ共和国のムジンバ県で青年海外協力協会，JOCA と言われる組織があるのですが，後で説明しますが，2005 年から，マラウイのムジンバ県農民自立支援プロジェクトを展開しております．今第 3 フェーズに入っているのですが，これにもご縁があって私が関わっています．今からお見せする資料は全部，ちょっと JOCA の人と相談して，本当は僕が独自に撮った写真もあるのですが，それはやはりちょっと見せないでほしいと言われたというような制約もあり，すでに公開されているものを使って上手に説明してほしい，とのことで，これからご説明するのは，お手元のパンフレット通りの説明しかできませんがお許しください．

　JOCA が直接作ったパンフレットを置いておきました．なかには英語版もありますが中身は一緒です．JOCA は青年海外協力隊の帰国隊員を中心に組織された公益社団法人でございまして，今，協力隊 50 周年記念としてこういう映画を制作したりしています．今年は協力隊にとって記念すべき年でして，是非お暇な方はお出かけ頂きたいと思います．図 14 にあるように 11 月下旬公開ということで「クロスロード」どうぞよろしくお願いします．映画はフィリピンの話なのでアフリカとなんら関係ないのですが，まあ世界中で協力隊員が向き合う現実は大体変わらないと思っているところもあります．

　さて，JOCA のマラウイプロジェクトの話に戻りますが，パンフレットに書かれている会長の言葉が言い当てているのですが，「ムジンバ県の農家においては彼らの内面的な自立，農作物の生産増加，それによる生活の改善など数多くの変化が見受けられました．これらの変化がもたらされたのは，ひとえに『知識と技術の修得と共有』に主眼をおき，それを実践してきたプロジェクト手法の賜物であります．我々がなし得たことはモノ・資金に力点をおいた手法では達成できなかったでしょう．」この通りですね．カレゴロプロジェクトもそうですが物質的金銭的援助は絶対にしない．

第7講 現代アフリカの農村開発

図14 「クロスロード」のポスター

　相手の自助努力，ケニアが自発的に CBO を作ったような，ああいう自発的な，内発的な動きが出てくるまではぐっと我慢する．というのがマラウィプロジェクトでも踏襲されていて，それが功を奏した様子を 2012 年の時点で，説明がなされています．ちょっと関わった人間としてはその通りであったと報告しますが，2012 年の時点で対象地域一帯の裨益者総数は 32,495 人を数えておりました．プロジェクトの関わり方に応じて，第一裨益者，第二裨益者，第三裨益者，というように，だんだん村人から村人に普及させていく手法がとられました．
　具体的な内容ですが，食糧生産力の増大のために商品作物や食品加工の技術，家畜の増産技術を普及させて現金収入を増やし，それを基幹作物であるトウモロコシ，メイズの増産のための投資に割り当てさせた．という取り組みだったわけです．もちろん，堆肥性肥料とか，自作の灌漑設備設置法など，農民の達成度にあわせて，高度な技術知識も普及しておりました．例えば，ニンニクの生産ですが，この地域の人たちは，マラウィのなかでは，北の人たちで，チェワ語を話す人たちとは違う，トゥンブカと言われる人たちですけど，マジョリティではなく，マイノリティに入る社会の人たちなんですが，あまりニンニクは食さない人たちなんですね．どう

してニンニクをつくるようになったのかというと，市場で高く売れるから．どうして高く売れるかというと，援助関係者がニンニクを買い占めるわけです．自分たちの食事をつくるために，あるいは中華料理店が買ったりとか．南アフリカに運ばれていったりとか．地元の需要とはあまり関係ない事情がニンニクの値段をつり上げた．ニンニクの生産が成功したということ．それからヤギ受渡しプログラム．これは初期投資を与えないというルールを唯一外したプログラムだったのですが，優秀な，能力のある農民に限って，最初，ヤギを買い与える．その後自分たちで増やすというヤギプロジェクトを展開しました．これもうまくいきます．個人レベルでもグループレベルでも，このJOCAのムジンバプロジェクトの活動を通して，農民同士のファシリテーションを経て，かなり農業生産活動が活発になっていった様子がこのパンフレットに記されています．最終的には優秀なリーダー格の伝達農家，というふうに言っているんですが，いわば，技術や知識をJOCAのスタッフに代わって伝達する能力がある，そういう伝達農家の委員会も組織されるようになったということであります．そうなっていくと，プロジェクトとしては成功しているのではないかと評価できる．

　私にとっては，図15が最終的にパンフレットに織り込まれたことは，内部関係者としては非常にうれしかったことの1つです．これは，どういう図かというと，農家の能力育成強化のプロセスが具体的な農業技術の移転と生産の過程とともに農民の意識がどういうふうに変わっていったかということを段階ごとにこと細かに説明されているわけですね．もちろんこれを分析しているのは日本人のスタッフですが，トゥンブカ語もチェワ語もばりばりできる方で僕から見ると日本人のマスクをしたマラウイ人のようなんですが，彼が，2005年から地道にこつこつと積み上げながら，農民たちとぶつかりながら作って来た過程なんですね．JOCAの内部のほうではこちらのほうが強調されます．外向けにはニンニクの生産量とかヤギの頭数がどれだけ増えたか，とかメイズの収量がどれくらいになったかとか，そういうことが強調されていたプロジェクトですが，私は，この図は絶対に入れてほしいと，願っていたのですが，なんとか載せてくださってよかったです．

　図15は，日本の草の根の技術支援エージェントが，長い時間少しずつ

図15 マラウイプロジェクトの発展経緯

ゆっくりと村人の視点で変化を促してきたファシリテーションの核心なんですね．これは，日本型の地道な農民技術支援の特徴を如実に表している図だと思います．やはり，経済至上主義的な考え方からすると，人が育っても結果が出ないとね，という言われ方があるかと思うのですが，やはり，人類学徒としてもそうですが，人が育つということがどれだけエンパワメントと持続的開発につながるか，ということは経験でわかっていますので，そういった意味では，パンフレットのどこを見ても美しい絵が書かれているのですが，この図の重要性をここまで説明してお分かりいただけましたら幸いです．

　もちろん，収量も増えました．特にニンニクは爆発的に増えた，ということもあったのですが，現金収入が3.5倍，従来の作物収量による収入も1.3倍になったということは正しく計算されてパンフレットのなかに織り込まれています．でも，いいことずくめでもなかったんですね．農民の自立発展に重きをおく将来を見通したアプローチというのは，ものや資金の提供を主とした近視眼的なアプローチ方法にとってかわられやすい，とか，委員会の運営管理では，今後も継続的な便益を受け取るために必要とされる論理的かつ効率的な運用が不可欠であるが，農家たちは未だ課題を抱えている．例えば農民の識字率の低さが効果的なマネジメントに必要とされる計画と記録の能力成長を妨げている，というようなことも一方で気づきとしてはありました．これが2012年までの話です．JOCAから今どうなっているのかということもちゃんと説明してくださいね，ということだったので駆け足で説明すると，今は第3フェーズ，第3ステージに入って

図16　トマトジャム　　　　　　　図17　集会写真

おります．

　どちらかというと第2ステージまではムジンバ県の能力のありそうな農民たちをくまなく探しだして，面的な形でエンパワメントしていく形だったのですが，第3ステージに入ってからは，とりわけ能力の高い伝達農家のリーダーみたいな人をつかまえて，商業的にタフな農家を育てる，という方針でこのような活動を展開しているということであります．

　それゆえ，ゾーンレベルの活動強化やフードシステムの把握であるとか換金作物の生産多様化，高収益化，ビジネスマインドの導入，とよりビジネスライクな活動が展開されてきておりまして，でもこうしたことが可能なのは，2005年からのJOCAの農民たちとの地道な取り組みと信頼関係がなしえた成果であるということも忘れてはならないと思っております．近いうちに評価調査をしに行かなければならないのですが，その後の報告はお楽しみ，ということでマラウイの説明はここまでにします．途中段階で行った，第1ステージの終了時評価報告のときは評価調査団の団長をしていたので，その資料はお見せしてもいい，ということでしたので少しお見せします．

　図16は農民グループが作っているトマトジャムを作っているグループの写真です．マラウイ側の農業改良普及員も手伝ってくれる形でこのプロジェクトを進めたのですが，改良普及員のヒアリングの風景であります．図17はリーダーとなっている伝達農家の人たちがプロジェクトをどう評価しているかを集会で発言しているところであります．農民の生活変化，これは第2ステージの終わり頃の話ですが，トマトの売上で売店の店長になった農民とか野菜の売上で家を建てた農民とか．今は水力発電，山の

高低差を利用して自家製の灌漑システムを使って水力発電システムを先進農村グループの代表の方がつくっているというのも情報としては入ってきています.

　このマラウイプロジェクトですけど，自立支援は人材育成から．人材育成が生活向上と経済成長につながる．向上と成長は双方向の学び合いにより促されるが，時間がかかる．というのが実感としてあります．2005年から私，このプロジェクトの追跡調査をしておりますが，10年かかっても，すごく変わっているところと何も変わっていないところが混在していて難しいのですが，なにせ人材育成は時間がかかるということであります．

　時間がもう来てしまいました．急いで今日の講義のまとめをしたいと．あ，ちなみに講義で回覧しているのはマラウイプロジェクトが第2ステージのときに，代表と私で作ったファシリテーションマニュアルとガイドラインですね．これを地域に配って，これをもとにJOCAが引き上げても自分たちでファシリテーションを行えるように，ということで，これは現地のトゥンブカ語にも訳される予定だったのですが，あまり時間がなかったせいか，英語版は結構出回っていたらしいのですが，現地語版は完成していないと伺っています．

　最後にですね，現代アフリカの農村の開発を考えるときに，その開発は自発的であることが望ましいと思います．開発援助協力の世界が考えている開発の水準が，例えば農産物の収量増加であったり，農業技術の合理化や強化，農民組織の近代化といった課題であり続ける限りは，外部による支援は欠かせないと思います．でもその支援の仕方に関しては，地元の農民を尊重して，あくまでも自主的な参加を促すやり方でなければ持続性を持ち得ません．そうした意味で農民一人一人のニーズとレベルに合わせたエンパワメントが肝要ですが時間がかかります．それと平野先生や高橋先生がおっしゃっていたように，人口増加の速度との兼ね合いですね．ここは大変に難しい局面だと思います．3例で得られた教訓のなかでは，開発は参加型であるべき，エンパワメントには時間がかかる，ということで，課題としては外部の介入でやってほしいというのは，ニジェールでもケニアでも，マラウイでもそうなんですが，行政サービスの充実化，これは外の力を持ってしないと多分無理だと思います．あとは人々の生計戦略の多

様化がかなり進んでいるので，それを見越した上での農村開発支援が課題としてはあるのかなと今のところは考えています．

　総じて未熟な講義で申し訳ないのですが，アフリカ農村事情も研究途上ということでお許し頂ければと思います．

Q&A　講義後の質疑応答

Q　マイクロファイナンス，農業のように投資してから回収するまで長い時間がかかるのでリスクがあるという場合，ファイナンスが機能するのかを伺いたいと思います．

A　私がキスムで見てきたCBOのマイクロファイナンスの実態は，実際にはあまり農業と関係のない活動が結構多かったのですが，他の女性グループの農村改良型のプロジェクトでは，作物の生産に直接関わるようなことではないかもしれないのですが，農村のなかで需要のある出費に対して，いろいろお金を支援してそれを回収することが行われていたのは確かです．農業生産の年間のサイクルと，マイクロファイナンス用に月々返していかないといけないというようなシステムがかみあうかというと，多分かみあっていたからやっていたんだと思います．でも失敗例もたくさんあって，飢饉がきたり，マーケット市場の動揺によって返せるお金が返せないこともあると思うのですが，その辺はちょっとこの事例に関して特化して調べてはいないので答える力は私にはないのですが，農村で行われているマイクロクレジットのお金の回転のなかには農業生産による収益に基づくお金の流れのほかに，いろいろ生計戦略が多様化しているという話なんですが，出稼ぎによって得られる現金収入とか，結構そちらの方が金回りが良かったりもする．農村の人たちのためのマイクロファイナンスなんですが，実際にはマラウイであれば，南アフリカ共和国の鉱山に出稼ぎにいって，現金収入を得て帰ってくる，農閑期に．そういったことでかなり現金が回っていたことも事実なんですね．そのへんで，今開発経済学で，農村一世帯ずつの世帯収入の具体的な数値がデータベースに出されていますが，少し

前に出されたアメリカの農業経済学者による報告では，農村一世帯の収入は農業外収入の割合のほうが圧倒的に多い．そういうなかでマイクロファイナンスをやられていると，あまり農業生産のサイクルに厳密に合わせた形での財産収支ではない，ということも逆に言えていて．そこらへんから想像するしかないのですが，ご指摘のように，農業生産は最短でも一年回りでかえってくることなので，じゃあどうやってその間に利子をつけて返していくのか，というのは，貧乏な農民の人たちには大きな悩みであったことは確かです．

Q　ケニアの事例で CBO が人口 4,500 万人の国に 6,000 あるというのはすごい多いねということに驚きました．それだけ多くてアクティブというのもあるが分散されている，ということでデメリットはないのかな，と．あと，ニジェールの例で植林と果樹の活動でいくつか成功したものがあったとの話でしたが，正否の要因．成功したプロジェクトは何が決め手だったのかを突っ込んで教えて頂ければと思います．そんなところです．

A　キスムの 6,000 の CBO は多分形式だけの話もあると思います．登録しておけば助成金を得られたり，銀行口座が作れるとかのメリットがあったから．CBO を純粋に機能させようという働きかけよりは，そういうメリット目当てで．わりと日本でもうさんくさい団体が NPO 法人格を持っていたりしますよね．そういう発想なのかなと．1 つのブームだったのはその頃，マイクロファイナンス革命という 1 つの大きな動きがあって，それを小規模農民が悟っていたからだというのは言えると思います．でも丁寧に調べて解答したいと思います．

　2 番目については成功要因の 1 つは，村人自身がそのやり方を知っていた，隊員が持ちかける前に果樹の育て方とかどこに売ったら販路があるとかそういうことを知っている農民がいたことが大きな成功要因でした．我々が育てた 4 人の果樹苗木生産者たちは皆昔からそういう知識を持っていた人たちでした．だから我々がいなくてもやがては果樹生産者になれたかもしれない．でも私たちが火をつけたのは確かです．なので，もともと潜在力があったというのは 1 つの答えです．そういう篤農家がたまに

いたりするんですよね．それを知ってか知らずか果樹隊員が見つけてきて，デモンストレーションを通して果樹苗木を生産させるに至ったというところはあります．あとは村人自身の熱意です．今はこれだけ答えておきます．

関谷先生のおすすめの本

勝俣誠著『新・現代アフリカ入門——人々が変える大陸』（岩波新書，2013年）．

重田眞義，伊谷樹一編『争わないための生業実践——生態資源と人びとのかかわり』（京都大学学術出版会，2016年）．

ダヨ・オロパデ著『アフリカ　希望の大陸—11億人のエネルギーと創造性』松本裕訳（英治出版，2016年）．

第8講
アフリカにおける紛争と共生
ローカルな視点から

太田 至
京都大学大学院アジア・アフリカ地域研究研究科／アフリカ地域研究資料センター教授

太田至（おおた いたる）
1976年京都大学理学部卒業．86年京都大学大学院理学研究科修了．86年京都大学アフリカ地域研究センター助手．89年同助教授．98年京都大学大学院アジア・アフリカ地域研究研究科助教授．2004年同教授．1978年から東アフリカ牧畜社会の研究に従事．
著書に *African Virtues in the Pursuit of Conviviality: Exploring Local Solutions in Light of Global Prescriptions*（共編著，Langaa RPCIG, 2017），『アフリカ潜在力・全5巻』（総編集，京都大学学術出版会，2016）などがある．

はじめに

　わたしはこれまでに，アフリカの牧畜社会に関する研究をしてきました．アフリカの乾燥地域には，主として牧畜によって生計をたててきた社会が分布しています．家畜は，人間が直接にはよく消化できない植物を食べて，そのエネルギーを人間が利用できるかたち（ミルクや肉，血など）に変換してくれます．人間は，家畜を媒介として乾燥した自然環境のもとで生活できるようになったのです．わたしがアフリカで集中的なフィールドワークをしてきたのは，ケニアの北西部に住んでいるトゥルカナという人々の社会です．ケニアの北部から東部は降水量が少なく，あまり農業には適していないため，人々は牧畜を主体とした生活を営んできました．わたしが最初にケニアに行ったのは1978年，39年まえのことですが，いまでも年に一回は同じ村を訪問して調査を続けています．

　わたしはこの地域で，家畜と人間のあいだのさまざまな関係について，人類学的な調査をしてきました．具体的には，家畜の管理方法，家畜に関する認識，家畜の贈与や交換をとおしてつくられる社会関係といったことです．現在のわたしは「アフリカにおける紛争と共生」をテーマとする研究をしていますが，このテーマにたどり着いたのは，まったく偶然の出来事からでした．わたしが調査をしていた村のとなりに，1992年に突然，大きな難民キャンプが出現したのです．このときに難民はエチオピアやソマリア，スーダンから大挙してケニアに流入してきました．その直接の原因は，1991年にエチオピアとソマリアであいついで軍事力による政変が起こったことです．ケニアに住んでいる難民の人口は，1990年には約1万人だったのですが，それが1992年には約40万人に急増しました．この人々は，最初は複数の難民キャンプに分散していたのですが，その後に難民キャンプが統合されてゆき，いまでは大部分がダダーブとカクマという二つのキャンプで生活しています．このカクマ難民キャンプが，わたしが現地調査の拠点にしていた村のとなりにつくられたのです．まったく予想外の出来事，晴天の霹靂でした．

　カクマ難民キャンプは，つくられてから20年以上たちますが，現在も10万人以上の難民が生活しています．難民が故国に帰還できず，避難し

た国の国民にもなれずに，キャンプで仮の生活をずっと続ける状況は「難民状態の長期化」としておおきな問題になっていますが，カクマ難民キャンプもそのひとつです．そして，このキャンプには大量の支援物資だけでなく，たくさんのお金や新しい情報が外部からもち込まれ，それが地元社会に流出してきました．難民だけではなく，その支援にたずさわるたくさんの人々が外部世界からやってきました．トゥルカナ地域はケニアのなかでもどちらかといえば辺鄙な場所ですが，難民キャンプの周辺は突然に国際色豊かな場所に変貌し，そのことによって地元社会は非常におおきな影響を受けることになりました．

　そのためにわたしは，難民キャンプと地元社会の関係を調査するようになり，その延長線上で，ひろくアフリカの紛争あるいは人々の共生という課題について勉強してきました．今日は，それに関するお話をしたいと思います．ただし，わたしは人類学を中心にすえた地域研究をしてきましたし，長期間にわたって特定の地域をインテンシブに調査するという方法をとってきました．そのためにわたしのお話は，人々のミクロな生活世界から紛争と共生の問題を考える，という内容になることをお断りしておきます．今日のお話の副題を「ローカルな視点から」としたのはそのためです．

1　アフリカにおける紛争とその解決のための「主流の試み」

　アフリカでは，特に冷戦が終結したあとの 1990 年代から 2000 年代にかけて，大規模な内戦や民族紛争が多発しました．すぐに思い出されるのは，1994 年にルワンダで起きたジェノサイドです．約 3 か月のあいだに 50〜100 万人の人々が死亡しました．リベリアやシエラレオネ，コンゴ民主共和国，ウガンダ，ソマリアなど，多くの国で内戦が発生しました．スーダンでは，1950 年代に始まった二度の長い内戦が 2005 年に終結しましたが，2013 年には南スーダンで再び戦火が燃え上がり，いまも解決の道がみえません．こうした大規模な紛争以外にも，アフリカではいろいろな小規模な争いがありました．それは，政治権力をめぐるものであったり，鉱物資源や農地をめぐる争い，民族間の土地の境界に関する争い，宗教的な対立などでした．わたしが調査してきたケニアの牧畜社会でも，隣接する民族のあいだで家畜の争奪戦が起こり，ときにはそれが復讐合戦にエス

カレートしたこともありました.

こうした紛争の特徴は,これが軍人による戦争ではなく,一般市民のあいだで激しい暴力が行使されてしまうことです.ケニアでは,2007年末に実施された大統領選挙の結果をめぐって暴動が起こり,1500人ほどが死亡して約60万人の国内避難民が発生しました.首都ナイロビなどの都市では,それまでは隣人として生活してきた人々が衝突し,殺傷事件にエスカレートしたのですが,これは,1963年にケニアがイギリス植民地から独立して以来,もっとも大規模な暴力事件でした.こうした対立によって破壊された社会関係を,いかにして修復し,疲弊した秩序を回復するのかは,かんたんなプロセスではありません.

アフリカの紛争を解決するために,国際社会はさまざまな介入をしてきました.軍事的な介入もしましたし,経済制裁も実施しました.停戦・和平協定の締結支援,紛争後の政治制度の構築支援,あるいは国際刑事裁判所などによる司法介入もおこなわれてきました.また,NPOやNGOを主体とする多くの市民組織も,アフリカにたくさんの支援をしてきました.こうした活動=介入は平和構築活動と総称されます.

しかしこうした試みは,当初に期待された成果をあげてこなかったといわれています.Boulden(2003, 2013)は,国連や地域機構などによる介入には成功例よりも失敗例のほうがはるかに多かったと指摘しています.ただし,なにが成功であり,なにが失敗なのかを判断するのはむずかしい──そのことは,わたしも承知しています.たとえば軍事介入によって紛争が終結すれば,それは短期的には成功例に見えますが,そうした外部からの強力な介入によってパワー・バランスが変化したことがつぎの紛争の原因となれば,長期的には成功とはいえません.その逆もあるでしょう.わたしはまた,国際社会による平和構築活動が,全部だめだったなどというつもりはありません.そのなかには,成功してきたものもたくさんあるでしょう.

ただし,こうした介入がヨーロッパ出自の規範や価値にもとづき,それを浸透させようとする試みであったことは確かです.つまり,「アフリカには民主主義や人権思想がないから紛争が起こるのだし,それを解決して平和な社会をつくるためには,民主主義や人権思想をアフリカに根づかせ

なればいけない」，というわけです．一見したところ，これはたいへんもっともな考え方です．こうした見解にもとづく介入を「主流の試み」とよんでおきましょう．さらに，こうした主流の試みを実践する人々のあいだには「アフリカ人には紛争を解決して平和な社会をつくる能力がないから，それを国際社会が提供する」という前提がみえかくれしています．つまり主流の試みは，アフリカを「欠如態」として把握し，ヨーロッパ出自の規範や価値観をアフリカに移植しようとします．主流の試みが実践される現場では「アフリカ人を教化する」活動がおこなわれているわけです．植民地時代には「文明化の使命」という考え方——西欧帝国主義による植民地支配は「野蛮な社会を文明化すべき義務をはたしている」という信念——が存在したわけですが，国際社会による平和構築活動，つまり主流の試みはその現代版であると論じた人もいます（Paris, 2002）．この点については太田（2016a）やマクギンティー・ウィリアムス（2012）を参照してください．

　また，国際社会による平和構築活動は，新しい政治体制や法の支配の確立，経済活動の活性化などに焦点をあててきました．しかしながら外部からの介入によって，紛争のために傷ついた社会関係を修復し，疲弊した秩序を再生することは困難ですし，そのことに本腰をいれて取りくむような支援は，あまり実施されてきませんでした．こうした事態に対して篠田（2002）は，紛争当事者のあいだに真の和解を実現し，社会関係を再構築することが困難な課題であるがゆえに，国際社会は，それを当事者の努力にゆだねてみずから関与することを回避し，そのかわりに一定期間で目に見える成果があがるとみなした分野，すなわち，国家制度と法の支配の確立や貧困問題の解決などに支援対象を限定してきたのだと指摘しています．

　こうした主流の試みは，しばしば「上からの平和」とよばれます．それに対して，現地の人々の生活世界の論理にもとづいて紛争解決や共生を実現しようとする活動は，「下からの平和」といわれます（栗本, 2014）．わたしは，アフリカ人の生活の現場から発想すること，欧米出自の考え方を根本的に転換することが，とても重要であると思います．アフリカを「欠如態」として理解するのではなく，アフリカ人が紛争解決や共生の実現のために，みずから創造・蓄積し，運用してきた知識や制度，価値観に注目

するのです．アフリカの人々は，こうした自前の処方箋にもとづいて争い
がエスカレートすることを防ぎ，それが発生した場合には解決の方法を模
索して，なんらかの調整や対処をおこないつつ共生を実現してきました．
わたしたちは，こうした叡智や制度を「アフリカ潜在力」として把握し，
その有効性を見きわめるとともに，現在の紛争処理や人々の和解，紛争後
社会の修復，そして社会秩序の再生のためにそれを活用する道を探究する
プロジェクトを実施してきました（このプロジェクトについては，http://
www.africapotential.africa.kyoto-u.ac.jp/ を参照してください）．

　このようにいうと，これは「アフリカの伝統を見直して復活させよう」
ということかなと考える人がいると思います．しかし，そうではありませ
ん．そもそも「伝統」とはなんでしょうか．「かなり遠い過去からあまり
変わらずに持続している文化や慣習である」というのが，一般的な答えだ
と思います．しかし，人々の生活はつねに変化してきました．グローバル
化が急速にすすむ現在，その変化のスピードは，より速くなっているかも
しれません．「伝統」も変化し続けます．たとえば，多くのアフリカ人の
生活のなかで，現在はキリスト教がとても重要な位置を占めています．精
神的なよりどころになるだけではなく，同じ宗派を信仰する人々が経済的
にも支援しあうといったように，社会的にも重要な機能をもっています．
キリスト教が西欧に起源をもち，アフリカでは100〜200年ほどの歴史し
かないといったことを指摘しても，現在の人々の生活のなかでの重要性は
否定できません．また，NGO などの新しい市民組織もアフリカ社会で重
要な役割をはたしています．このようにアフリカ社会は，西欧やイスラー
ムなどの外部世界との接触や折衝のなかで自己を改変・創造してきました．
そのような変革能力をわたしたちは「インターフェイス機能」とよんで，
「アフリカ潜在力」を探究する際の重要なキーワードのひとつにしてきま
した．

　さて，以下には，アフリカの三つの社会の事例を紹介します．いずれも，
なんらかの葛藤や意見の対立，争いを克服して，ある種の合意を形成する
ローカルなプロセスに関するものです．どの事例でも人々は徹底的に語り
合い，同時に相手の話にも耳をかたむける．そして長い交渉を経て，みん
なが納得できるような着地点を見いだしてゆく，そうしたダイナミックな

プロセスが存在していることをわかっていただければと思います．なお，この三つの事例については，べつの論文（太田，2016b）にくわしく書いています．

2 パラヴァーという「伝統」

最初にとりあげるのはパラヴァー（palaver）です．これはあまり使われない単語ですが，研究社の『新英和大辞典』には「余計で厄介なこと，面倒，わずらわしさ，事，用事」そして「漫談，さかんなおしゃべり，巧みな話，甘言，おべっか」といった意味が書いてあります．さらには「古語である」という但し書きがついていますが，「特に19世紀のアフリカの原住民とヨーロッパ商人または旅行者とのちぐはぐな話し合い，交渉，掛け合い，商議，談合」であり，「アフリカ西部では議論のこと，あるいは議論から生じる紛糾のこと」であると書かれています．

この単語は，ポルトガル語からアフリカに入ったものと思われますが，とくに西アフリカでは「問題，議論，集会」を指して広域で使われてきました．「アフリカ文学の父」といわれているナイジェリアの作家，チヌア・アチェベの代表作に『崩れゆく絆』という小説がありますが（Achebe, 1994），このなかにもパラヴァーという単語がでてきます．この小説の舞台は，ヨーロッパ人がアフリカに侵入して植民地化をおしすすめ，アフリカ社会が激動していた時代です．この小説のなかにアチェベは，アフリカに派遣されたヨーロッパ人の県知事を登場させ，彼が現地の人々を招集して開く集会を，彼自身に「パラヴァー」とよばせています．この場では，もちろん自由な議論が許されるのではなく，県知事が一方的に命令を通達しています．アチェベは，このことについてなにも説明を加えていないのですが，自分たちの問題を解決するために開いていた集会をアフリカ人自身がパラヴァーとよんでいたこと，そのことをこの県知事が知っていて，それを軽蔑していたことを背景として，アチェベは県知事に「おまえたちがやっているパラヴァーを，オレともやろうぜ」と語らせているわけです．ここには，この県知事に代表されるヨーロッパ人たちが現地の人々をいかに見下していたのかが表現されていると思います．

パラヴァーという単語は現代アフリカでもよく使われています．たとえ

ばガーナには「The New Palaver」というオンライン新聞があります．ケニアで2番目の発行部数をもつ「The Standard」という日刊新聞には，社説とおなじ紙面に「Palaver」というコラムがあり，時事ネタが短く辛辣な調子でとりあげられています．また，ユネスコは1970年代末から1980年代にかけて『アフリカ文化概論』シリーズ全8巻を出版していますが，その第2巻のタイトルは『アフリカ諸国におけるパラヴァーの社会的・政治的な特徴（Socio-Political Aspects of the Palaver in Some African Countries)』です．このシリーズが出版された時期は，ユネスコが『アフリカの歴史』全8巻を刊行していたときに重なっています．つまりこの時期にユネスコは，アフリカの歴史や文化を世界に発信することに精力をそそいでいたのですが，アフリカ文化を代表するもののひとつとしてパラヴァーが選ばれています．

　さて，パラヴァーは「問題，議論，集会」を意味すると述べましたが，具体的には，どのようなものでしょうか．これについて詳細な記述がされている民族のひとつが，中部アフリカの大西洋岸に王国を築いたコンゴ（Bakongo）人です（Diong, 1979; Fu-Kiau, 2007)．彼らの社会には，誰が参加し，いつ，どこで開かれるのかが異なる多様な集会がありました．共同体の全体が参加する集会もあるし，老人や特定の役職者による会合もあり，それがパラヴァーと総称されていました．また，村の中心には人々が集まるボンギ（bongi）とよばれる小屋があり，集会自体もおなじ単語でよばれることもありました．

　この場で話し合われることもじつに多様でした．村人たちの生活ニュース全般が伝えられることもあるし，人の生と死，誕生にまつわる話題や土地問題，共同作業の予定と段取り，近隣の村での出来事などが話題になることもありました．この集会で深刻な対立が取りあげられるときには，現地の言葉でゾンジ（nzonzi）とよばれる調停役が活躍します．この人物は雄弁にレトリックを駆使し，ことわざや歌，寓話，たとえ話などをたくさんまじえながら話をする．また，あからさまに誰かを支持したり攻撃したり，沈黙させたりはしないのだけれども，辛辣な批判を語りのなかで表明する．自分が語るだけではなく，人に語らせて，それに耳をかたむけつつ，議論の核心をつかんで流れをつくり，議論の場が暴力的な対立になること

を回避して，結末に導く役割をはたす．この調停役は中立であることが望ましいため，ときには隣の村から招かれることもあるそうです．

コンゴ社会のパラヴァーのなかで，とくに注目すべきなのは共同体全体が参加するものです．これについては，ワンバ・ディア・ワンバ（Wamba dia Wamba, 1985）というコンゴ人の歴史学者・哲学者が，自分の経験にもとづいて非常におもしろい論文を書いています．それによると，共同体全体が参加するパラヴァーは，誰かが急死したとか，老人に乱暴な行為をした人がいたといった具体的な事件をきっかけとして，たくさんの人々が「意見を言いたい」と意思表明をするところから始まります．このパラヴァーには，原則として男性も女性も，若者も老人も，誰もが参加して発言することができます．そして，このパラヴァーの直接のきっかけとなった事件が語られるだけではなく，人々のあいだに鬱積していたさまざまな不満や社会的な葛藤がおおやけにされ，社会の規範を侵犯した人や反社会的な行動をとった人が非難されます．村人の心にわだかまっていた不平不満を吐露する機会がつくられるわけです．そして，人々がこうした問題を共有するプロセスをとおして，共同体の一体感や共通の価値観が回復され，ギクシャクしていた人間関係が調整・修復されます．

このパラヴァーにも議論をまとめる調停役がいますが，彼だけではなく，発言するどの人であっても，ことわざや比喩，冗談をまじえながら雄弁に語り，ときには踊りや歌をあいだにはさみつつ自己表現をする．そしてこのパラヴァーの最後には，家畜を殺してみんなで食べたり，酒を飲んだりというお祭りさわぎになります．また，この場では祖先に対する忠誠が誓われ，祖先の霊もパラヴァーに参加していると語られます．このパラヴァーでは，一種の非日常的で聖なる空間が出現するわけです．全員が喜びを爆発させて，熱狂し，お互いに祝福しあう．そこで共同体の秩序が再構築されてゆく―パラヴァーはそうした技法なのです．

3　ボラナ社会のクラン会合

つぎには，ボラナとよばれる人々の社会で葛藤が解消され，対立が処理される事例をみましょう．ボラナは東アフリカのケニア側に約20万人，エチオピア側に約40万人いるとされています．彼らは，ガダとよばれる

複雑な年齢体系をもっていることで有名なのですが，男性は年齢にしたがっていくつかの集団にわけられ，それぞれの集団には一定の社会的な役割が賦与されます．政治的な役割は中年男性の集団が担当し，宗教的な役割はより年長の長老集団がひきうけるといった分担をします．そして，この年齢体系のなかには特定の役職がいくつかあるのですが，以下の事例に登場するハユ（hayyu）も，そうした役職者のひとりです．また，ボラナ社会には多くの父系クランがあり，各クランはなにかの問題が発生したときには集会を開いて，それについて議論し対処します．具体的には，争いの調停や困難に直面したメンバーの支援，葬式，子どもがうまれたお祝い，さまざまな役職者の選出，結婚や離婚，家畜の帰属，財産相続など，多様なことがこの会合で話し合われます．

　これから紹介するクラン会合は，マルコ・バッシというイタリアの人類学者が報告しているものです（Bassi, 1992, 2005）．ボラナ社会では，なんらかの規範を侵犯した人には，ときには牛 30 頭にもおよぶ罰金が科せられます．違反者にその支払いを強制するためのしくみは存在しないのですが，「人々に尊敬されている伝統的なリーダーが権威をもっていることによって，その支払いが確実に実行される」と人々は語っている．バッシは，こうした説明をボラナの人々から受けたのですが，このような高額の罰金を支払った事例には出会ったことがなかったので，一体どうなっているのだろうと思っていたところ，以下のように，その疑問を氷解させる出来事に遭遇しました．これがとてもおもしろい事例です．

　あるとき，あるクランの会合が開かれ，新しい井戸を掘るための資金をどのように集めるのかが話し合われていました．ボラナ社会では，同じクランに属する人々が共同で井戸を掘り，それをクラン・メンバーが優先的に使っています．そうした井戸を掘る仕事は専門家に依頼するのですが，その資金をどうやって調達するのかがこの会合の論点でした．ところが，ひとりのハユ（年齢体系の役職者のひとり）が別の問題について語り始めます．数か月前に二人の男性（AとB）のあいだに牛をめぐる争いが起こり，その調停のために自分がよばれて最終的には「Aがまちがっている」という裁定をくだしたのだが，Aはそれに従わなかった，けしからん，とこのハユはみんなのまえで語ったのです．その場には，この事件の当事者で同

じクランに属しているＡとＢもいました．だからこそハユは，この出来事をもちだしたのだと思います．

ハユに非難されたＡは，「この場には３人のハユがいる．だから自分はこの場の裁定には従う」という微妙な発言をしました．つまり彼は，「前回の裁定をくだしたハユは不公平だったから自分は従わなかった」のだと，言外にほのめかしたのです．しかし彼は，その場に集まっていた長老たちの非難にさらされました．そして「不公平だった」と婉曲に評されたハユは，立ちあがってレトリックに満ちた長い演説をおこないました．そのなかで彼は，自分の権威のみなもとがどこにあるのか，どうして自分が裁定をくだす立場にあるのか，自分がボラナ社会の伝統についてどれだけよく知っているのかを，滔々と語りました．彼は，直接的には「自分は侮辱された」とは言っていないのですが，これは彼の怒りの表現です．「自分は尊敬されるべき権威者であるのに，Ａは自分を軽んじた」と指弾している．

すると，長老たちから非難され，ハユの怒りの対象となってしまったＡは，急に地面の草をつかんでひき抜き，それをハユの足もとに捧げるという滑稽な行為を始め，「父よ，私を許したまえ！」と大声で何度も繰り返しました．「父」というのはそのハユのことです．それを見た人々は全員が爆笑したのですが，Ａは，さらにひき抜いた草を集めて，争いの相手だった男性Ｂにも，その場にいたほかの長老たちにも，その草を捧げる行為を繰り返しました．これは，けっして突飛な行動ではなくて，自分の非礼や過失を認めるときにとられる様式化された行為です．男性Ａは自分の不始末を認めたわけです．

しかし，侮辱されたと感じているハユは，Ａに対して「自分に10頭の牛を払え．ジャッラーバ［自分の補佐役］には５頭を支払え．そして井戸掘りのために１頭，男性Ｂにも１頭の牛を支払え」と要求しました．全部で17頭になります．このあと，罰金をどのくらいにすべきかに関する話し合いが続きます．ジャッラーバは，「彼は自分の非を認めているのだから，井戸掘りのために牛を２頭出せばよい」と発言しました．男性Ｂは「自分にはなんらかの賠償が支払われるべきだ」と主張したのですが，それに対してジャッラーバは，「あなたは井戸掘りのための牛を出さなくていい．それがあなたの賠償としての取り分だ」と言いました．これは，

この場でAとBのあいだの問題について話し合ったのだから，それに対する手数料（一種の裁判の費用）をAとBは長老たちに支払うべきだが，Bはそれを支払わなくてよい，だからそれで満足せよ，という意味です．

けれども，男性Aに軽視されて怒っているハユは簡単には矛先をおさめず，「自分には少なくとも2頭の牛が支払われるべきだ」と主張し続けました．すると，この会合の場に集まっていた全員がハユにむかってコーラスを始めます．「あなたがずっと豊かな人生を送りますように．あなたの家族が繁栄し，財産である家畜が増えますように」という，神に祈ることばを唱和したのです．これは一般的には，特定の個人が共同体のためになんらかの自己犠牲的な貢献をしたとき，その人を祝福するための行為です．たとえば，共同体のみんなが使う井戸を掘るために必要な資金を誰かが供出したとき，その人に与えられる祝福です．しかし，このハユはそのような行為をなにもしていない．それにもかかわらず，この場の人々がハユを祝福したのは，いわば，ハユの自己犠牲的な行為（この場合はAを赦すこと）を先取りして，祝福を「押し売り」するものなのです．

じつは，わたしが調査してきたトゥルカナ社会にも，よく似た行為の様式があります．ある日突然に，たくさんの人々が集まって，だれかの家に行って歌とダンスを始めます．その人数は10人ぐらいのときもありますが，わたしが見たなかでいちばん多くの人が集まったときは100人ほどいました．この歌とダンスは参加する人々の娯楽であると同時に，その家の人々を祝福し，繁栄を神に祈るものです．その家の人がみんなに依頼して踊ってもらうのではなく，人々は勝手にやってきて踊るのですが，おもしろいのはこの歌とダンスが「お返し」とよばれていることです．こうして祝福してもらった家は，集まって踊ってくれた人々に対して家畜を提供して，もてなさなければならない．歌とダンスは，その饗応に対する「お返し」なのです．しかし「家畜を提供する」→「お返しに祝福の歌をうたいダンスを踊る」という順番ではなく，歌とダンスがまず先にあり，もてなしはあとから出てくる．つまり「お返し」の踊りは，いわば祝福の「押し売り」なのです．祝福を受けてしまった家の人々は，一方では「まいったな～」と思いながら，しかし同時に，多数の人々の祝福を受けたことを喜び，気前よく人々をもてなします．

ボラナの会合に話をもどしましょう．こうして祝福されたハユは怒りを
おさめ，賠償の牛を要求することもあきらめて，「男性Ａはクランの井戸
を掘るために必要な牛１頭を供出すべきである」と宣言しました．そし
てそれにみんなが同意して，最終的な決定となりました．ハユから赦しを
ひき出すための技法が，「祝福の押し売り」という定式化された行為の様
式として，この社会に存在していることに注目してほしいと思います．

もう一度，この会合でおこった出来事をふりかえると，男性Ａが自分
のあやまちを認めて人々の赦しを請願したときには「草をひき抜いて捧げ
る」という様式化された行為がみられました．会合に集まった人々が，ハ
ユに対して「怒りをおさめてＡを赦すように」とうながしたときにも，
おなじように様式化された行為がありました．このように定型化された儀
礼的な技法が存在している点に注目して，この事例を報告した人類学者の
マルコ・バッシは，これを「制度的な赦し（institutional forgiveness）」と
表現しています．そしてバッシは，「ボラナ社会でなんらかの違反を犯し
た者に対して与えられる制裁は，高額の罰金を科すこと（牛30頭の支払
い）ではなく，公衆の面前で恥をかかせることである」と結論します．そ
して，一般的には制裁には，罰金などの支払いを命ずるものと風刺や汚辱
によるものがあるが，いずれにせよ，人びとを道徳に従うようにしむける
のは「制裁に対する恐れ」あるいは「制裁を加えるという脅し」である
という議論を展開しています．

しかしわたしの解釈は，すこし違います．バッシの議論は，わたしたち
の社会の法律や処罰のあり方，とくに刑法のあり方を，無意識のうちにボ
ラナ社会に投影したものだと思います．近代的な刑法は，誰の，どのよう
な行為を犯罪とみなすのか，そしてそれに対して国はどのような刑罰を科
すのかを規定しており，「犯罪者とその罪の重さを特定して，それに見合
った罰を与える」ことに焦点をあてています．そしてわたしたちの社会で
は，「重い罰を用意することは犯罪の抑止につながる」という考え方が，
わかりやすいものとして一般に流布しています．しかし，ボラナ社会は
「重い罰を与える（＝制裁を加える）こと」を指向しているとは，わたしに
は思えません．「牛30頭の支払い」という罰は語られるだけで実行され
ていませんし，また，男性Ａがとった滑稽な行動は，たしかに多くの人

の笑いを誘いましたが，それが「汚辱という重い制裁」になっているとは考えられません．そして男性 A は最終的には，牛 1 頭の支払いをしただけです．

むしろ，ここでわたしたちが注目すべきなのは，男性 A と B，そしてハユのあいだにおこった出来事を，クラン会合のなかでみんなが話し合い，その詳細に関する理解を共有していること，そして，そのプロセスをとおして，違反者にあやまちを認識させ，それを赦して社会に再統合していることだと思います．そのプロセスでは「語り合うこと」，そして儀礼的に定型化された行為の実践をとおして赦しがひき出されている．ここでは，違反を特定して相応の罰を科すことよりも，社会のなかの葛藤や対立を解消し，社会秩序を再構成することに重点がおかれています．このような解決方法をボラナ社会がそなえていること，わたしたちの社会とは異なる技法を実践している社会があることに，注目すべきであると思います．

4　トゥルカナ社会の婚資交渉

最後に，わたしが調査してきたケニアのトゥルカナ社会についてお話しします．この社会では結婚が成立するときに，新郎側から新婦側に婚資として家畜が支払われます．婚資というのは，わたしたちの社会の結納のようなものだと考えておいてください．ここで紹介するのは，どれだけの婚資が支払われるべきかをめぐって，新郎側・新婦側の二つの集団が繰りひろげる交渉です．今日の紛争と共生をテーマとするお話に，なぜ婚資の交渉が登場するのかと，いぶかしく思われる方がいるかもしれませんが，しばらくご辛抱いただければ，その理由がわかっていただけると思います．

トゥルカナにかぎらず多くのアフリカ社会では，結婚のときに婚資が授受されます．どのようなモノが授受されるのかは社会によって異なりますが，結婚を成立させるときに贈り物のやりとりをすることは共通しています．また，新郎・新婦が正式に結婚するまえに婚資の全額を授受する社会もあるし，結婚したあとで少しずつ追加の支払いをしていって完済する場合もあります．また，婚資として授受されるべき財産の量が，たとえば牛 20 頭といったように定額に決められている社会もあれば，支払い側と受け取り側のあいだの交渉によって，その額が決められる社会もあります．

トゥルカナは婚資の家畜数を交渉によって決めるタイプで，結婚するまえに一括で支払います．

　トゥルカナ社会では，多くの家畜をもっている人はたくさんの婚資を支払う傾向がありますが，平均すると，大家畜（牛，ラクダ，ロバ）が約30頭，小家畜（ヤギとヒツジ）が約110頭です．これは，ほかの社会と比較するとたいへん大きな数字で，ときには自分の財産（家畜）の3分の2におよぶこともあります．支払われた家畜は花嫁の父を中心として20人以上の人に分配されますし，支払う側でも，この機会にたくさんの人が花婿に家畜を与えて結婚を支援します．つまり結婚が成立するためには，非常に多くの家畜と人が関与します．関係者はこのときに一堂に会するのですが，降水量が少ない乾期には，人々は小さな集団に分散して生活しているために，なかなか集まることができません．よい雨に恵まれて，あたり一面が緑になる雨期であれば，人々は家畜をつれて近くに集まってくることができる．また，婚資の支払い側と受け取り側だけではなく，近隣に住む人々も婚資の交渉の場や結婚式に参加して，いろいろな儀礼のなかで重要な役割をはたします．結婚式には100〜200人が集まってきます．結婚することはトゥルカナの人々にとって，もっとも重要な社会的イベントのひとつなのです．

　婚資の交渉が，具体的にどのようにおこなわれるのかを説明します．まず，交渉を始めるまえの準備段階があります．求婚者は，娘の父親（いなければ年長の兄）の集落をなんども訪問して自分の意志を伝え，同時に娘の近親者に関する情報を集めます．一方，娘の父親のほうも求婚者自身やその近親者に関する情報を集めて，相手が将来の姻族として適切であるかどうかを探ります．そのプロセスのなかで娘の父は求婚者に対して，将来に求婚者が婚資の家畜を支払うとき，それを受けとる権利をもつのは誰なのかを，一人ひとり説明します．これは求婚者にとっては，自分が将来，緊密な関係をもつことになる姻族に関する説明を受けている，という性格もあります．しかし，この段階ではまだ，そうして説明された個々人にそれぞれ何頭の家畜が支払われるのかは明確にはされません．このときに娘の父親は，求婚者がどれだけの頭数の家畜を支払う能力があるかについて，ある程度の見通しをもっています．家畜という財産は隠すことがむずかし

い．ですから娘の父親にとっては，求婚者自身やその父親・兄弟がどれだけの家畜をもっているのかを知ることは，それほど困難ではないのです．この準備段階には数か月かかることもあります．

　さて，求婚者と娘の近親者のあいだに「この結婚を成立させよう」というおおよその合意ができると，いよいよ婚資の交渉はおおやけの場にもちこまれます．まず，求婚者とその一族・友人が娘の父親の集落にやってきます．彼らは，その集落の東にある大きな木陰にすわります．この木は集落から30〜40メートルほど離れています．それに対して娘の側の男性たちは，集落の東10〜20メートルのところにある別の木陰に集まって腰をおろし，婚資の交渉が始まります．これに参加するのは男性だけです．両集団の中心人物は，求婚者本人（あるいは父親や兄）と娘の父親（あるいは兄弟）ですが，それ以外にも，それぞれの父系集団の近親者や姻族，友人なども交渉に参加します．20メートルほど離れてすわった両集団から交代で一人ずつが立ちあがり，両集団のまんなかの空間に出てきて大声で演説を繰り返す，というかたちで交渉が進行します．演説の舞台にあがった人は，ぐるぐると歩きまわりつつ，おおきなジェスチャーをまじえて，比喩的な表現や韻を踏む表現を駆使しながら自分の演説を効果的なものにし，相手を説得しようとします．演説の内容を単純化すれば，娘の父親側の男性たちはなるべくたくさんの家畜を支払うように相手に要求し，他方，求婚者側はその要求を減額させようとする，そのしのぎ合いです．交渉は最短でも二日間，長いときには一週間以上かかります（婚資交渉の詳細に関しては太田［2004］を参照してください）．

　おおやけの場でおこなわれる婚資交渉は，おおきくふたつの段階にわけることができます．第一段階では，いままで述べてきたように求婚者側が娘の父の集落にやってきて，まず，譲渡されるべきラクダに関する交渉がおこなわれます．トゥルカナが飼養している家畜のなかで，ラクダの交渉だけは「支払われるべき総頭数」が争点になります．娘の父親側の人びとは「○○頭のラクダをもってこい！」と要求し，求婚者側は「自分たちは，そんなにたくさんのラクダをもっていない！」と主張して，それを減額させます．わたしが参加していた事例では，最初に「ラクダ30頭を支払え！」という要求がなされたのに対して，求婚者側は「自分たちはラクダ

を1頭ももっていない！」と応酬し，2時間ちかい話し合いの結果，ラクダ10頭を支払うことで決着しました．

　こうして譲渡されたラクダは，娘の父親側の人びとのあいだで分配されますが，その分配方法には求婚者側は関与しません．それに対して，これ以降の婚資の交渉では，娘の父親側の関係者の名前が一人ずつあげられて，その人に何頭のヤギ・ヒツジ（そして牛）が支払われるべきかが争点になります．最初は娘の父親と母親，そして母親の僚妻について，一人ずつ何頭のヤギ・ヒツジが支払われるべきかを交渉します．この各人についての合意ができれば，交渉の第一段階が終わります．

　交渉の第二段階では，舞台は求婚者の集落に移され，今度は娘の父親側が出かけていって集落の東にある木陰に陣取ります．人びとの配置は第一段階とは反対ですが，要は，客側は必ず集落の東にすわり，それに対してホスト側は，集落の東で，より集落にちかい位置に腰をおろします．また，この第二段階の交渉をおこなうときには，婚資の支払い側である求婚者の家畜は放牧に出さずに，集落内の家畜囲いのなかにとどめておかなければなりません．「自分たちの支払いの原資となる家畜は全部ここにいる」と明示しつつ（実際にはほかの場所に一部をあずけている場合もありますが），支払いの交渉をするのです．

　第二段階の最初には，まず，第一段階で合意したラクダがまとめて支払われ，続いて，やはり第一段階で合意した娘の父親などの取り分であるヤギ・ヒツジが支払われます．後者を支払うときに求婚者側は「これは○○の取り分だ！」と宣言して，一人ずつ，その人の取り分をまとめて譲渡します．譲渡された家畜は娘の父親側に追われて，そこでまとめておかれます．

　これが終わると，つぎには娘側の親族や姻族で，まだ分配を受けていない人について，一人ずつヤギ・ヒツジに関する交渉がおこなわれ，合意ができ次第，一人ずつ支払いがされます．具体的には，娘の母の姉妹，娘の姉妹，娘の兄弟，娘の母の兄弟などの名前が一人ずつあげられていきます．こうして娘側の関係者全員についてヤギ・ヒツジに関する交渉とその支払いが終わると，つぎには娘の父親や母親など，娘にいちばん近い人々にもどって，あらためて一人ずつ順番に，こんどは牛に関する交渉とその支払

いが繰り返されることになります．このプロセスが新郎側と新婦側の両方にとって，いかにたいへんなものかは想像していただけると思います．

　さて，この交渉では，婚資を受け取る側の人々はなるべくたくさんの家畜を手に入れるべく，つよい口調で相手に要求します．それに対して婚資を支払う側は，その要求を全部，聞き入れるわけにはいかないので，「自分たちには家畜がない」ことを説明して要求を取りさげさせるべく，しのぎを削ります．この点だけに注目すると，ここで繰り広げられる交渉は功利的な「値切り合戦」のようにみえます．そしてたしかに人々は，支払われるべき家畜数をめぐって真剣勝負をしています．双方ともに大声で主張し，簡単にはひきさがりません．わたしたちの社会では，こうした交渉をすること——「もっと出せ」「いや，これ以上は出せない」と火花をちらすこと——それ自体が，強欲さの表現であって道徳的に正しくないとされることさえあります．しかし彼らの社会ではちがいます．相手に対して自分の要求をつよく提示できることこそが，彼らにとってはマスターすべき美徳のひとつです．それをきちんとできることは本人にとっては喜びであり，周囲からは高く評価されます．

　しかし同時に，トゥルカナの人々は「人間は利己的で強欲であってよい」と考えているわけでもありません．むしろ，婚資の交渉の場に参加していてつよい印象を受けるのは，人々が気前のよさに高い価値をおいていることです．この場には，交渉に直接的に関与する人々以外にも，近隣からたくさんの男性が集まってきて，いわば観客として参加しています．そして交渉の当事者が，相手の状況を無視して法外な要求を続けたり，逆に，支払い側が自分たちの家畜を隠すなどの卑劣な行為をすると，「いいかげんにしろ，自分たちを愚弄するな！」と言って非難します．また，ひとつの結婚が成立すると，そのために何頭の家畜が支払われたのかはその地域の人々の関心の的になり，しばらくはひんぱんに話題にされますが，たくさんの家畜を支払った人は賞賛され，これは支払い側にとっては名誉なことです．婚資を受け取る側もまた，交渉がヒートアップして暗礁に乗り上げそうなときに，自分たちのつよい要求をタイミングよく鷹揚に取りさげれば，観客から喝采をあびます．こうして，多数の観衆のまえでりっぱに交渉をやり遂げた当事者たちは，双方ともにおおきな誇りの感情と深い達

成感をもつのです.

　困難な交渉に取りくむ当事者たちにとって，もし，これが功利的な「値切り合戦」であれば，なんらかの妥協によって解決したとしても不満が残ると思われます．支払い側は「相手がつよい要求を突きつけてきたために自分たちは家畜を失った」と感じるでしょうし，受け取る側には「相手が吝嗇だから十分な家畜をもらえなかった」という感情が残るかもしれません．しかしトゥルカナの人々にとっては，こうした感情は無縁のように見えます．お互いに激しいことばをぶつけ合う（と，わたしには思われる）きびしい交渉を終えたあと，当事者たちが相手に対して「よくやった」という賛辞を送り合った場面に出会ったこともあります．彼らは「支払われるべき家畜数を交渉する」という，競合的で困難な状況をみずからつくりだし，それにむかって協働しつつ，それを解決することを喜びとしているといえるでしょう.

　また，わたしが感銘を受けたのは，こうした交渉のなかで誰もがじつに雄弁な演説をすることです．支払い側と受け取り側は20メートルほどの距離をおいてすわるのですが，演説の舞台となるのは，その二つの集団のまんなかにあるオープンな空間です．交渉の場には周辺に住む人々もやってきており，100〜200人がその場をとり囲んで交渉のなりゆきに注目しています．こうした舞台にあがって演説する人は，1〜3分間，長いときには10分ほどにわたって，とても堂々と大声で熱弁をふるいます．ぐるぐると歩きまわり，おおきなジェスチャーをまじえつつ，韻を踏む表現を使い，レトリックに満ちた演説を即興でおこないます．ときには，その演説の字義どおりの意味は理解できても，それがいったいなにを意図しているのかわからず，煙にまかれた気持ちにさせられることもあります．こうした演説を，トゥルカナの男性であれば誰もができる．もちろん，弁がたつ人とそうでない人がいますが，自分の主張を誰もが臆することなく表明することには，ほんとうに感心させられます．こうした特徴は，さきほど紹介したコンゴ人のパラヴァーやボラナ人の会合にも見られました．アフリカの広い地域で共通するものだと思います.

おわりに

　ここまで，なんらかの解決すべき対立や葛藤，もめごとが起こったとき
に，アフリカの人々がどのようにそれに対処しているのかについて，三つ
の社会の事例を紹介しながら考えてきました．この三つの事例にはいくつ
かの顕著な共通点がありました．

　第一は，人々が「語る力」です．アフリカのどの地域に行っても，わた
したちはふつうの人々がとても雄弁に語る能力をもっていることに驚かさ
れます．単に話すだけではなく，ときにはおおきな身振りをまじえて，比
喩表現を多用したり，歌やことわざを駆使したりしながら，人々はたくさ
んの観衆のまえで，じつに堂々と流ちょうに語ります．話し合いの場に参
加できる人が，ボラナのクラン会合やトゥルカナの婚資交渉のように男性
だけにかぎられている場合もありますが，コンゴのパラヴァーでは，共同
体の誰もが出席して自由に意見を開陳することができました．老人も若者
も男性も女性も，とても話し上手です．

　しかし，どの社会においても人々は一方的に自己主張をしているのでは
ありません．自分が発言する番が終われば，必ずほかの人の意見に耳をか
たむけます．トゥルカナの婚資交渉では，一方が話し終えれば必ずつぎは
他方が演説をしていました．コンゴ社会のパラヴァーには，人々の意見を
まとめつつ，その語る力を存分にひき出す役割をはたす人もいました．こ
のように人々の「語る力」は，その場にいる他者の「聞く力」によって支
えられています．むしろ，この二つの「力」は相互に他方を前提として存
在している，片方がなければ，もう一方もありえない一組として成立して
いるものです．このように見てくると，ここでわたしが述べてきたことは，
「対話」がもつ基本的な性質そのものだったといってもよいでしょう．

　こうして「語る力」と「聞く力」が駆使される場で人々がめざしている
ことは，自他の意見のへだたりを調整しつつ，なんらかのコンセンサスを
創出することでした．さらには，その対話のプロセスをとおして参加者の
あいだに秩序が再構築され，一体感が生み出されていることも見のがして
はならないと思います．他者と向き合い，相互行為に自己をゆだねつつ，
その流れのなかで合意形成の道を探求し，共生するかたちを模索する─そ

の他者とは，自分が一方的に管理したり操作したりすることが不可能な相手です．そうした他者とのあいだで，相手の語りや行為に呼応し，その場で相互の行為を接続しつつ，ある種の秩序をともに創出してゆく能力を，ここで「交渉する力」とよんでおきたいと思います．アフリカ社会には，このような開放的なプロセスをとおして葛藤や対立をおさめる技芸が存在しているのです．

　さて，最初にお話ししたコンゴ人のパラヴァーについて論じているワンバ・ディア・ワンバは，民主主義について以下のように述べています．アフリカには民主主義が存在しないと語られ，それをヨーロッパから移植する必要性がさかんに議論されている．その議論の中心は，政治制度として複数政党制を導入すべきであるというもので，それが実現すれば人々が政治的な意志決定に参加できるかのように語られている．しかし，このような民主主義は，むしろ支配層がその基盤を強化し，権力を正当化するために利用されるにすぎない．西欧起源の民主主義を，そっくりそのままアフリカに押しつけようとしてもうまくいかない．アフリカには民衆の力を尊重し，議論をとおしてその意志を実現するしくみ（パラヴァー）が存在していた．こうした在来の技法を参照しながら，アフリカにおける民主主義を構想することができるはずである（Wamba dia Wamba, 1985）．

　今日のお話の最初のところでわたしは，国際社会がアフリカの紛争解決をめざしておこなってきた「主流の試み」が，必ずしも成功しなかったことを述べました．それにもかかわらず「主流の試み」が，疑問をもたれることもなく，むしろ「文明化の使命」をはたすかのように実践されてきた背景には，無意識のうちにアフリカを「欠如態」としてまなざす態度があることも指摘しました．わたしたちは，自分がこうした色眼鏡をかけていることに気づかなければならないと思います．アフリカについて考えることは，わたしたちが自分自身について深く顧みることにつながっているのです．

　最後に，このようなプロセスは「ひとつの民族など，おなじ文化や価値観を共有している人のあいだでしか，うまく機能しないのではないか」という疑問に答えておきたいと思います．アフリカ社会の紛争は民族間の争いという様相をとることが多いため，異なる民族に属する人々のあいだで

は，はたして対話や交渉が成立するのだろうか，「語る力」「聞く力」「交渉する力」は有効だろうかという疑問を，多くの人がもつと思います.

この点についてはまず，アフリカには閉鎖的な「部族的」共同体があり，その相互のあいだには固定的で強固な壁があるというイメージは，まちがった先入観であることを指摘しておきたいと思います. むしろ歴史的にアフリカの人々は，民族間の境界を自在に越境しつつ，流動的で複雑なアイデンティティのもとで生活してきました（松田，1999）.「個々の民族は閉鎖的で堅牢な共同体を形成しており，相互の往来や意思疎通がむずかしい」というイメージは，わたしたちの世界観をアフリカに投影したものにすぎません. また，民族間をへだてる壁は，植民地時代の宗主国の政策，そしてアフリカ諸国の独立後の政治的プロパガンダによって，歴史的に強化されてきたものです. つまり，民族間には本質的に越えられない壁があることを最初から前提にした考え方は，まちがっています.

しかし，民族間の壁を強化してきた歴史があるために，アフリカの人々自身も，となりの民族は「価値観がちがうから理解できない」といったことを語ることがあります. それぞれの民族には「ある種の行為のしかたを望ましいとみなす価値観」があり，それが民族ごとに異なっているとすれば，個々の民族は，越境することが困難な「道徳共同体」を形成しているように見えます. 実際に民族間で紛争がおこるときに人々は，相手を「われわれ」とは異なる「彼ら」として一括して，「彼らは○○という性質をもつ」という独善的なイメージを相手に押しつけつつ，それに依拠した関係をつくりがちです. アフリカにかぎらず集団同士が対立するときには，ステレオタイプにもとづいて相手を表象して個々人の具体性を捨象し，社会関係を切断してしまうことがよく見られます. わたしは現代アフリカに，こうした不幸な状況があることを否定しません.

しかしながらその一方で，人々が生活する現場でアフリカ人は，民族の境界を越えてさまざまな交流をもち，連帯を創出していることは多くの研究者が報告しています（松田，2016; 栗本，2016; Ohta, 2005）. こうした状況をアフリカの「フロンティア的性質」とよんでいる研究者もいます（ニャムンジョ，2016）. このようなポジティブな側面は，いままで正当に評価されてきませんでした. さきほど申し上げましたが，わたしたちはアフリ

カを「欠如態」(「やっぱりアフリカはダメだ」「だからアフリカでは紛争がおこる」)のもとで理解するのではなく，アフリカの歴史を想起しつつ，現在を生きる人々の生活世界から発想する，というように考え方を根本から転換することが必要だと考えています．

参考文献

太田至（2004）「トゥルカナ社会における婚資の交渉」田中二郎・佐藤俊・菅原和孝・太田至（共編）『遊動民（ノマド）─アフリカに生きる』昭和堂，pp. 363-392.

太田至（2016a）「「アフリカ潜在力」の探究─紛争解決と共生の実現にむけて─」松田素二・平野（野元）美佐［共編］『紛争をおさめる文化─不完全性とブリコラージュの実践─』京都大学学術出版会，pp. i-xxii.

太田至（2016b）「アフリカのローカルな会合における「語る力」「聞く力」「交渉する力」─コンゴのパラヴァー・ボラナのクラン集会・トゥルカナの婚資交渉─」松田素二・平野（野元）美佐［共編］『紛争をおさめる文化─不完全性とブリコラージュの実践─』京都大学学術出版会，pp. 129-163.

栗本英世（2014）「南部スーダンにおける草の根平和構築の限界と可能性」小田博志・関雄二［共編］『平和の人類学』法律文化社，pp. 27-48.

栗本英世（2016）「紛争解決と和解への潜在力の諸相」遠藤貢［編］『武力紛争を越える─せめぎ合う制度と戦略のなかで─』京都大学学術出版会，pp. 79-111.

篠田英郎（2002）「平和構築概念の精緻化に向けて─戦略的視点への準備作業─」『広島平和科学』24: 21-45.

ニャムンジョ・F（2016）「フロンティアとしてのアフリカ，異種結節装置としてのコンヴィヴィアリティ─不完全性の社会理論に向けて─」松田素二・平野（野元）美佐［共編］『紛争をおさめる文化─不完全性とブリコラージュの実践─』京都大学学術出版会，pp. 311-347.

マクギンティー・R，ウィリアムス・A（2012）『紛争と開発』阿曽村邦昭訳，たちばな出版．

松田素二（2016）「紛争予防のための潜在力─現代ケニアのコミュニティ・ポリシングの事例から─」松田素二・平野（野元）美佐［共編］『紛争をおさめる文化─不完全性とブリコラージュの実践─』京都大学学術出版会，pp. 237-275.

松田素二（1999）『抵抗する都市』（とくに第二章）岩波書店．

Achebe, C. (1994) *Things Fall Apart* (*50th Anniversary Edition*). Anchor Books, New York.

Bassi, M. (2005) (translated by C. Salvadori) *Decisions in the Shade*. The Red Sea

Press Inc., Trenton.

Bassi, M.（1992）"Institutional forgiveness in Borana assemblies." *Sociology, Ethnology Bulletin*（*Addis Ababa Univ.*）, 1（2）: 50–54.

Boulden, J.（ed.）, 2013. *Responding to Conflict in Africa: The United Nations and Regional Organizations*. Palgrave Macmillan, New York.

Boulden, J.（ed.）, 2003. *Dealing with Conflict in Africa: The United Nations and Regional Organizations*. Palgrave Macmillan, New York.

Diong, B. K.（1979）"The palaver in Zaire." In（UNESCO, ed.）*Socio-Political Aspects of the Palaver in Some African Countries*, pp. 77–93. UNESCO, Paris.

Fu-Kiau, K. Kia Bunseki（2007）*Mbongi: An African Traditional Political Institution*. Afrikan Djeli Publishers, Atlanta.

Ohta, I.（2005）"Multiple socio-economic relationships improvised between the Turkana and refugees in Kakuma area, northwestern Kenya." In（I. Ohta and Y. D. Gebre, eds.）*Displacement Risks in Africa*, pp. 315–337. Kyoto University Press, Kyoto.

Paris, R. 2002. "International peacebuilding and the 'mission civilisatrice'." *Review of International Studies*, 28, 637–656.

Wamba dia Wamba, E., 1985. "Experience of democracy in Africa: Reflections on practice of communal palaver as a social method of resolving contradictions among the people." *Philosophy and Social Action* XI（3）.（Retrieved December 24, 2014. http://readingfanon.blogspot.jp/2011/06/experiences-of-democracy-in-africa.html）

太田先生のおすすめの本

伊谷純一郎『ゴリラとピグミーの森』（岩波新書，1961 年）.

宮本正興・松田素二共編『新書アフリカ史』（講談社現代新書，1997 年）.

松田素二編『アフリカ社会を学ぶ人のために』（世界思想社，2014 年）.

第9講
アフリカにおけるグローバル化を考える
ナイジェリアの紛争から考える

島田周平
名古屋外国語大学世界共生学部教授

島田周平（しまだ　しゅうへい）
1971年アジア経済研究所入所　調査研究員（アフリカ地域研究），84年東北大学理学部助教授，88年立教大学文学部助教授，89年同大教授，92年東北大学大学院理学研究科教授，97年京都大学大学院人間・環境学研究科教授，98年京都大学大学院アジア・アフリカ地域研究研究科教授，2012年東京外国語大学大学院総合国際学研究院・特任教授，17年名古屋外国語大学世界共生学部・教授（現在に至る）
2012年京都大学・名誉教授，2017年アジア経済研究所・名誉研究員
主な著書に『地域間対立の地域構造―ナイジェリアの地域問題―』（大明堂，1992年），『アフリカ　可能性を生きる農民』（京都大学学術出版会，2007年），『現代アフリカ農村―変化を読む地域研究の試み』（古今書院，2007年）

はじめに

　第9講では，グローバル化時代のアフリカの地域紛争について考えてみたいと思います．2015年11月13日にパリでテロがあり，今，トルコのアンタルヤで開催中のG20の会議で急遽国際テロに対する対応について話し合いが行われています．それは，これからお話ししようとすることと関係しています．

　今日はナイジェリアの二つの紛争，ニジェール・デルタの地域紛争とボコ・ハラムの紛争について話すのですが，これらは両方とも国際的テロと呼ばれたものです．イスラーム国ISによるフランスのテロは，国際テロということで違和感はないのですが，ボコ・ハラムやニジェール・デルタの地域紛争を国際テロと呼ぶかどうかは定義に関わる問題だろうと思います．いったん国際テロと言ってしまうと，定義の前提が忘れさられ，紛争を起こしている地域の特殊事情やそこの住民が直面している危機状況が抜け落ちてしまう感じがします．その結果地域的問題が軽視され，その地域で再び過激な運動が起こってしまうという悪循環が起きるように思います．この点が今日お話ししたいことの一つです．

　もう一つはそのこととも関係するのですが，アフリカには国家としての体制，基盤がしっかりしていない失敗国家（failed states）と呼ばれる国が多いです（武内2003）．でも，今日お話するナイジェリアという国は，「重い」枠組みを持っている国だというお話しをして，アフリカにもいろいろな国があることを明らかにしたいわけです．ナイジェリアが重い枠組みを持っているから政治的に安定的かというとそれは別問題ですが，とにかく幾つかの制度的な枠組みを持っている国です．そしてそのことが地域紛争の火種にもなっているということをお話ししたいと思います．

　2015年3月，ナイジェリアで政権交代がありました．現職のグッドラック・ジョナサン（Goodluck Jonathan）大統領が敗れ野党のムハンマド・ブハリ（Muhammadu Buhari）が勝利しました．選挙のあと荒れるんじゃないかと心配されていましたが，平和裡に政権移譲が実現しました．これには地域紛争も関係していると思います．さらに言えば，この二つの紛争は新しく大統領になったブハリが直面する課題にも影を落としていると思

いますので，その点についても今日の講義で述べてみたいと思います．

1　ナイジェリアの政治概観

　紛争の話に入る前にナイジェリアの歴史について簡単に触れておきたいと思います（以下島田 1992 参照）．ナイジェリアは 1999 年に民政に移管し現在に至っていますが，その前にかなり長期にわたり軍事政権が続きました．これがナイジェリアの政治的特性，つまり先ほど言いました重い枠組みに影響を与えていますので最初にそれについて説明し，その後民主化後の二つの紛争と 2015 年の総選挙についてお話ししたいと思います．

　ナイジェリアは 250 を超える民族で構成され，北部はイスラーム教徒が，南部はキリスト教徒が多く住んでいます．北部はハウサとフラニの人たちが多数を占め，かつてソコト藩王国（エミレート：Emirate）が支配した地域です．南部はさらにニジェール川を境に東西二つの地域に分けて述べられることが多いです．西側は西部と言い，かつてヨルバ諸王国やベニン王国が栄え今もヨルバ人が多く住む地域です．東側は東部と言い，イボ人が多く住みかつてビアフラ分離独立戦争を起こした地域です．ちなみにこのイボ人は在日アフリカ人のなかで一番人口が多い人たちです．この西部と東部とは同じ南部にありますが，歴史的にも異なる背景を持っておりますので，この講義でも別の地域として扱うことが多いと思います．この講義で，北部との対比で南部という場合もありますが，その場合の南部とは西部と東部の両方を含みます（図1参照）．

　独立時の著名な政治家 3 人を挙げますと，アジキウェ（N. Azikiwe）はイボ人で，アウォロウォ（O. Awolowo）はヨルバ人，そしてタファワ・バレワ（Tafawa Balewa）はフラニ人です．イギリスは，ハウサやフラニ人が多く住む北部を安定的な社会と考え，ここを政権の中枢に据えてナイジェリアを独立させようと考えました．植民地初期には，南部ナイジェリア保護領と北部ナイジェリア保護領の二つに分けて統治していましたが，ルガード（Lord F. Lugard）総督が二つの保護領の統合を提案し現在のナイジェリアが誕生しました．親英的な北部の人たちに政権を与えた方がいいと考えた英国は，1952 年に人口調査を行い，その結果を受ける形で人口の多い北部に国会議員定数の過半数を与えました．南部の人たちはこれに猛反

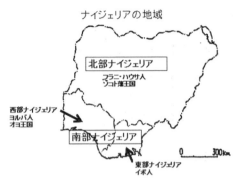

図1 ナイジェリアの地域区分

対しましたが，イギリスの思惑どおりに北部が政治の中枢を握る形で独立しました．そして北部の政党 NPC（Northern People's Congress）のバレワが首相となりました．この NPC と東部出身のアジキウェが率いる NCNC（National Council of Nigeria and the Cameroons）が協力して政権を担うことになりました．これに対し西部のヨルバ人地域は，アウォロウォが率いるAG（Action Group）と NCNC に支持が割れました．この地域で政治的な混乱が起き，それがクーデターに繋がる原因になりました．

ところで西部における AG と NCNC の対立も，人口調査を巡る対立に端を発していると言っても過言ではありません．1952 年の人口調査の時には，南部の人たちは人頭税（poll tax）や家屋税（hut tax）の導入を怖れ過少申告したと言われています．植民地政府は，北部では旧ソコト藩王国の徴税制度を利用しましたが，徴税制度のなかった南部では人頭税や家屋税の導入を試みました．人々はこれに反対し，結局導入は行われませんでしたが，この記憶が残る南部では人口調査は徴税と結びつけて考えられたのです．しかし実はそれが国会議員定数に反映されることを知った南部の人たちは，独立後最初の 1962 年の人口調査で「挽回」しようとしました．

1962 年の人口調査において，南部は生物学的にはありえない人口増加率を記録し，総人口の過半数を超えることに「成功」しました．しかしこの調査は不正がひどいということで，バレワ首相はこの結果を破棄し，翌年再度人口調査を行いました．1963 年の人口調査は前年に劣らず不正が横行しましたが，今度は北部が過半数を回復する結果を得て，政府はこれ

を受け入れました．人口調査を巡るこの政治的混乱が西部地域の AG 内の分裂騒動にも影を落とし，それを調停するために出かけたバレワ首相が暗殺される（1966 年 1 月）という事件が起きました．この暗殺の後にアジキウェ大統領は軍に全権を委任しイボ人のイロンシが国家元首となりました．しかしこのイロンシもまた，北部出身の若手軍人グループのクーデターに遭い暗殺（1966 年 7 月）され，これがビアフラ内戦（1967-70 年）のきっかけとなりました．

ここで独立直後の軍部におけるイボ人の優位性について触れておきたいと思います．現在のナイジェリア沿岸部（ベニン湾：Bight of Benin）の一部はかつて奴隷海岸（Slave Coast）と呼ばれていました．大西洋越えの奴隷の 1／4 はこの海岸部から連れて行かれたという説もあるくらいです．ですからこの地域は，早くからヨーロッパ人と接触していました．宣教活動も盛んで，その一環としてミッションスクールでの英語教育もいち早く普及しました．植民地政府が採用する現地職員に英語が話せる南部出身者が多くなるのは当然の成り行きでした．もちろん軍隊の上層部も南部出身者が多く，とりわけイボ人が多かったのです．最初に軍政長官になったイロンシ（Ironsi）はイボ人でしたが，それに次ぐ地位にいたオジュク（C. O. Ojukuwu）もイボ人でした．イロンシが暗殺された時，オジュクは東部の軍政長官をしていて首都から離れていました．その時に北部の軍政長官であったゴウォン（Y. Gowon）がいち早く連邦国家の軍政長官になる工作に成功しその地位につきました．これに反対するオジュクは，自ら軍政長官を務める東部地域をナイジェリアから分離すると宣言し，ビアフラ内戦が始まったわけです．

ビアフラ独立宣言に至る背景を説明する時に忘れてはいけないもう一つが石油です．石油が出る東部ナイジェリアが独立すれば，非常に豊かな国ができます．それを認めないゴウォンが連邦軍を率いて対立するという戦争となりました．この戦争については，詳しく今日述べる時間がありませんので割愛しますが，東部ナイジェリアの人々はこの戦争で大変悲惨な経験をしました．これについてはルポや小説などがたくさんありますのでそれらを読んで頂くとよく分かります（フォーサイス 1982；伊藤 1984；チママンダ 2010）．

勝利した連邦政府は，このような分離独立運動が二度と起きてはならないと幾つかの制度をつくりました．一つは，もともとあった連邦制のさらなる整備です．連邦政府，州政府，地方政府の三つの層からなる連邦制をつくりました．州政府にもある程度の権限を与え，さらに北部州，東部州，西部州，中西部州（1963年に西部州の東端が分離されできた州）の4州体制からさらに多くの州をつくり，イボの人たちが東部で団結して独立を企てることが出来ないようにしました．ビアフラ戦争中（1967年）に12州，戦後の1976年に19州に細分化されました．州の分割はその後も続き，1987年に21州，1991年に30州，そして1996年に36州となり現在に至っています．

　内戦の教訓から定められたもう一つの規則が，政党に関わるものです．内戦前の政党がことごとく地域政党であったことが分離独立運動を後押ししたとの反省から，政党はすべからく全国的性格を持たなければならないという規則が設けられたのです．そして三つ目が財政の定式化です．ニジェール・デルタ地域から産出する石油が国家歳入の7〜8割を占める現実を反映し，その歳出の配分方式を定式化しました（室井2015b）．それは石油歳入をめぐる地域間の対立を防ぐことを目的の一つとしていましたが，結果的には連邦政府の取り分が多く石油産出地域の人たちからみれば利益の吸い上げに映りました．

　以上のような内戦後の国家体制の整備は，他のアフリカ諸国にはみられないナイジェリアの特徴です．私が言うところのナイジェリアという国の枠組みの「重さ」とはこのことを意味しています．この重い枠組みをさらに重々しく運用したのが軍政だと思いますが，この軍政がナイジェリアでは長く続きました．1966年から1979年までの13年間，そして途中短期の民政期間を挟みますが1984年から1999年までのほぼ15年間，合計約28年間に及ぶ期間，軍政が続きました．

2　ナイジェリアの軍事政権の影響

　今日私がお話しするのは1999年以降の話で，民政移管後に深刻になってきた二つの紛争についてですが，この紛争の基礎的要因を考える場合，それ以前の軍政時代が重要な影を落としているのでその時代について先に

述べます（島田 2012）．1999 年の民政移管直後に大統領になったオバサンジョ（1976〜79 年）も，2015 年 5 月に大統領に就任したブハリ（1884〜85 年）もかつての軍政長官経験者ですので，この意味でも軍政の影響は無視できないといえます．

　ナイジェリア軍の主力は陸軍です．オバサンジョもブハリも陸軍出身です．ビアフラ内戦が終わった直後に軍隊は 25 万人いましたが徐々に削減され，2012 年には 16 万人体制になりました．それでもこれはアフリカでは断トツに多い数です．リベリアやシェラレオネで地域紛争があったときに西アフリカ諸国経済共同体監視団（ECOMOG）が現地に派遣されたのですが，その監視団の総司令官は第二代目以降ずっとナイジェリア人でした．ナイジェリアの人はそれを自慢していますが，派遣された国で彼らの評判は必ずしも芳しくありません．民衆に対する暴力的な態度が原因のようです．これはナイジェリア国内でも常に問題にされていることです．

　このような軍隊を維持できるのは石油収入のおかげです．この石油収入が軍政時代に各地域にどのように配分されたのかをみますと，1960 年の独立からビアフラ内戦の頃までは人口比例で配分されていました．しかし内戦後，独立戦争で敗れた東部への配分比率は低下してきました．東部の人には北部ばかりに金が流れ自分たちの地域が無視されていると映り不満を抱くことになりました．

　では北部でこの金は何に使われたのでしょうか？　一つは教育投資でした．1957 年を基準にして 1973 年の学校数の伸びをみると，西部や東部では 2 倍前後なのですが北部では 8 倍以上の伸びを見せています．北部は初等教育の普及が遅れていましたので，軍事政権は初等教育の普及に力を入れてきたわけです．ところが，この急速な初等（西洋式）教育の普及に不安を持つ人たちがいました．北部はイスラーム社会ですから，子供達はムスリム学校に行きコーランを暗誦しその意味を学びます．そのような社会に西洋教育を行う学校が急増したわけですから，一部の人々に不安をもたらしました．北部出身の軍政長官たちが自分たちの出身地の教育の遅れを挽回しようとして必死に取り組んできたことが，一般のイスラームの人々に不安を与えたということになります．

　もう一つ軍事政権がやったことをお話しします．それは伝統的支配者た

ちの政治権力の弱体化です．ナイジェリアにはスルタンや王，首長といった伝統的な支配者が多く残っています．今でも西部では王（オバ）がいますし，東部のイボ社会でも首長（現在は王と認定されているものも多い）が存在し，北部の旧イスラーム藩王国地域にはスルタンやエミールという藩王がたくさんいます．これらの伝統的支配者たちは，独立直後は政府の近くにいて大きな影響力を持っていました．例えば初代首相のバレワは，当時のスルタン（イスラーム最高指導者）に指示されて首相に就任するという状況でした．また，西部州の議会ではヨルバの王の意向を無視して政治を行うことは出来ませんでした．軍事政権は，そのような伝統的支配者層の権威を徐々に剥奪していきました．

　ゴウォンは伝統的支配者層を中央政府に一切入れませんでした．1979年に一度民政時代があり，一時的に伝統的支配者達は息を吹き返しましたが，1984年にクーデターで軍事政権が成立すると，その後伝統的支配者の地位は一貫して引き下げられました．1980年代後半になると彼らが地方政府レベルの政治に参加することが禁止されました．彼らは，政府に要望があれば文書で地方政府や州政府に提出するよう求められ，直接州知事に面会を求めることは許されなくなりました．このような伝統的支配者の権威の軽視や権力剥奪が社会秩序にどのような影響を与えたかという点は検討する必要があります．今日の話との関係で言えば，紛争の担い手が2000年以降，伝統的支配者の権威が及ばない若者武装集団に移ってきたといわれるのですが，このことも伝統的権威の失墜と関係しているかも知れないからです．

　以上，軍事政権は人気取り政策をやる一方で自分たちに不利な事柄については軍隊を動員して国民を強権的に押さえ込んできました．ババンギダ政権（1985-1993年）とアバチャ政権（1993-1999年）が最も強権的でした．ババンギダ政権の時に，IMFがナイジェリアの債務超過の状況を調査し，構造調整計画の実施を要求しました．その時彼は，「国民に窮乏を強いるIMFの提案は飲めない」と断り，国民から喝采を浴びましたが，その翌年，別の政策で通貨の切り下げを行い実質的に構造調整計画の実施に踏み切ったのです．

　人気取り政策としては，州の創設も挙げられます．中小エスニック・グ

ループの中には，自分たちがマジョリティを占める州を持ちたいと思っているグループがあります．その要求を受け入れる訳です．なおかつこの政策は軍の内情にも合致していました．度重なるクーデターで軍上層部の若返りが激しく，年長者の処遇が問題となっていました．新州創設はこれら年長者に州知事やその他の政治的ポストを提供することを可能としました．

民政移管については，軍事政権は二枚舌を使いました．表面的には早期の実現をうたいつつ，「全国的性格をもつ政党がまだできていないから行えない」と言っては選挙を先延ばししました．また，何とか選挙はやったものの，不正があったと言って結果を破棄したことさえあります．軍事政権はあとで述べる全国的政党規定を逆手にとって政権の長期化を図ったのです．

軍事政権の強権的性格については後でケン・サロ＝ウィア（K Saro-Wiwa）のところで述べますが，こと石油生産に関わることでは軍事政権は一切妥協しませんでした．石油収入は財政の基盤ですから石油生産に支障を来す妨害や紛争には強い態度で臨みました．彼らの経済優先主義は，多国籍企業の保護を重視し産油地の住民の要求には抑圧的でした．

ところで，ブハリ，ババンギダ，アバチャは全て北部出身でした．ビアフラ戦争を主導したゴウォンも北部出身でした．北部出身の軍政長官たちは，北部のイスラーム教徒に対しては懐柔政策をとりました．一つは，イスラーム会議機構（OIC: Organization of the Islamic Conference）への正式参加決定です．ババンギダは 1985 年，ナイジェリアが OIC に加盟したと突然発表しました．北部のイスラーム教徒の人たちは，イスラーム国家化への一つの足がかりになったと思い喜びました．もう一つはシャリア法に関するものです．イスラームのシャリア法を憲法に成文化できないか制憲会議に諮りました．結果的にはそれは出来ないということになるのですが，イスラームの人たちに希望を与えたことは間違いありません．このような懐柔政策や人気取り政策をいろいろしたわけです．

3 1999 年以降の民主政治と二つの紛争

つぎに 1999 年以降の民主主義についてお話ししたいと思います．先にナイジェリアの政治の枠組みが重いと言いました．政党の全国的性格規定

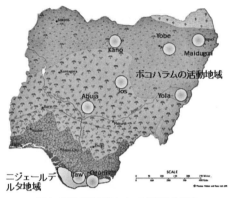

図2　1990年代以降の二つの地域紛争地域

では，政党は本部を首都に置かなくてはならない，党内選挙は民主的方法で行われなくてはならない，執行部は36州の2/3以上の州から選出しなければいけないという縛りがあります．次に，石油収入の配分方式ですが，「税源の原則 Derived principle」があります．独立直後は50％程度だった税源地域への配分比率は，軍事政権になって10％くらいまで削られていました．それが民政移管になってから13％と改訂されたわけです．しかし産油地域であるニジェール・デルタの人たちにとってはこれでも不満でした．

さて，これから二つの紛争の話をします（図2参照）．一つはニジェール・デルタの紛争です．この紛争は1960年代から起きていたものです．産油地域に住む人たちは，自分たちの環境が破壊されたこと，石油資源が国家収入の80％前後，輸出額の70％を確保しているのに政府の予算配分が少ないこと，に不満を持っていました（Arowosegbe 2009）．それが紛争の出発点です．紛争の相手は多国籍企業や政府で，環境破壊に対する補償請求や石油収入の配分要求が中心ですから，この紛争は基本的に交渉可能なものでした．2000年以降に一時，生存権に関わる闘争だとして過激さを増しましたが，2009年に政府が特赦の条件を提示すると攻撃がピタリと止み，武装集団がこぞって特赦を受け入れたのは，要求が交渉可能な紛争だったためです．

他方，北部で過激な戦闘を続けているのがボコ・ハラムです．北部で急

激な経済開発や初等教育の整備があり，それに伴い経済格差が拡大し，スルタン＝エミール体制を支えている伝統的支配者層の中にも汚職をする人がいるという状況になり，一般のイスラーム教徒の間に非常に不満が募っていました．こうした状況のなかで物質主義や西洋化に反対する聖戦運動が起きてきたのです．この運動は，政府が進める政策の全面的否定になりますから，政府と交渉しうる余地はあまりありません．むしろ国外のイスラーム原理主義と連携することになります．最近（2015年3月）イスラーム国に忠誠を誓い，先方からもそれを承認するというメッセージを受けました．

　この二つの紛争は，2000年になって国際テロとして世界的ニュースになりました．しかし，外国人を誘拐・拉致したことによって国際テロ組織だというレッテルが貼られると，この運動の担い手や支持者たちの不満や要求が見えにくくなります．以下では紛争の経過をさらに掘り下げ，このような運動が起きてくるローカルな理由についてお話ししてみたいと思います．

4　過激化する二つの紛争とその現在

　ニジェール・デルタは世界有数の大きさを誇るデルタ地帯です．この地域の人たちはデルタの恵みである豊富な魚介類を食べてきました．そのようなところで，石油井戸の掘削が行われ原油生産が行われているのです．油は漏れますし，パイプラインはデルタ地域の森林の中を縦横無尽に走り，デルタ地域の人たちは日常生活で大きな被害を被っています（Ojie 2008）．大気を汚染するガス・フレアも問題です．この地域は輸出産品であるヤシ油の産地で有名でしたが，一年中燃えるガス・フレアはヤシの樹にも被害を与えました．

　この環境破壊に対し，人々は多国籍企業に賠償を求めました．当初穏健にプラカードを挙げてデモをやりましたが，多国籍企業の対応は芳しくなく，政府による弾圧は厳しくなってきました．人々は生存基盤を揺るがす人権問題だと訴え，ついに「オゴニ民族生存権運動」（Movement for the Survival of the Ogoni People）のような運動に発展しました．この運動の指導者である小説家のケン・サロ＝ウィアは世界に窮状を訴えました．しか

し，ナイジェリアの軍事政権が一貫して多国籍企業を守り住民の要求を聞く姿勢を見せないため，この運動は過激になっていきました．そのような状況の中で，ケン・サロ＝ウィアは殺人事件の犯人として逮捕され，民間人であるにも拘わらず軍法会議にかけられ，死刑判決を受けすぐに処刑されました．世界中がこの軍事政権のやり方を批判しましたが，アバチャ政権は強硬姿勢をとり続けました．賠償請求や就職斡旋要求，集会場や学校の建設などを要求する穏便なデモに対しても，政府は軍隊を派遣し徹底的に弾圧しましたし，多国籍企業は保安要員に銃を持たせ施設の防衛にあたりました．このような政府や多国籍企業の対応に対する失望は，交渉の仲介役であった政治家や伝統的支配者達に対する住民の不信へとつながりました．政治家の中には企業から提供された補償金で私兵を雇い武装する者もいました．買収された政治家や有力者を見限り，彼らの権威を認めない若者達が 2000 年以降武装集団を相次いで結成し，彼らが軍隊や多国籍企業の私兵と過激な闘いを展開するようになりました（Ibaba 2009; Duquet 2009）．

　彼らは 2005 年に労働者 6 人を誘拐，8 人を殺害する行動に出ます．その後イタリアの石油会社を襲撃し，さらに外国人の誘拐を続けます（Ogbebor & Udebhulu 2008）．2006 年には，アメリカ人 3 人，イギリス人 2 人，エジプト，フィリピン人各 1 人，タイ人 2 人を誘拐しました．ここから，ニジェール・デルタ解放運動（MEND）やニジェール・デルタ人民志願軍（NDPVF）は国際テロ集団じゃないか，と言われるようになりました．韓国人も誘拐されています．ニジェール・デルタの紛争で誘拐された人の多くは交渉のあと釈放されています．それがボコ・ハラムのやり方とは違うのですけど，とにかく国際テロというレッテルが貼られました．

　彼らは軍隊と対等に渡り合えるほど近代的な武器を持っています．シェラレオネやコートジボワールで長く続いた内戦で使われていた武器が多く流れてきています．また一部は東アフリカのスーダンの方からもきているようです．武器は比較的安い値段で容易に手に入る状況にありました．武装集団は，石油パイプラインから抜き取った石油を売ることで武器購入資金を得ていました．タンカーで輸出さえしていたそうです．国際テロと呼ばれていたものは，このような国内的な政治状況の中で起きていたという

ことです．ですからニジェール・デルタの紛争がこれからお話しするように 2009 年に突然終息することも，国内的に理解すればよく分かると思います．

2009 年に北部出身のヤラドゥアが大統領に就任しました．南部出身のオバサンジョが二期務めた後のことです．大統領が北部出身の場合，副大統領を南部から選ぶことになっていましたから，ヤラドゥア大統領はジョナサンという南部出身の人を副大統領に任命しました．このジョナサンはニジェール・デルタ地域の出身者でした．彼はニジェール・デルタの武装集団に対し，もし無条件降伏に応じる（2009 年 8 月 6 日から 10 月 4 日までの 60 日間に）のであれば特赦を与えると提案しました．特赦というのは紛争中の殺人や誘拐等の罪は問わないということです．ただし，特赦を受けるには使用武器の放棄が条件とされ武器引き渡しが行われました（Ukeje 2012）．武器放棄のあと，旧武装メンバーに対する再教育や職業訓練という社会復帰（アムネスティ Amnesty と呼ばれる）計画が実施されました．この計画は，旧武装メンバーには非常に良い条件を提示していました．ジョナサン副大統領がいなければ実現できない提案といえました．ヤラドゥア大統領は任期途中の 2010 年に亡くなり，ジョナサンが大統領代行をつとめ，翌 2011 年の大統領選挙で彼は正式に大統領になります．ですからこのアムネスティ計画の実施は，ジョナサン大統領時代に約束通り実施されることになりました．ニジェール・デルタの地域紛争が，ピタリと終息したのはこのためです．このアムネスティ計画は手厚すぎると批判されることがあります．旧メンバーには日当 1500 ナイラ（当時 1 ナイラは約 0.7 円）や住宅手当 20000 ナイラが支払われました．最低賃金が月額 7500 ナイラというナイジェリアにあって，これらの手当は非常に恵まれた条件だったといえます（室井 2015a）．このことが後の選挙の時に問題となるのですが，それは後で述べます．

一方ボコ・ハラムの方ですが，この運動は始めから過激な運動だったわけではありません．ボコ・ハラムのニュースが初めて報じられた時，イスラーム地域で繰り返される原理主義的な運動がまた起きてきたのか，というのが一般的な捉え方でした．物質主義の横溢，モラルや宗教的価値の喪失を批判するイスラーム運動は，経済発展が急で社会変容が激しいときに

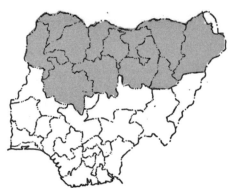

図3　シャリア法を取り入れた北部諸州

よく起きました（Mustapha 1999）．軍政が終わり久しぶりに民政が復活した1980年に，カノ（Kano）でマイタシン（Maitatsine）の暴動が発生しました．このマイタシンも非常に過激で，総数で1万人を超える死者を出しました．死者の数だけで比較するとボコ・ハラムと同じくらい大規模な暴動でした．このマイタシンの人々が主張したことはボコ・ハラムと全く同じです（Falola 1998）．でもこのときは誰も彼らを国際テロリストとは言いませんでした．

　先にシャリア法のことについて述べました．1999年に民政移管し，最初に大統領になったのが南部出身のキリスト教徒のオバサンジョです．彼が大統領に就任した翌年，北部諸州でシャリア法の導入が一気に進みました（図3参照）．軍事政権の時，シャリア法を憲法に明記するかどうか制憲議会に諮ったという話をしました．またIOCの会議に正式参加したという話もしました．このような一連のイスラーム化の流れが，南部出身の大統領によって止められるのではないかと北部の人たちは怖れました．そこで北部州の各知事は相次いでシャリア法の採用に踏み切ったのです．オバサンジョ大統領はそれに反対でしたが，それを止めることはできませんでした．

　一つの憲法の下で，イギリス法，シャリア法，慣習法の三つが併存しているというのはそれ自体難しいことだと思うのですが，そのようになりました．これにより北部のイスラームの人は，下級審ではシャリア法で裁判を受けることが可能になりました．この法律が施行されてから，北部でい

くつかの問題が起きました．例えば女性で夫以外の男性と関係を持った女性に石打の刑（死刑）が出ました．これは国際世論の反対で刑の執行は猶予されましたが，イスラーム法に則った刑罰は実際に執行されています．

このような状況がイスラーム化への期待と反西洋化の思いを一般のイスラーム教徒に強く抱かせたことは間違いありません．ボコ・ハラムを支持する人たちは，イスラーム化への期待と現実に進む西洋化（近代化）とのギャップに不安と不満を募らせる人たちだったのではないでしょうか．そんな中で2003年にボコ・ハラムが絡んだ小さな騒動が起きました．池の漁業権をめぐる住民同士の争いの現場に出動した警察官が鉄砲を奪われ，治安維持のために動員された軍隊が，ボコ・ハラムの首謀者（アリ）を逮捕しすぐに殺してしまったのです．この前年にアリが聖戦を宣言していたことが関係していると思います．しかしこの軍隊の手荒なやり方に一般のイスラーム教徒達は猛反発しました．この事件が報道される時，一部の海外メディアがボコ・ハラムをナイジェリア版タリバンだと言ったために，ボコ・ハラムは国際的なテロ集団ではないかと疑われるようになりました．

ボコ・ハラムの運動はその後ユスフ（M. Yusuf）が中心に運動も少しずつ過激になってきました．当初は主として警察や軍隊を攻撃の対象としていました．教会や市場でも爆破を行いましたが，主たる攻撃対象は警察，軍事施設，政府関係施設でした．警察や軍隊の横暴なやり方に対する反感がボコ・ハラム支持者を増やしたと思われます．逮捕され裁判もなく射殺されたり，ボコ・ハラムを匿った廉で手荒い家宅捜索を受けたり，被害を蒙った人々は反政府的になりました．

2011年に大統領に就任したジョナサンは，ボコ・ハラムの掃討作戦に手を焼きます．南部出身の彼には，北部出身軍人が永らく支配してきた軍隊や中央官庁を動かすのが難しかったのだろうと思います．彼はある時演説の場で，政府や軍隊の上層部にボコ・ハラムと繋がっている人がいるという発言をしました．彼は，テロ法を制定しなければボコ・ハラム問題は解決できないと考え始めていたのです．テロ法を制定すれば軍に対する大統領の指揮権は強化され，大統領命令で連邦軍を機動的に動かせると考えたのだろうと思います．これに対し，アメリカの国務長官ケリーは，ナイジェリア軍隊の粗暴をよく知っていましたから，この法律の制定に危惧

を表明しました．軍隊がこの法律を根拠に国民の人権を侵害するような行動に出ることを怖れたからです．しかし，ジョナサン大統領はアメリカの反対を押し切りこのテロ法を制定し，その法律を根拠にテロ集団の認定を行いました（2013年6月）．

一方アメリカは，9月にケニアのショッピングモールでアル・シャバブによるテロ事件が起きると態度を一変させました．アル・シャバブとボコ・ハラムとが連携している可能性があるということで，アメリカはボコ・ハラムを「国外テロ集団」と認定したのです．こうしてボコ・ハラムは「世界」のお墨付きを得た国際テロ集団となりました．

外から国際テロ集団とレッテルを貼られる一方で，ボコ・ハラムは自らも国際化を目指しました．2013年1月に起きたアルジェリアのイナメナスでの人質拘束事件の後，この事件を起こした武装集団の一部がマリ北部に逃れてきたのですが，ここでトゥアレグ系の人たちと一緒になって反マリ政府運動，独立運動を始めました．この運動にボコ・ハラムの一部の人たちも関与したと言われています．このマリ北部における反政府運動に対しフランスが軍隊を派遣しました．すると，それに抗議するためボコ・ハラムは，隣国カメルーンでフランス人家族を誘拐しました．もともとフランスの旧仏領に対する軍事的進出に対してナイジェリア人は批判的でした．もちろんボコ・ハラムもそのような行動に猛反発しています．フランス軍のマリ侵攻はこのような批判的勢力に格好の材料を提供しました．同じ頃北朝鮮から派遣された医療関係の人が惨殺されるという事件も起きました．ボコ・ハラムはこの頃すでに，積極的に国際社会にアピールする戦略を取るようになっていました．

そして2014年4月14日，ボコ・ハラムはボルノ州のチボクにある学生寮から女子中学生270人以上を誘拐するという衝撃的な事件を起こしました．警察署や軍事基地への攻撃は住民の支持が得られましたが，明らかに国際社会を意識したこの誘拐事件は人々を恐怖に陥れることはあっても支持を得るものではありませんでした．この誘拐事件は，一般のイスラーム教徒の支持をも失うもので，彼らはナイジェリア国内でも孤立することになりました．このような行動に走ったのは，テロ集団認定の動きと無関係ではありません．彼らの運動が窮地に陥ってきていたのでしょう．そ

してこの国内的孤立が，ますますこの集団を国際的な過激テロ集団へと追い立てることになったと思います．警察や軍隊の基地を頻繁に攻撃できたのは，住民の支持があったからで，さらに政府高官や軍の高官の中にも支持者がいたからだろうと思われます．しかし，国内でも国際的にも国際テロリストだと認定されてからは，彼らに対する圧力は明らかに強まり，逆にそこからどんどん過激さを増してきました．

　住民から孤立する中で，彼らの反撃方法も変質してきました．誘拐した女性や子どもに爆弾を装着し自爆させたり周辺国で攻撃を増やしています．それに対し周辺国は警戒を強め，軍隊を派遣してボコ・ハラムの掃討に乗り出しています．ナイジェリア政府は，ボコ・ハラム掃討作戦のため珍しく周辺諸国，カメルーン，ニジェール，ベナンと軍事協定を結びました．そんな中，チャドとニジェールの軍隊がナイジェリア国境を越え，ボコ・ハラムの基地を攻撃するという事件が起きました．この越境攻撃はナイジェリア人の自尊心を傷つけるもので，これは選挙を戦う現職のジョナサン大統領にとってマイナスの材料となりました．

　以上みてきたように，ボコ・ハラムが国際テロリスト集団としての性格を強めてきたのは，ナイジェリア政府のテロ集団認定とアメリカの追認，それに加え北東部のイスラーム教徒たちのボコ・ハラム離れが原因になっているといえます．

5　2015年の総選挙

　最後に2015年の大統領選挙について触れます．この選挙で，現職の国民民主党（PDP）のジョナサン大統領は全進歩者会議（APC）代表のブハリに負けました．前回の選挙（2011年）では，西部と東部の人たちがPDPを応援し，北部でも州によってはPDPが3割以上を獲得し圧勝しました．しかし，2015年の選挙では西部がPDP支持でまとまらず，PDPが勝利したのはジョナサン大統領を推す東部地域だけでした．北部でAPCが勝利し西部でもAPCが僅差でPDPを押さえる州が多く出ました．これは同じPDP所属の西部出身オバサンジョ元大統領とジョナサン大統領との不和が原因と思われます．オバサンジョは，ジョナサン大統領が選挙戦中に自分を含むPDPの歴代大統領の政治を批判したことが許せなか

ったと言われています.

　オバサンジョが選挙戦の終盤になってジョナサン大統領と喧嘩別れすることになったもう一つの理由が大統領の地域輪番制にあります.　大統領を南部と北部で交互に出そうという地域輪番制は憲法には明記されていません.　しかしオバサンジョとジョナサンが属している政権与党 PDP の綱領では,　大統領候補者選出規程の中に地域輪番制が残っているのです (Nwozor 2014).　北部出身のヤラドゥア大統領が亡くなった残任期間とその次の 4 年任期を務めたジョナサンはこの輪番制に従って立候補を辞退すべきだという考えがオバサンジョにはあったようです.　しかしジョナサンはそれに耳を貸しませんでした.　オバサンジョ自身 2 期 8 年務めているではないか,　自分は正式な大統領として 1 期しか務めていないという訳です.　このオバサンジョとの意見の不一致が,　西部の PDP 敗北に影響を与え,　ジョナサンの敗北に繋がったといえます.

　オバサンジョがブハリ容認に傾いた理由は他にもあります.　彼が軍政長官の頃（1976～79 年）ブハリは部下でした.　彼はブハリの実直な性格を知っていました.　ブハリは後（1984 年）に軍政長官になるのですが,　僅か 4 カ月で部下によるクーデターに遭い失脚しました.　それは,　あまりに厳しすぎる彼の汚職追放を若手将校たち（ババンギダやアバチャ）が嫌ったからだといわれています.　この事実も,　汚職に対するブハリの厳格さを示すものとして再評価する動きが高まってきていました.

　選挙期間中,　ジョナサン陣営はブハリの学歴を問題にしました.　ジョナサンは博士です.　それに対しブハリ氏は中学卒でしかもその中学校の卒業証書も怪しいと批判したのです.　この批判は,　軍隊における北部出身者の優遇ぶりを可視化する意図も含まれていました.　中学卒で入隊したブハリは,　北部出身者によくあるようにトントン拍子で階級を上げてきました.しかし,　ジョナサン陣営の思惑とは裏腹に,　この卒業証書問題はブハリの軍隊時代の功績をむしろ際だたせることになりました.　1980 年代のマイタシンの暴動時に,　ブハリは直接の指揮者ではありませんでしたがその掃討に功績があったといわれています.　また,　北東部で州の軍政長官をやっていた時,　彼はチャド湖の島を占拠したチャド軍を追い払い名声を博しました.　このような軍人時代の彼の功績は,　ボコ・ハラムを追尾してカメル

ーン軍とチャド軍が越境して侵攻してきたという屈辱的なニュースを聞かされた国民に訴えるものがありました.

　幸いなことに選挙結果が出た直後（3月末）に，ジョナサン大統領がブハリに電話を入れ敗北を認め，それを受けたブハリが勝利宣言を行ったため，心配された選挙後の騒乱は起きませんでした. アフリカでは，選挙後に暴動が起きることが多くみられます. ナイジェリアの政治的混乱を防ぐため，選挙直前にアメリカのケリー国務長官や南アフリカのムベキ元大統領がナイジェリアを訪問し，ジョナサン，ブハリ，オバサンジョの3人に会っています. 公正な選挙の実施と選挙結果の速やかな受け入れを要請したのだろうと思います. 選挙後に混乱することになれば，軍政に戻る危険性すら心配されていました. ジョナサンが時間をかけずに選挙結果を受け入れたことが平和裡な政権移行につながったと思います.

6　ブハリ政権が直面する問題

　心配された暴動もなくブハリは大統領に就任しました. しかし彼は組閣に手間取りました. 先に国の枠組みが重い国だと言いましたが，組閣には，全36州から各州少なくとも1名の閣僚を任命しないといけないという規則があります. 全国的政党としての条件ということですが，36州から選ぶ閣僚の身辺調査だけでも大変です. 過去に汚職や犯罪の経歴がないかはブハリ政権にとっては重要なチェックポイントです. その審査を通った人が閣僚候補になるわけですが，ブハリ大統領は，36人全員を省の大臣にする予算はないとして，13人を無任省大臣としました. この人事では，北部出身の人を内務，情報，防衛の重要ポストに任命し，最も汚職と関係の深い石油大臣には自分自身が就きました. 石油，防衛，情報，内務といった重要大臣ポストは北部の人でかため，南部出身の無任省大臣を副大臣のような形でこれらの省庁に配置することでバランスをとりました. 5月29日に大統領に就任して，組閣が始まったのは先々週（11月初旬）ですから，5カ月間も内閣なしで政治をやってきたことになります. ところで，厳しい審査を経て36州から選出された閣僚の中には，ブハリ大統領が顔も知らない人が何人もいたようです. 憲法の規定に従って作られるこのような内閣は，当然，閣内統一や効率性という点では問題があるといえます.

これもナイジェリアという国の枠組みの重さの一つです.

　組閣準備中に石油価格が下がり財政上深刻な問題になってきました. 州政府や地方政府への交付金の執行が遅れ, 州政府や地方政府から突き上げが起きてきました. 一方, ボコ・ハラムの掃討作戦の方ですが, これはさすがに経験があるためか, ブハリ政権になってから作戦は大分効果を上げているようです. ボコ・ハラムはかなり窮地に陥っていると思います.

　問題は南部ナイジェリアの方です. ニジェール・デルタの紛争は, ジョナサン大統領の時に特赦で合意し戦闘は終息したのですが, その後のアムネスティ計画の実施を巡り旧武装メンバーとブハリ政権が対立し, 再び戦闘が起きつつあります. ブハリ政権は2015年末までは前政権の約束どおり資金提供を続けるよう指示を出しました. しかし, 来年（2016年）のことについては何も触れませんでした. もし2016年になってアムネスティ計画への支援を止めるとニジェール・デルタの旧武装メンバーがどういう反応を示すか分かりません. ブハリ政権に反抗して再び武装闘争に戻る可能性もあります. この武装集団のメンバーたちは, 選挙のときはジョナサンを熱心に支持しました. しかし選挙後, ブハリが当選するとすぐに新しい政権支持を表明しました. ただし支持するにあたって, このアムネスティ計画が前政権の約束どおりに履行されない場合は紛争に戻る可能性があると脅しをかけています. かつて奇跡のように短期間に終息したニジェール・デルタの地域紛争が, 今度は悪夢のように短期間のうちに再発する可能性があるという状況になりました.

　同じ南部ナイジェリアの問題ですが, 今私が最も重要だと思っているのは東部の問題です. これまで国政レベルで, 東部は北部と協力・連携関係に入ることが多く, 西部が孤立するパターンがよく見られましたが, 2015年の選挙は, 北部と西部がブハリを推し, 東部だけがジョナサンを応援したことになり, 結果的に東部が国政レベルで完全な野党の地域となってしまいました.

　このような現実を前に, 東部の人たちとりわけかつてビアフラ独立戦争を戦ったイボの人たちが非常に危機感を強めています. 彼らは1970年に消えたかと思われたビアフラ独立の希望の火を絶やしていなかったようです. 先ほど述べたボコ・ハラムは, シャリア法を認定した北部諸州をキリ

スト教徒の多い南部と切り離すべきというようなことを言っています。これは分割という一点に絞れば，期せずしてイボの人たちと同じ考えだといえます。二つは全く異なる反政府運動ですが，奇妙な一致をみせているのです。

分離独立がビアフラ内戦時より現実味があると考える人がいてもおかしくない現実が他にもあります。ビアフラの分離独立に反対したソ連が崩壊し，たくさんの新国家が生まれました（1990-91年）。そして現在，世界を見渡せばスコットランドで分離独立の住民投票が行われ，カタルーニア地方でも独立運動が選挙を通じて盛り上がっています。それどころかスーダンでは，南部スーダンの分離独立が実現（2011年）しました。何故自分たちの独立のみが実現できないのかという思いが強くあると思います。

ビアフラ独立運動はまだ分散的です。独立を正面から主張している団体から段階的実現を目指す団体，さらには連邦国内における自治権拡大を求める運動まで様々です。その中でラジオ・ビアフラがロンドンを基地にして独立を訴える急進的な放送をしています。昨年（2014年），その電波をナイジェリア国内（東部）で傍受し東部域内に流していたとする中継局が政府に発見され破壊されました。そして今年，このラジオ放送の中心人物であるンナムディ・カヌ（Nnamdi Kanu）がイギリスのパスポートでナイジェリアに入国した時に警察に逮捕されました（2015年10月）。彼の早期無条件釈放を要求するデモやストライキが盛んになってきています。さらに，ビアフラ戦争で戦った軍人の偉業を称える記念碑建立の運動が盛んになり，過去のビアフラ独立戦争を思い起こそうという動きとなっています。

ブハリ大統領は，ボコ・ハラムの掃討作戦では軍政長官時代の経験を生かして内務省情報局や警察組織そして軍隊等を掌握し，機動的に作戦を展開するのですが，こういうビアフラ独立運動のような住民運動にたいするソフトな対処は経験も少なく得意とするところではなさそうです。彼は，情報局や警察，軍隊の組織を使って情報収集しているようですが，これは人権無視で悪名高かった軍政時代の国家安全局を思い起こさせ，西側諸国の人権問題NGO等は危険視しています。

ニジェール・デルタと東部の問題は両方とも国内的問題ですが，平和的な政権移譲で世界から称賛されたブハリ政権にとっては，これらの問題へ

の取り組み次第では，同政権が真に民主的政権であるかどうかを国際的に問われる可能性があります．そして，それらの運動の担い手はそのことを熟知しています．アフリカのローカルな地域紛争はこのようにして，これまで以上にグローバルに展開してくるといえます．

Q&A　講義後の質疑応答

Q　ババンギダ政権のところで民政移管するような，選挙を行おうとか動きがあったということですがその意図というか，狙いは？

A　軍事政権は積極的に民政移管する意図など持っていません．国民の要請に応じざるを得なかったというのが実態です．ナイジェリアはアフリカの中では珍しくマスメディアの活動が盛んで，国民は民政移管を要求し軍事政権がその工程表を発表しないと文句がでます．だから軍事政権は常に，何年後には民政移管する，自分たちは民政を預かっているという言い方をしました．クーデターも，今の民政は汚職がひどい，自分たちは清廉潔白な政治をやるんだ，といって政治に介入するわけです．ですから，すぐに民政に移管するということを言う必要があるのです．何年後には民政にすると繰り返し言って期待させる．ところが実はいろんな理由をつけて民政移管を延期し政権を維持し続けました．ですから意図を持っていたというより，そうせざるを得ないというのが実際です．ナイジェリアはこの点では民衆の力が強いといえます．

Q　越境のことについてお伺いしたいのですが，追われたボコ・ハラムの人がチャドとかニジェールとか，周辺国に逃げていっているという話がありましたが，逃げていった先で彼らを受け入れる人たちが居るのか，時間的に見たときに越境にどのような意味があったのか，というところをお伺いしたいなと思います．

A　受け入れる人は，少数とはいえ居ると思います．1980 年のマイタシンの運動が非常に過激だったのは，ニジェールに同調者がいて，ナイジェリアの軍隊に押されれば国境を越えてニジェールに退き，そこで力を蓄えて

また戻ってくる，あるいはカメルーンに行って戻ってくるということが可能だったからです．これは現在もあると思います．ただし，今は周辺国の政府のしめつけも厳しいです．ニジェール政府，カメルーン政府，チャド政府，ベナン政府はナイジェリア政府と協調しボコ・ハラム掃討作戦を行っています．ですから周辺国にも彼らを受け入れる人は少なくなってきていると思います．チャドでは，ボコ・ハラムらしい容疑者を逮捕しすぐに処刑しましたが，そのことを批判する意見はほとんど起きませんでした．現在では，周辺国でも支持者の数は非常に少なく，ボコ・ハラムは武装集団としての戦闘能力は衰退してきていると思います．ゲリラ的にラゴスやアブジャで自爆するような事件が起きる可能性はあると思いますが，集団として政府に対抗出来るような力はもうボコ・ハラムにはないのではないかと思っています．ブハリ大統領は年内（2015）には解決すると言っています．彼の先輩や同僚であるオバサンジョやババンギダは，「年内なんて言わない方が良い，それは難しいから」と言っていますが，でも軍事的制圧は進んでおりボコ・ハラムが窮地に陥っていることは間違いないと思います．ただし窮鼠猫を噛むじゃないですけど，窮地に陥って次にどういう動きをとるかわかりません．彼らがイスラーム国やアルカイダと連携を取ろうとするのもそのうちの一つのやり方なんだろうと思います．

参考文献

伊藤正孝（1984）『ビアフラ—飢餓で亡んだ国』講談社

島田周平（1992）『地域間対立の地域構造：ナイジェリアの地域問題』大明堂 237.

島田周平（2012）「2000 年代ナイジェリアの紛争過激化について考える」『アジ研ワールド・トレンド』205（2012.10）14-17.

武内進一編（2003）『国家・暴力・政治：アジア・アフリカの紛争をめぐって』アジア経済研究所研究双書 34 510.

チママンダ・ンゴズィ・アディーチェ著 くぼたのぞみ訳（2010）『半分のぼった黄色い太陽』河出書房新社

フレデリック・フォーサイス著 篠原慎訳（1982）『ビアフラ物語—飢えと血と死の淵から』角川選書 123.

室井義雄（2015a）「ナイジェリアにおける石油戦争—国家・少数部族・環境汚染—」『専修大学社会科学研究所月報』622 1-88.

室井義雄（2015b）「ナイジェリアにおける財政連邦主義の歴史的展開」『専修経済学論集』121 23-92.

Arowosegbe, Jeremiah O.（2009）Violence and national development in Nigeria: The political economy of youth restiveness in the Niger Delta, *Review of African Political Economy*, 122 575-594.

Duquet, Nils（2009）Arms acquisition patterns and the dynamics of armed conflict: Lessons from the Niger Delta, *International Studies Perspectives*, 10 169-185.

Falola, Toyin（1998）*Violence in Nigeria*, New York, University of Rochester Press 386.

Ibaba, Ibaba S.（2009）Violent conflicts and sustainable development in Bayelsa State, *Review of African Political Economy*, 122, 555-573.

Mustapha, Abdul Raufu（1999）The Nigerian transition: Third time lucky or more of the same? *Review of African Political Economy*, 26-80 277-291.

Nwozor, Agaptus（2014）Power rotation, ethnic politics and the challenges of democratization in contemporary Nigeria, *African Study Monographs*, 35（1）1-18.

Ogbebor, G. G. and Udebhulu, M. E.（2008）The Niger-Delta development crisis: 1997-2007, *Journal of Development Alternatives and Area Studies*, 27（1/2）39-52.

Ojie, A. E.（2008）Ethnicity and the crisis in the Niger Delta Region, *Journal of Development Alternatives and Area Studies*, 27（1/2）177-194.

Ukeje, C.（2012）*Nigeria: Post-amnesty uncertainties and the future of insurgency in the Niger Delta*（Paper presented at the Joint Seminar of the Center for African Area Studies, Kyoto University）.

島田先生のおすすめの本

遠藤貢編『武力紛争を越える——せめぎ合う制度と戦略のなかで』（京都大学学術出版会，2016 年）.

川端正久・武内進一・落合雄彦編著 『紛争解決 アフリカの経験と展望』（ミネルヴァ書房，2010 年）

武内進一『現代アフリカの紛争と国家—ポストコロニアル家産制国家とルワンダ・ジェノサイド』（明石書店，2009 年）.

第10講

アフラシアを夢見る

アフリカとアジアの架橋を目指す国際関係論

峯 陽一

同志社大学大学院グローバル・スタディーズ研究科教授

峯陽一（みね よういち）
同志社大学大学院グローバル・スタディーズ研究科教授，JICA 研究所客員研究員，南アフリカ・ステレンボッシュ大学政治学科特別客員教授．専攻は人間の安全保障研究，アフリカ地域研究．京都大学文学部史学科卒，同大学院経済学研究科博士課程単位取得退学．
著書に『現代アフリカと開発経済学』（日本評論社，1999 年）など．編著に Preventing Violent Conflict in Africa（Palgrave, 2013）, Afro-Asian Entanglements（Palgrave, forthcoming）など．

はじめに

　第 10 講では,「アフラシアを夢見る」というお話をさせていただきます. 英語で書きかけている Dreaming Afrasia という論文の内容を, 日本語でご紹介します. 大切な論文を書くときは, 世界のあちこちで概要をお話しして, 聴衆の反応を確かめながら内容を改善していくようにしています. このテーマについては, すでに今年の 6 月, インドのジャワハルラール・ネルー大学で講演したのですが, 聴衆から想像以上に好意的な反応が返ってきて驚きました. おそらく論文の科学性というより, そのメッセージのなかに, インドの知識人の琴線に触れるところがあったからだろうと察しています. 同じ中身で講演しても, フランスや日本で話すと反応が違ってくるのかもしれません. そのあたりを確かめるという意味でも, 今日, グレーター東大塾で話をさせていただく機会をとても楽しみにしていました.

　まずご紹介しておきたい参考文献があります. アミタフ・アチャリアとバリー・ブザンという国際関係論の大御所が,『非西洋的国際関係の理論』と銘打った本を 2010 年に出版しました. そのなかで, かれらはこんなことを書いています.「われわれは, 国際関係論のアジア学派を特定したり唱道したりすることとは, 絶対に関わりをもたない. そんなことをすれば, アジア的価値, アジア的民主主義, アジアの流儀といった構築物(とそれをめぐる論争)に結びつけられてしまう. われわれは, そのような派生物とは距離を置きたい. それらは非西洋的な国際関係の理論を構築するのに役に立つかもしれないが, きわめて問題が多い. そこには著しい一般化があるし, エリート主導で政治的な動機がある動きだとも見なされかねないからである」(Amitav Acharya and Barry Buzan eds, *Non-Western International Relations Theory: Perspectives on and beyond Asia*, Abingdon, Oxon: Routledge, 2010, p. 229). アジア的価値というと, 1990 年代にマレーシアのマハティール首相やシンガポールのリー・クアンユー首相が持論を展開して, 物議を醸したことを覚えておられる方もいらっしゃると思います.

　政治利用されないように気をつけながら自分の立ち位置を設定しないといけない, というのはわかるのですが, アジア流に問題があるとすると,

もっと広くアフリカ・アジアを主流化する国際関係論を指向することが，はたして正当化されるのでしょうか．アフリカとアジアの共通の価値にかかわる議論をすると，「アジア的価値」の場合と同じようにエリートに政治利用されるのでしょうか．もっとも，アフリカ・アジアではあまりに広すぎるので，茫漠として中身のある議論はできず，かえって人畜無害だということになるのかもしれません．

ともかく，タイトルの「アフラシア」が何を指すかを，最初にはっきりさせておきましょう．これはもちろん「アフリカとアジア」のことで，自分は言葉をつなげるハイフンや中黒マークが好きでないので使っているところもあるのですが，もともとは歴史家のアーノルド・トインビーが，1934 年から刊行された『歴史の研究』という重厚な著作のなかで用いた言葉です．トインビーはこの言葉を，アフリカとアジアの結節点，つまり地理的には中東・北アフリカ，歴史的にはメソポタミア文明とエジプト文明の揺籃の地を指し示す概念として使っています．

しかし，ここで私はより広く，アフリカとアジアをまるごと包み込む空間として，そして思想的には，汎アフリカ主義と汎アジア主義というふたつの汎民族主義が出会う空間として，アフラシアを定義づけたいと思います．なお，日本でアフラシアという言葉を使ったのは私が最初ではなく，京都の龍谷大学にはアフラシア研究センターという機関が設置され，インド研究の長崎暢子先生などがご活躍されていたことを申し添えておきます．

1 予見可能な未来

今回の講義では，未来から過去に向かって時間を巻き戻しながら議論を進めることで，アフラシアの内実を考えていきたいと思います．第 1 部では，アフリカとアジアの人口動態，未来の人口予測のお話をします．これからの 1 世紀です．第 2 部では，アフラシアの精神的な支柱である民族主義知識人たちの思想を紹介します．そこでは 20 世紀という近い過去を振り返ることになります．第 3 部では，さらに時間の歯車を後ろに回し，植民地化以前のアフリカ世界とアジア世界の姿を特徴づけて，その地点から未来のことを考えてみたいと思います．

それでは第 1 部に入ります．アフラシアというフレームを考えようと

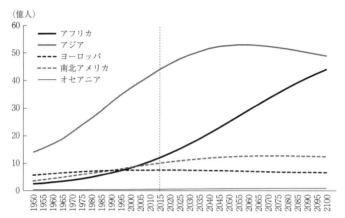

（出典）United Nations, Department of Economic and Social Affairs, Population Division, *World Population Prospects: The 2015 Revision.*
http://www.un.org/en/development/desa/population/

図1　地域別の人口予測（中位予測）

すれば，1955年のバンドン会議に触れないわけにはいきません．アジア23カ国とアフリカ6カ国の代表がインドネシアのバンドンに結集して，主権の尊重，平等互恵，反植民地主義といった原理を確認した歴史的な会議で，非同盟運動の母体にもなりました．意外なことに，とよく言われるのですが，日本もバンドン会議のメンバーでした．1回目のバンドン会議の後，2回目というのは久しく開かれていなかったのですが，実に半世紀ぶりの2005年に第2回，2015年には第3回目が開かれました．アフラシアの枠組みは，まさにこのバンドンの枠組みと重なります．世界史の教科書に載っている歴史的事件というだけでなく，21世紀になって緩やかに再結集する動きがあるというわけです．

では，アフラシアを構成するアフリカとアジアの広大な地域には誰が暮らしているのでしょうか．もちろん，アフリカ人とアジア人，ということになるのですが，ここで注目したいのは，国際連合の経済社会局が定期的に発表している世界の人口予測です（図1）．2015年までが実勢の推計，それ以降が予測値です．私たちは今，21世紀初頭の世界で暮らしていますが，百年後の22世紀初頭になると，世界の人口のおよそ8割はアフラシアの人々，つまりアフリカ人とアジア人が占めることになるようです（アフリカとアジアの地理区分は国連の定義によります．アフリカは北アフリカ

を含み，アジアには西アジア，中央アジアが含まれます）．

　この種の人口統計については，20，30年後あたりまでの人口変化の予測はかなり正確ですが，百年後になると「シナリオ」にすぎないとも言われています．予測そのものに上位から下位まで大きなばらつきがあり，このグラフは中位予測に基づいています．データは更新されていきますので，最新のものは国連のホームページで確かめてください．いずれにしても，今の時点の予想としては，2100年を過ぎてしばらくすると，世界の人口の40億人程度がアジアで暮らし，40億人程度がアフリカで暮らし，20億人程度が残りの場所で暮らす，という人口分布が，ありうる平均的な未来像として人口学者のチームから提示されているわけです．

　そこに至るプロセスを見ると，国連チームの推計では，これからの百年間，アジアの人口はもう少し増えてから減少しますが，アフリカの人口は12億人からおよそ45億人へ，ほぼ4倍に増えるだろうとされています．人類の生誕の地であるアフリカが，人口の面でも，巨大な陸塊の規模に匹敵するだけの存在感を示すようになっていくわけです．その結果，22世紀の地球人の10人のうち8人はアフラシアの人々が占めるようになるという状況が出現する可能性が高い．したがって，アフリカ人とアジア人の対話の質が22世紀の世界の形を左右していくことになるのではないか．今日の私のお話のいちばん大切なポイントは，そこにあります．

　百年後の世界を想像して，自分たちが歩いていく方向を考えてみてもいいと思うのですね．幕末から明治時代の私たちの先達は，「国家の百年の計」を考えて構想を出し合い，激論を戦わせていたはずです．創業百周年の企業であれば，百年後の企業の姿を考えるのに慣れているかもしれません．社内でそういう議論もしておられるでしょう．いずれにせよ，アフラシア人が地球の総人口の多数派を占めるという状況は1世紀後にいきなり到来するのではなく，これからじわじわと移行していくわけですから，今から舵取りの準備をしておこうというわけです．

　これからアフラシアの人々の存在感が強まるといっても，そこにはいくつか留保条件があります．西洋世界においては，白人たちがアジアとアフリカの子だくさんの貧乏人に包囲されるという恐怖感が，黄禍論や黒禍論といった形をとって，これまで公然，隠然と表出してきました．今後，実

際にアジアとアフリカの人口が増え続けて，世界の資源を呑み尽くすことになるのでしょうか．イギリスの経済学者トマス・マルサスが18世紀末の『人口論』で陰鬱に予言したように，飢饉や戦争，伝染病による暴力的な人口調整が行われるまで，地球の人口は爆発的に増え続けることになるのでしょうか．

　そうとは限らないようです．人口の変化を条件づけるのは，出生率と死亡率の変化，直接的にはこの二つの要因だけです．前者の出生率に関連して，まずは，女性の地位向上によって人口増加にブレーキがかかることを指摘しておきたいと思います．女性が家庭の外で働くようになり，避妊が普及し，都市化によって子育てのコストが上昇していく．そうすると，合計特殊出生率（TFR），つまり1人の女性が生涯に産む子どもの数の平均値は低下していきます．ご存知のように日本のTFRは劇的に下がっており，少子高齢化の時代を迎えているわけですが，実はアフリカも例外ではない．図2が示す通り，すでにアフリカの出生率は1980年代から徐々に低下傾向にあります．といっても，アフリカ人の女性が平均して4人，あるいは3人の子どもを出産する間はアフリカの人口は増え続けるわけですが，国連の人口学者チームの想定ですと，2100年までにアフリカのTFRも2に近い水準，つまり人口が増えも減りもしない置換水準にまで低下することになっています．

　この想定が正しいとすれば，22世紀初頭の地球において，アフリカとアジアの住民が80%の多数派を占めるという事態は，終わりのない人口爆発の一局面ではなくて，むしろ定常状態の始まりを示すことになります．そこにどう軟着陸するか，ですね．

　続いて，人口の増加は独立変数ではなく，各国の政策にも左右されるということを指摘しておきたいと思います．私たちが想定できていない事態によって人口転換の経路が大きく変化することもありえます．未来は可変的だということです．たとえば，つい最近廃止されたのですが，1979年に中国は一人っ子政策を導入しました．他方で，同じ1970年代にインドのインディラ・ガンディー政権も中国と似た人口管理政策を導入しようとしたのですが，こちらはあまり知られていません．複数政党制が定着していたインドでは，政府が女性の性をコントロールすることに対する抵抗が

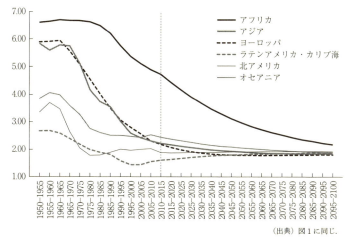

図2 地域別の合計特殊出生率（TFR）の変化予測（中位予測）
（出典）図1に同じ．

巻き起こって，ガンディー政権は政策の本格的な導入を断念したのです．こうやって，中国とインドの人口転換の方向は大きく枝分かれすることになりました．政策の分岐から30余年が過ぎた今，現在の中国の人口は13億強ですが，インドは12億強に達し，これから中国を抜こうとしています．

これらは出生率にかかわるものですが，戦争，大規模な内戦，感染症の広がりなどによって，死亡率が大きく上昇することもありえます．アフリカにおけるHIV／エイズの深刻さが世界に認知されたのは1990年代のことで，80年代には，この大陸での疾病の広がりはまだほとんど知られていませんでした．このように，想定されていない理由による人口変動も起こりうるということです．

マルサスが想定したような人口爆発による破局は，これまでの人類史では実際には起きませんでした．農業生産性の向上によって，人類を養うだけの食糧生産ができてきたことが大きいです．しかし，社会により大きな衝撃を与えるのは，人口の「絶対数」の増減よりも人口の「構成」の変化の方かもしれません．少子高齢化による若年労働力不足と社会保障制度の危機という事態は，日本だけでなく，中国，韓国，東南アジアも，そして遅かれ早かれインドも直面することになります．

これとは対照的に，しばらくは多産多死のパターンが続くと想定される

アフリカでは，増加していく若年人口にどうやってまともな仕事を確保していくかが問題になります．雇用と食糧安全保障を確保することが，人口4倍増時代のアフリカの重要な課題になるわけです．アフリカにおける食糧問題を解決するために農業の近代化，土地の集約的な利用が必要だというのはまったく正しい議論だと思います．その文脈で，アフリカの外部の投機家を巻き込んだ農地の争奪も起きています．しかし，アフリカで労働節約型の近代農業が一気に推進されると，大量の過剰人口が農村から排出されて収拾がつかなくなります．雇用を吸収する家族単位の小規模農家の営農を安定させながら，徐々に生産性を向上させることが大切でしょう．

　以上のような紆余曲折はありますが，これから百年後の世界において，アフリカとアジアの人々が人類の多数派を占めることは間違いなさそうです．その方向に進むとすれば，アフリカとアジアの対話の質が，1世紀後の地球社会の姿を決めていくことになる．というわけで，1955年のバンドン会議の前後の時代に時計の針を戻しましょう．続々と主権国家が誕生した時代に，南の知識人たちはアフリカとアジアのどのような未来を夢見ていたのでしょうか．次の第2部では，20世紀の近い過去を振り返って，アフラシアの共通の価値について考えてみたいと思います．

2　アフラシアの汎民族主義者の夢

　ここではアフリカとアジアから6人の思想家を選び出して，かれらのテキストを紹介していきます．人物の選択も引用部分の選択も，小生の主観的なものですが，とりあえず私が好きな思想家の好きな表現ということで開き直りましょう．

　なぜここで英雄列伝みたいな話をするかというと，歴史学で世界的に伝記ブームが起きているということもありますが，アフリカ研究に従事している若手のフィールドワーカーと話をしていて，これでいいのかな，と感じることがあるのです．たとえば，タンザニアにはよく行くけれどもニエレレのことはあまり知らないとか，ガーナでフィールドワークをやっているけれどもンクルマについては関心がないとか，そういう人と出会うことがあります．私がアフリカ研究を始めた頃だと，良いか悪いかは別にして，民族主義（一国の解放）や汎民族主義（地域の解放）の大きな物語があり，

それに対する反発がありました．ところが若手になると，礼賛も反発もなく，単純にそのあたりの思考が抜けていることが多い．

　もちろん，村落の調査地のレベルでしっかりモノを考えていて，そこからアフリカ世界の特質に鋭く切り込んで，私も脱帽するような若手の研究者は多くいらっしゃいます．ただ，村で暮らす地元の人々にもそれぞれに歴史感覚があって，「国の成り立ち」について意見があるときに，そのあたりの考察を，意識的にせよ無意識的にせよ，避けてしまっていいのかなと思うこともあるわけです．

　では，まずアフリカから始めることにします．アフリカ世界と西洋世界の不幸な接触が本格化したのは 15 世紀末からです．奴隷貿易，そして西洋のアフリカ植民地支配の歴史の長さと深さはアジアの比ではありません．こうした背景のもとで，1900 年のロンドンを皮切りに，パリ，ニューヨークなど各地で汎アフリカ会議が開催されていきました．これらの運動を牽引していたのは，マーカス・ガーヴィー，Ｃ・Ｌ・Ｒ・ジェイムズ，ジョージ・パドモアなど，カリブ海世界出身の多彩なアフリカ系人たちでした．

　1955 年のバンドン会議の時点で，アフリカ諸国の大部分はまだ西洋の植民地支配を受けており，独立には概してアジアより時間がかかりました．南アフリカの解放はずっと遅れて，1994 年でした．20 世紀末までの五百年という長大な時間，アフリカ全土の解放と統一はアフリカの夢であり続けたわけです．

---

(1) エメ・セゼール

　最初にご紹介するのはフランス領マルチニックの詩人，政治家のエメ・セゼールの言葉です．カリブ海のアフリカ系人であるセゼールは，シュールレアリスムをアフリカ的に転回させたネグリチュード運動の主導者でした．バンドン会議が開催されたのと同じ 1955 年，セゼールは『植民地主義論』という力強いエッセイでこう書いています．

　　現代世界における植民地事業は，古代世界におけるローマ帝国主義に等しい．すなわち，災厄の露払い，破局の先触れなのだ．何だって？虐殺されたインド人たち，自己を奪い去られたイスラーム世界，たっ

ぷり一世紀にわたって汚され，歪められ続けた中国世界，価値を失墜させられたニグロ世界，永久に消し去られてしまった厖大な声，散り散りに引き裂かれた家族，これらすべての破壊，これらすべての浪費，対話者不在に陥った人類，あなたがたはこうしたことすべてがただで済むとでも思っているのか？　真実はこうだ．この政策には，ヨーロッパ自身の破滅が内在している．そして，放置しておけば，ヨーロッパは，自らが周囲に作り出した空隙のゆえに破滅することになるだろう（エメ・セゼール［砂野幸稔訳］『帰郷ノート・植民地主義論』平凡社，1997年，171頁）．

　軍事介入とテロリズムが連鎖する今という時代にこのテキストを読み返すと，「ヨーロッパ自身の破滅」という警句が響いてしまうところもあります．舌鋒鋭い西洋批判にもかかわらず，セゼールが使いこなすフランス語は実に美しいです．

　バンドン会議に参加したアフリカ諸国は6カ国だけだったのですが，その後，アフリカでは1956年から65年までに34カ国が独立し，75年までにさらに11カ国が独立を達成します．こうして，カリブ海のアフリカ系知識人からアフリカ大陸の民族主義知識人，政治家たちに，汎アフリカ主義の主導権が移っていくことになりました．

(2)　ジュリアス・ニエレレ

　そのようなアフリカ大陸の政治家としては，ガーナの初代首相クワメ・ンクルマが有名ですが，タンザニアのジュリアス・ニエレレ大統領も尊敬を集めました．ニエレレは，1962年の『ウジャマー──アフリカ社会主義の基礎』という書物のなかで，独立後のタンザニアの社会改革の精神を次のように解説しています．

　「ウジャマー」すなわち「家族愛」はわれわれの社会主義を表現している．それは人間の人間による搾取にもとづいて幸福な社会をつくろうとする資本主義に反対し，また，人間と人間の不可避の対立という哲学によって幸福な社会をつくろうとする教条主義的社会主義にも反

対する．われわれは，アフリカでは民主主義を「教えられる」必要がないのと同様に，社会主義に「改宗する」必要もない．どちらもわれわれ自身の過去—われわれをつくりだした伝統的社会のなか—に根をもっている．近代のアフリカ社会主義は「社会」を基本的家族単位の拡張として考える伝統的遺産からひきだしうる（ジュリアス・ニエレレ［林晃史訳］「家族的社会主義の実現」［西川潤編『アフリカの独立』平凡社，1973 年，所収］，284-285 頁）．

　村人たちの共同行動を組織するウジャマー社会主義は，中国の文化大革命の影響も受けていましたが，基本的にはアフリカの家族的価値観の復興運動だと考えられていました．ただし，村落を超えた共同行動はタンザニアを含むアフリカ農村では一般的な慣行ではなく，その意味でウジャマー共同体は，過去の復興というよりは「想像された共同体」だったとも言えます．ニエレレの改革は短期的にはあまり成功しなかったのですが，独立後の公共行動のデザインとしてウジャマーの自力更生の哲学が人々の心をとらえた面は確かにあって，タンザニアの独立後の政治的安定の礎を築きました．

　ニエレレは引退後もタンザニアの庶民から敬愛されていました．1999 年にニエレレが亡くなったとき，私は南アフリカで暮らしていましたが，アフリカ中のメディアが彼の業績を懐かしく回顧していたのが印象的でした．

(3) スティーブ・ビコ

　カリブ海のアフリカ系知識人が唱えた汎アフリカ主義と，その次の時代のアフリカ大陸の政治指導者が唱えた汎アフリカ主義，この 2 つの夢を総合したのが，アパルトヘイト（人種隔離）時代の南アフリカに生を受けたスティーブ・ビコでした．彼は，セゼールと同じマルチニック出身のフランツ・ファノンの思想，ヘーゲルの弁証法哲学，そしてアフリカ大陸各地の民族主義思想を見事に融合し，黒人意識というキーワードに昇華してみせました．ビコはその思想の危険性をとがめられて逮捕され，拷問を受け，1977 年に 30 歳の若さで警察署内で生涯を終えました．

われわれは，権力を基礎に据えた西洋人の社会を拒否する．それは，技術上のノウハウを完全なものにすることにかかりっきりで，精神的次元で失敗しているように思われる．長い目で見れば，アフリカはこの人間関係の分野で世界に対し特別な貢献をするだろうとわれわれは思う．世界の強大な国々は，世界に工業と軍事の外観を与えるのに奇跡的な成功を収めてきたかもしれない．だが，偉大な贈り物がまだアフリカから届いていない――世界にもっと人間的な顔を与えるという贈り物が（スティーヴ・ビコ［峯陽一・前田礼・神野明訳］『俺は書きたいことを書く――黒人意識運動の思想』現代企画室，1988 年，95 頁）．

　ビコの思想は再評価が進んでいて，今の南アフリカの大学生には「ビコイスト」と呼ばれる元気な若者がたくさんいます．もっとも，かれらがビコのテキストを精読している様子はなく，大丈夫かな，と思ってしまうところがあります．

　それでは次に，私たちもその一員であるアジアに目を向けることにしましょう．西洋世界との非対称的な関係が 15 世紀から続いたアフリカと比べると，アジアの植民地化はやや遅れて始まり，やや早く終わりました．中国であれ，インドであれ，西アジアであれ，巨大な文明が存在していた場所では植民地支配の恥辱が非常に強く感じられていました．日露戦争における日本の勝利がアジアとアフリカに希望を与えたというのも，歴史的な事実として確かにあります．しかし，20 世紀前半に日本は出口のない戦争に向かい，戦後のアジアは冷戦体制のもとで幾重にも引き裂かれました．近年，東アジアの経済成長と中国の勃興によってアジアの国際関係が大きく変化しつつあるのは，ご存知の通りです．
　アジアの汎民族主義については，冷戦時代を飛び越えて，20 世紀の前半にまで遡ってみたいと思います．東アジアと太平洋で総力戦が戦われる前の時代，当時のアジアの汎民族主義者たちは，いったいどのような夢を見ていたのでしょうか．

（4） ラビンドラナート・タゴール

まずは，インドの思想家ラビンドラナート・タゴールです．彼は 1924 年に中国を訪問して，アジアの未来を展望する講演旅行を行いました．中国では政治的に警戒されて，あまり歓迎されなかったようです．

タゴールによれば，西欧の民族主義の核心には戦闘と征服の精神が潜んでいます．ある講演でタゴールは，アフガニスタンのエピソードを紹介しました．イギリスの爆撃機がマスードの村落を爆撃した後で不時着し，パイロットが生き延びました．そこに一群の人々がやって来て，パイロットの命を救ったそうです．怒った他の村人たちにパイロットが殺されないように，民族衣装を着せてこっそり安全なところに運んで逃がしてあげたというのです．タゴールは，西洋世界が開発した兵器と武器を「子どものおもちゃ」にたとえて，こう言います．

> 人間の理想の活動の領域には，徹頭徹尾，人間性の全体が含まれています．この理想の光は，放散するゆえに穏やかであり，その生命は，すべてを包摂するゆえに温和です．それは大きいがために曇りなく，包括的であるがために柔和です．これにたいして，わたしたちの熱情は狭く，その領域が限られているために，かえって情熱に烈しい衝動を与えます．こうした攻撃的な欲望の力が，最近，西洋人のこころをとらえてしまったのです．これはきわめて短期間に起こりました．しかも地球上の時間と空間をことごとく窒息させるほどの急激な物の氾濫を惹き起こしてしまったのです．いまや，人間的であったいっさいのものが，こなごなに粉砕されています（ラビンドラナート・タゴール［森本達雄編訳］『原典でよむタゴール』岩波書店，2015 年，115 頁）．

欲望の否定．ガンディーの思想を思い起こさせるところがあります．興味深いことにタゴールは，同じ講演のなかで，中国人の聴衆に向かって，「この卑しむべき貪欲の末裔が，すでに貴国の美しい肢体の上にも，おそらく世界の他のどこよりも大きく口を開けて待ち構えているのに気づいておられることと思います」（同上，119 頁）と警鐘を鳴らしています．

(5) 岡倉天心

　横浜生まれの岡倉天心は，タゴールの盟友，親友でした．岡倉もアジア主義者でしたが，アメリカのボストン美術館で仕事をするコスモポリタン的な美術批評家でもありました．英語で見事に自己主張ができる日本人の民族主義者というのは，当時も今も，珍しい存在です．彼が1903年に著した『東洋の理想』という本の書き出しはとても有名です．

　　アジアは一つである．ヒマラヤ山脈は，二つの強大な文明，すなわち，孔子の共同社会主義をもつ中国文明と，ヴェーダの個人主義をもつインド文明とを，ただ強調するためにのみ分っている．しかし，この雪をいただく障壁さえも，究極普遍的なるものを求める愛の広いひろがりを，一瞬たりとも断ち切ることはできないのである．そして，この愛こそは，すべてのアジア民族に共通の思想的遺伝であり，かれらをして世界のすべての大宗教を生み出すことを得させ，また，特殊に留意し，人生の目的ではなくして手段をさがし出すことを好む地中海やバルト海沿岸の諸民族からかれらを区別するところのものである（岡倉天心［富原芳彰訳］『東洋の理想』講談社学術文庫，1986年，17頁）．

　地中海やバルト海沿岸の人々を特殊に拘泥する海洋民族として特徴づけるのは，そもそも日本も海洋民族の国ですし，いささか先走りすぎではないかと思うのですが，岡倉天心は中国とインドの大文明を統合するところに日本文化のオリジナルな価値があると考えていたというのは，とても面白いと思います．間にいるからこそ，総合的なアジェンダを出せるというわけですね．さて，西洋とアジアの間については，どうでしょうか．

(6) 孫文

　最後に中国の人士にお出ましいただきましょう．孫文です．世界のあちこちで両大戦間期はとてもダイナミックな時代だったと思うのですが，タゴールが中国で講演旅行をしていたのと同じ1924年，孫文は日本の神戸で，まさに「大アジア主義」と題された有名な演説を行っています．

わたくしはいま，大アジア主義について話し，ここまで研究してきた
のですが，結局，問題はどういうことなのでしょうか．かんたんにい
えば，それは文化の問題であり，東方文化と西方文化の比較と衝突の
問題であります．東方の文化は王道であり，西方の文化は覇道であり
ます．王道を語るのは仁義道徳を主張することであり，覇道を語るの
は功利と強権を主張することであります．仁義道徳を語るのは，正義
と公理によって人を感化することであり，功利と強権を語ることは，
鉄砲と大砲をもちいて人を圧迫することであります（孫文［堀川哲
男・近藤秀樹訳］「大アジア主義」［小野川秀美責任編集『孫文・毛沢東』
中央公論社，1980 年，所収］，263 頁）.

　孫文はこの前後の部分で，「中国を宗主国とすることを心から願って」
いるネパールの朝貢外交を高く評価して中華の地域秩序を正当化していま
すが，これなどは抵抗を感じます．しかし，孫文は，この講演を次のよう
な挑戦的なメッセージで締めくくりました．「あなたがた日本民族は，す
でに欧米の覇道の文化を手に入れているうえに，またアジアの王道文化の
本質をももっておりますが，いまより以後，世界文化の前途に対して，結
局，西方覇道の手先となるのか，それとも東方王道の干城となるのか，そ
れはあなたがた日本国民が慎重にお選びになればよいことであります」
（同上，266 頁）．西洋か，東洋か，お前たちはどちらの側につくのだ，と
いうことですね.
　この孫文の問いかけは，日本だけでなく，潜在的にはアジアとアフリカ
において成功したすべての国々に向けられている側面もあると思います.
現在の中国にも無縁ではないでしょう．アフリカでは，ヨーロッパ系やア
ジア系の住民が多い経済大国の南アフリカを他のアフリカ諸国がどう見て
いるか，というあたりも関係してきます.

　ここで引用した 6 人を含めて，20 世紀のアフラシアの思想家たちが書
いたものを読み込むうちに，私は，これらに共通する思想のエートスが 3
つあると考えるようになりました．「アフリカとアジア」ではなく，「アフ

ラシア」というまとまりを正当化するような共通性です．第1に，とても強烈で倫理的な西洋批判が共有されています．軍事支配や物欲といった悪徳はすべて西洋に関連づけられています．アジア，アフリカにはそんな邪悪さは存在しないし，そうであってはならないというわけです．今の時点で当時のテキストを読み返すと，批判の調子が辛辣すぎるという印象を受ける向きもあるでしょうが，植民地支配の時代に覚醒したアフリカとアジアの知識人にとって，当時の隷属がいかに屈辱的で生々しかったかということを忘れてはならないと思います．

　第2に，普遍的な価値に対する個別的な文化の貢献が強調されています．あるいは，個別的な文化でもオルターナティブな普遍の枠組みを提示できると期待される．西洋から発せられる普遍主義に対して，アフリカやアジアの個別，村のレベルに現れる個別，そしてたとえば，家族の「族」的な文化が対置されます．しかも，そうした文化はただ単に西洋の悪徳に対峙するというだけでなく，普遍的な意味を持っていて，それが究極的には人類全体の解放に貢献するという夢が語られる．3番目に読み取れるのは，空間の広がりです．たとえば，ガーナの解放の先にアフリカの解放を夢見る，インドの解放の先にアジアの解放を夢見る，というわけです．ここにあるのは民族主義というよりも汎民族主義であり，国益を超える，あるいは国益を滅却するところに国益を見るといった構え方が共通するのではないかと思います．

　これらの6人は男たちばかりですが，22世紀の汎民族主義者には大勢の女たちが入ってくるかもしれません．あるいは，こういう誇大妄想的な地域主義に毒されるのはしょせん男ばかりだろう，ということなのかもしれません．いずれにせよ，バンドン会議の後はどうなったかといえば，インドの思想家ディペシュ・チャクラバルティが言うように，アジアとアフリカの汎民族主義の夢は，おおむね国民国家の枠組みに回収されていくことになりました．そして，それぞれの国家の指導者たちは，温和な「教師」として，国民国家という教室を単位として民族主義を堅実に舵取りしていく役割を果たすことが期待されるようになりました．

　そういえば，ニエレレの愛称はムワリム（先生）でした．私自身も教員という職業なので，先生が民衆に慕われるというのは悪くない気がします．

が，地域に開かれた汎民族主義が教室に閉ざされた国民主義へと牙を抜かれてしまった面は確かにある．そうであるだけに，2005 年，2015 年になって，アフラシアの諸国家が再びバンドンに集まり始めたのは興味深いことです．20 世紀の汎民族主義の思想と実践に対する需要が，今でも根強く残っているということかもしれません．

3　歴史から学ぶ

　最後の第 3 部では，さらに歴史の歯車を遡ることにしましょう．アフラシアというキーワードはアフリカとアジアをつなげた造語ですが，これは地勢や生態系，歴史や文化といった観点から必然的に定義される地域ではなく，あくまで西洋との関係で政治的に定義される地域です．つまり，アフラシアという地域のまとまりを正当化するのは，植民地支配への反作用という枠組みだけだということになります．

　ところが今，西洋の植民地主義に起源をもつ南北問題の清算が，少なくとも部分的には実現しつつあるように見受けられます．経済力については，西洋とアフラシアの力関係は逆転しつつあります．そうなると，アフラシアについて語る意味はなくなってしまうのでしょうか．ここをもうちょっと詳しく考えてみましょう．

　グローバルヒストリーの世界では，様々な論者たちが「アジアの再興」について影響力のある議論を展開しています．たとえば，もともとラテンアメリカを拠点とする新従属論学派の旗手だったアンドレ・グンダー・フランクは，1998 年に『リオリエント』という書物を発表して話題になりました．1400 年頃から 1800 年頃まで世界経済の中心は中国であり，西洋を圧倒していたというのです．西洋は，ラテンアメリカで銀を掘り出し，これを無償の決済手段として中国に支払うことで，当時の先端的な製造業産品を中国から大量に輸入していました．経済史家ケネス・ポメランツは，2000 年に発表した『大分岐』のなかで，中国が西洋を圧倒していたとまでは言わないまでも，もともと西洋と中国の発展水準は同等であり，双方の経済は驚くほどよく似ていたと主張しています．西洋が中国を圧倒する「大分岐」が始まるのは 18 世紀以降のことにすぎないというのです．さらにジョヴァンニ・アリギは，『北京のアダム・スミス』という一風変わ

ったタイトルの本のなかで，内発的で自然な「スミス的」な経済成長の経路をたどったのは中国の方であり，西洋世界は軍事力と対外貿易に依拠する不自然な発展経路をたどった，と主張しています．速見融，杉原薫といった日本の経済史家は，産業革命（industrial revolution）と対比させる形で，労働集約的な東アジア経済の勤勉革命（industrious revolution）の意義を指摘して，世界的に注目されています．

　これらはすべて有力で，非常に興味深い仕事なのですが，広域的なアフラシアの枠に位置づけようとすると，ひとつ大きな問いが生じます．一方には西洋の発展があり，他方には東アジアの発展がある．後者にはある程度まで南アジアを加えてもいいでしょう．そして，植民地化以前の時代を含めて，西洋世界とアジア世界の経済発展をシーソーゲーム的な関係として理解するのですが，さて，このユーラシア世界の西端と東端の発展経路は，果たしてアフラシアの他の地域に適応可能なのでしょうか．端的に問題意識を表明しますと，東アジア世界（そしてヨーロッパ）と対比したとき，アフリカ世界と東南アジア世界の歴史には固有の発展のロジックが存在してきたのではないか，ということです．

　社会の編成原理として，土地が豊富な社会，つまり労働が相対的に希少な社会では，政治システムは分権的に，農業は粗放的になる傾向があります．首長国や王国の内部で資源や政治権力をめぐる紛争が起きても，それらの政体が広大なフロンティアに囲まれているならば，不満を持つ者もそこで主君と喧嘩する必要はなくて，集団で退出して別のところに新しい統治体を作ればいい，というロジックが働くでしょう．アルバート・ハーシュマンが「国家なき社会における足で投票する民主主義」と呼んだメカニズムが機能するわけです．そうすると，政体は分裂と統合を繰り返して，それらの境界線も絶え間なく流動していくことになり，フィールドワーカーが10年後に調査地を訪問してみると，村が跡形もなく消え去っていることもある．しかし，移動可能な空間を全体として見ると，そこには社会的な均衡が成立しています．

　考古学の知見を利用したアフリカ史の再構成の作業も着実に進んでいます．ある時期に強大な王国や帝国が生まれるのですが，局地的な人口集中で生態系が維持できないなど様々な理由があって，いつの間にか消滅して

いるという事例が大陸のあちこちに見られます.

　主がいない土地が周囲に豊富に存在するとき，土地は世襲の不動産になりにくい．世襲の不動産が存在しないならば，世代を超えて貧困層が固定化されるということにもなりにくい．土地に比して労働が不足するので，領土の拡張よりも人間の捕獲が戦争の目的になります．16世紀から19世紀の奴隷貿易の時代に西アフリカで奴隷狩りを主目的とする戦争が繰り返された背景にも，こうした理由があったとされています.

　アフリカにもいろいろな場所があるので，あくまでマクロに見た話をしているのですが，植民地化以前の時代のサハラ以南アフリカや東南アジアの社会は，ここで述べてきたような意味で非常に流動的な社会でした．人類学者，歴史学者の仕事としては，イゴール・コピトフ（アフリカのフロンティア的行動様式），アンソニー・リード（東南アジアの交易ネットワーク），ジェームズ・スコット（東南アジア高地のゾミア），クリフォード・ギアツ（バリの劇場国家）などの作品がよく知られています．土地希少社会と土地豊富社会とでは，自由と不自由の組み合わせのパターンが大きく異なっていたということでしょう.

　実際，植民地化以前のアフリカと東南アジアには，中央集権的で硬質な国家はあまり存在していませんでした．西洋との接触以前，千年単位の歴史によって形づくられた分権的で流動的な社会の特質は，現代のアフリカ連合（AU）や東南アジア諸国連合（ASEAN）などの地域機構の組織原理にも影響を与えている気がします．欧州連合（EU）はギリシャやポルトガルに対して緊縮政策を要求し，組織内の小国を無理矢理締め上げるような厳しい態度をとったことがありますが，こういうスタイルのポリティクスはAUやASEANでは見られません．組織内の大国と小国が共存しながら，コンセンサスで物事を決めていく．外から見ていると非常にまどろっこしくて，あまり効率的ではないことが多いのですが，分権的で協調的な枠組みで内部のもめ事を解決していくスタイルは，アフリカと東南アジアではそれなりに定着しています．これからアジアインフラ投資銀行（AIIB）や「一帯一路」構想がアフラシア全域を包含し，こうしたスタイルを取り込むことができるか，たいへん興味深いところです.

　第2部でご紹介した汎民族主義の思想家たちは，西洋列強の傲慢な態

度に対する怒りと憤りを共有していました．西洋中心主義を批判するかれらの言説に今でも正当性があるとするならば，同じロジックによって，アフラシアの内部における集権的国家（それは中国だったり，インドだったり，もちろん日本だったりもします）の覇権的な態度に対する批判，つまり，地域の内部で「まるで西洋列強のように」振る舞う大国の態度に対する批判が，正当化されることになると思います．大きな空間的秩序のなかで，相対的に小さなユニットの希求を受け止めることができるか．そこが問われると思うのです．

　ここまでの議論をふまえて，今日のお話の最後に，アフラシアの未来像についてコメントしておくことにしましょう．未来の方向として大きく2つの可能性があるのではないか，と私は考えています．

　まず，アフラシアが内部で両極分解していくという経路です．ラテンアメリカ支配と奴隷貿易があってはじめてヨーロッパ資本主義が興隆したことは，近年では共通認識になってきています．そして今，中国，日本，アジア新興国の経済成長は，石油や希少金属を含むアフリカの資源に大きく依存しています．歴史家ウィリアム・マクニールであれば「マクロ寄生」と呼ぶはずの状況です．南の途上国が団結していた1970年代には，アフリカなどの資源輸出国の収入を安定化させる国際的なスキームが欧州連合や国際通貨基金（IMF）で議論され，実際にある程度まで機能していましたが，南の国々が分裂した今では顧みられることもありません．今後の世界経済が新たな通貨危機，金融危機，資源価格の暴落といった事態を迎えることになれば，すでに多様化した経済構造をもつアジアの経済大国は厳しい調整を強いられるでしょうが，特定の品目の資源輸出に依存するアフリカ諸国の経済は，調整どころか壊滅的な打撃を受けかねません．生き残る国々と生き残れない国々へのアフラシアの分裂という事態をどこまで想定しておくかが，大切な課題になるでしょう．

　以上が分裂の経路だとすると，他方で，アフラシアの収斂という経路もありえます．ここで思い出して頂きたいのは，冒頭でお話ししたように，今後の百年間でアフリカの人口が4倍増する方向でグローバルな人口転換が起きていく可能性が高いということです．中国，日本を含む東アジア諸国，東南アジア，南アジア，西アジアの広大なアジア地域の人口を合わ

せて，ようやくアフリカ大陸の人口に匹敵する．こうした状況がアフリカそのものにとって何を意味するのか，考えなければなりません．

これについては，ジョン・アイリフという歴史家が，『アフリカの貧者』という書物で興味深い議論を展開しています．アフリカのなかでもヨーロッパ人の大規模な入植を経験してきた南部アフリカ地域では，数世紀にわたる土地収奪の歴史のもとで，家族単位で再生産される世襲の構造的貧困，つまり，アジアやヨーロッパの土地希少，労働豊富経済と重なる貧困のパターンがすでに見られるようになってきているというのです．アフリカの姿が，少しずつ，現在のインドや中国の姿に近づきつつあるということになります．それは問題であると同時に，希望でもある．アフリカの若者の健康と教育に十分に投資し，食糧生産と農村開発の努力を怠らなければ，人口増加があっても，あるいは人口増加があるからこそ，アフリカが労働集約化型の工業化の経路をたどるシナリオが現実味を帯びてくることになります．人口転換とともに，中央権力による捕捉力の弱さといったアフリカのガバナンスの特徴も，良かれ悪しかれ，変わっていくことになるのかもしれません．経済発展においてアフリカがアジアに収斂するという方向を想像することができるし，すでにその兆候もあるということです．

分裂か，収斂か．それぞれの相対的な重みは時間軸をどうとるかにもよると思いますが，これらの2つの経路が絡み合いながら，アフラシアの姿は22世紀に向かって具体的な形をとっていくでしょう．

今日のお話の第1部で触れたマルサス的な想定のもとでは，人口が増えると一人あたりの資源が希少になっていくので，人々は窮乏化していきます．しかし，デンマークの開発経済学者エスター・ボズラップは，マルサス主義とは異なるロジックを提示しています．彼女によれば，共同体に急激な人口増加といった危機の局面が訪れると，人々の問題解決能力が引き出され，農業技術の急激な革新が起きるかもしれません．これは日本を含めてアジアの各地で実際に見られたことです．災い転じて福となる．ただし，創発が行われるかどうかは事前に決まっていることではなく，そんなことは起きないかもしれない．いずれにせよ，キャパシティ・ディベロプメント（能力開発）が重要だということになります．

地球の人口は，これから永遠に増え続けるわけではないにしても，アフ

リカを中心にある程度まで増加して，資源に対する圧力が格段に強まることは間違いありません．悲観的になりすぎる必要はありませんが，資源と人間の関係，そして社会のあり方を大胆に再編する知識を創出し，伝播していくことが本当に大切になります．そのためのキャパシティ・ディベロプメントの拠点として，アフラシアという空間に位置する大学という場，そして諸大学のネットワークが，大きな役割を果たしていくことになるでしょう．東京大学という非常に影響力のある大学での講義だからこそ，アフラシアの次世代の担い手を育てる高等教育機関の役割の大切さを強調して，私のお話を締めくくらせていただきます．

Q&A　講義後の質疑応答

Q 「アフラシアを夢見る」というタイトルですが，アジアとアフリカという，地理的にも歴史的にも離れているところをひとつにするのに違和感があります．一緒に経済成長していこうということであればわかるのですが，地域としての一体感となるとイメージしにくい．これからアジアが経済成長を維持して，西洋の経済的なプレゼンスが落ちていくと，これまで西洋がアフリカに対してやってきたようなことを，アジアがアフリカに対してやりはじめるのではないか．そのような意味で，収斂というよりは，分裂のほうに移っていく気がします．いかがでしょうか．

A アフラシアというフレームの話をしている人は他にほとんどいませんので，違和感をもたれて当然だと思います．もっとも，ここでは，アフラシアが政治ユニットになって常備軍を持つべきだとか，西欧や米国に仕返しをすべきだとかいう極端な話をしているわけではありません．広大なアフラシアで自由貿易圏をつくって経済統合を目指そうという話をしているわけでもありません．

　アフラシアというのは，孫文の言い方を借りれば，基本的には文化の問題だと思うのですね．松本健一さんが竹内好の議論を展開しながら，アジアが西欧的価値を「包み直す」という興味深い展望を示されたことがあり

ます．虐げられた者が虐げた者を許し，超越的な価値を示すという構図は，アパルトヘイトと訣別した南アフリカでも見られました．アフリカであれアジアであれ，共通経験として想定されているのは植民地的な経験ですが，今の時点でこの共通経験にこだわるとすれば，それは「反西洋」というより，「かつて西洋人が振る舞ったように同胞に振る舞ってはならない」と主張することになるのではないかと思います．これは，アフラシアの収斂を促進するものではないにしても，少なくとも，アジアとアフリカの搾取的な分裂に対する道義的な歯止めにはなるのではないでしょうか．

　アフラシアが地域的なフレームの外部から学ぶ回路も，オープンにしておく必要があると思います．だからこそ，現在の西洋世界において多彩な文化集団の共存をあきらめる動きが強まっているのは，気になるところです．いずれにせよ，分裂を避けられるかどうかは事前に決まっているわけではありません．お答えになっているのかどうかわかりませんが，私たちが主体的にどのような道を選ぶか，ということでしょうね．

Q　モノの氾濫，手段へのこだわり，攻撃的な欲望，工業的なもの，軍事的なもの，搾取と対立，破壊と浪費といったことについて，アフラシアの人たちが西洋を激しく批判する時代があり，このような批判の心がアフラシアに残っているとしたら，これから面白い社会が到来するかもしれないと思います．しかし，今の自分を振り返ると，まさに非難の対象である西洋的な価値観にどっぷりと浸かっている気がします．アフラシアの人たちの価値観が西洋的な物質的な価値観に近づいている印象もあります．アフラシアの夢は本当に実現できるのでしょうか．

A　日本人か，ガーナ人か，中国人か，インド人かを問わず，それぞれが内部に似たような矛盾を抱えているのだろうと思います．6人の思想家たちが西洋的なものとして糾弾した邪悪な価値観は，実際には私たち一人一人のなかにあって，他の相対立する価値観と混在しているのではないでしょうか．ただ，客観的な条件というものもある気がします．個人の欲望にかかわらず，人口が増えると単純に資源を節約せざるをえないわけで，そこから倹約が共同体の美徳になっていきます．日本も含めて先進諸国では，今後百年，ものづくりによる高度経済成長の再来はありそうにない．タイ

の「足るを知る経済」もそうですが，世界のどこであれ，少なく消費して心を豊かにする方向に向かう条件ができつつあるかもしれません．

　アフラシアというのは思考の一段階でしかなく，一度くぐり抜けた後は，そのような枠組みは消えてしまってもいいのかもしれません．個別の次元をくぐった後は，普遍的な次元で決着をつけるという話になるわけです．そう考えると，アフラシアは，外に壁をつくってまとまっていくというよりは，内部で向き合って互いを発見していく場になるのだろうと思います．アジアという地域については近親憎悪も含めて語り尽くされています．アジアにおいてアフラシアを語ることの意義は，今回の企画の趣旨とも関連しますが，アジアの「内的な他者」としてのアフリカを，地域のフレームに加えたところにあると思います．

　最後にひと言．アフラシアの夢を実現するためには，トインビーが名付けた狭い意味での「アフラシア」，つまり中東・北アフリカの未来を正面から考える必要があります．アフリカとアジアをL字型につなげる結節点です．イスラームは，アジアだけでなくアフリカでも，広い範囲で土着の文化の一部になっています．この「アフラシアのへそ」の平和をどのような形で回復するかによって，地域の未来が大きく左右されていくのではないでしょうか．

参考文献

アリギ，ジョヴァンニ『北京のアダム・スミス—21世紀の諸系譜』（上野友也他訳，作品社，2011年）．

岡倉天心『東洋の理想』（富原芳彰訳，講談社学術文庫，1986年）．

ギアツ，クリフォード『ヌガラ—19世紀バリの劇場国家』（小泉潤二訳，みすず書房，1990年）．

スコット，ジェームズ『ゾミア—脱国家の世界史』（池田一人他訳，みすず書房，2013年）．

セゼール，エメ『帰郷ノート・植民地主義論』（砂野幸稔訳，平凡社，1997年）．

セン，アマルティア『自由と経済開発』（石塚雅彦訳，日本経済新聞社，2000年）．

孫文「大アジア主義」（堀川哲男・近藤秀樹訳，小野川秀美責任編集『孫文・毛沢東』中央公論社，1980年，所収）．

タゴール，ラビンドラナート『原典でよむタゴール』（森本達雄編訳，岩波書店，

2015 年).

トインビー, アーノルド・J『歴史の研究』(第 1 巻)(蠟山政道・阿部行藏訳, 社會思想研究會出版部, 1949 年).

ニエレレ, ジュリアス「家族的社会主義の実現」(林晃史訳, 西川潤編『アフリカの独立』平凡社, 1973 年, 所収).

ビコ, スティーヴ『俺は書きたいことを書く―黒人意識運動の思想』(峯陽一・前田礼・神野明訳, 現代企画室, 1988 年).

フランク, アンドレ・グンダー『リオリエント―アジア時代のグローバル・エコノミー』(山下範久訳, 藤原書店, 2000 年).

ポメランツ, ケネス『大分岐―中国, ヨーロッパ, そして近代世界経済の形成』(川北稔監訳, 名古屋大学出版会, 2015 年).

マクニール, ウィリアム・H『疫病と世界史』(上・下)(佐々木昭夫訳, 中公文庫, 2007 年).

松本健一『竹内好「日本のアジア主義」精読』(岩波現代文庫, 2000 年).

マルサス, トマス・ロバート『人口論』(永井義雄訳, 中公文庫, 1973 年).

リヴィ―バッチ, マッシモ『人口の世界史』(速見融・斎藤修訳, 東洋経済新報社, 2014 年).

リード, アンソニー『大航海時代の東南アジア (1) 貿易風の下で』(平野秀秋・田中優子訳, 法政大学出版局, 2002 年).

Acharya, Amitav, and Barry Buzan eds. *Non-Western International Relations Theory: Perspectives on and beyond Asia* (Abingdon, Oxon: Routledge, 2010).

Austin, Gareth, and Kaoru Sugihara eds. *Labour-Intensive Industrialization in Global History* (Abingdon, Oxon: Routledge, 2013).

Boserup, Ester. *The Conditions of Agricultural Growth: The Economics of Agrarian Change under Population Pressure* (London: George Allen & Unwin, 1965).

Chakrabarty, Dipesh. 2010. "The Legacies of Bandung: Decolonization and the Politics of Culture," in *Making a World after Empire: The Bandung Moment and Its Political Afterlives,* ed. Christopher J. Lee (Athens, Ohio: Ohio University Press) 45–68.

Hirschman, Albert O. "Exit, Voice, and the State," *World Politics* 31, no. 1 (1978): 90–107.

Iliffe, John. *The African Poor: A History* (Cambridge: Cambridge University Press, 1987).

Kopytoff, Igor, ed. *The African Frontier: The Reproduction of Traditional African Societies* (Bloomington: Indiana University Press, 1987).

峯先生のおすすめの本

ミシュラ，パンカジ『アジア再興―帝国主義に挑んだ志士たち』園部哲訳（白水社，2014 年）．

峯陽一『現代アフリカと開発経済学―市場経済の荒波のなかで』（日本評論社，1999 年）．

あとがき

　本書は 2015 年 9 月から 11 月にかけて 10 回に及ぶ講義で実施された「グレーター東大塾　飛躍するアフリカと新たなる視座」の講義録をもとに，担当講師自身による加筆修正を加え，編集されました．本講座は 2010 年に開始されたグレーター東大塾の第 10 回目として，地域研究系としてはアジア，中国，ロシアに次いで 4 番目にアフリカをテーマに開講しました．その 1 年ほど前にロシア講座を担当されていた渡邊日日先生（社会人類学・シベリア民族誌）より声掛けいただき，私，関谷雄一が副塾長をお引き受けし，塾長を遠藤貢先生（国際政治学・アフリカ現代政治）にお願いしました．

　準備を始めた 2014 年秋当時のアフリカと言えば，1 年前に横浜で開催された第 5 回アフリカ開発会議（TICAD V, 2013 年），西アフリカエボラ出血熱流行（2013〜5 年）やボコ・ハラムによるナイジェリア女子生徒拉致事件（2014 年）などが，まだ記憶に新しく，引き続く中期的話題として中国経済のアフリカ進出，昨年（2016 年）頃から現在（2017 年）もなお続いているアフリカ諸国の大統領選挙とそれによる政情不安の話題がありました．長期的話題としてはグローバル資本による土地収奪やイスラム過激派集団によるテロ，経済難民問題があったと記憶しております．

　本書を手に取っていただければ分かるのですが，遠藤塾長の重厚な研究者ネットワークで瞬く間に決まった 10 人の講師の顔ぶれは実に多様です．皆がアフリカというフィールドに軸足を置いているものの，様々なテーマを研究しており，視点もミクロとマクロの双方があり，学問領域も，国際政治学，国際関係論，開発経済学，アフリカ地域研究，文化人類学，人文地理学と多岐にわたっております．

　アフリカに焦点を当てた本講座のタイトルを決める時に想定された共通の話題は，グローバル化した世界の中で現代アフリカが政治，社会，文化，外交，地誌等の各方面で劇的に変化している，ということでした．ステレオタイプ的なイメージである「貧困にあえぐ大陸」から，豊富な資源とビジネスチャンス

が潜む「希望の大陸」へ変貌を遂げつつあるアフリカの現状を，研究上の最先端の視座から捉え直す場を提供する講座を想像しておりました．いみじくも「飛躍するアフリカと新たなる視座」という文言が遠藤塾長の口から流れるように出てきたとき，この講座は必ずや面白くなると予想しました．

　各講師の講義テーマの特徴を捉え，講義の流れをマクロな視座からミクロな視座へ，そして再びマクロ的に俯瞰する作業につながるよう，各回の講座の順番を定めるようにしました．社会人のための講座であることも意識し，学術的な話と実践的な話題をバランスよく提供することも考えねばなりませんでしたが，これも各講師がそれぞれ程よく話題を調整してくれて調和が保たれました．この点は既にアフリカ研究者同士，お互いを知るベテラン講師陣の絶妙な協調と配慮があったのでは，と推測しております．

　受講生数は，前年に受講生集めに苦労したとされるロシアの18名をさらに下回る16名でした．ただし，集まった方々は少数精鋭で，仕事上アフリカと関わりを持っておられる方，アフリカの将来性を見込んで自ら勉強を始めている方，中には前年のロシア講座からの継続をされる方もおり，それぞれの視点からアフリカに強い関心を持つ熱心な受講生をお迎えすることができました．こうした背景には卒業生室の岡崎洋士さん，綿貫敏行さん，三島龍さんのご尽力が大きかったのだと想像しております．

　2015年9月からスタートした講義は，おおよそ毎週1回の頻度で18:30—21:00の2時間半でしたが，毎回が時間を忘れるほど充実した展開でした．各講師が写真，資料やデータをパワーポイント等で示しながら進める講義は，大学の普段の講義のようでしたが，講義の後で設けられている質疑応答の時間で大変性質の違うものになりました．講師陣が逆に学ばれる質問も出てきて，アフリカ研究者として驚かされたことも多々ありました．本書の各講義で記されているQ&Aコーナーのやり取りは，ほんの一部を反映させたもので，実際には豊かな議論の応酬があり，それこそが話題に強く関心を寄せる社会人講座の面白さだと実感しました．

　また，講義にオブザーバー参加をして下さった外務省アフリカ部，経済産業省中東アフリカ課の方々からのコメントを各回終盤でいただいておりました．時にはその充実したコメントで再度，出席者が考えさせられ，また議論が盛り返される勢いとなり，授業が定刻通り終わらない場面もあり，卒業生室の方々にはご負担をおかけしましたが，それもよい思い出としていただければ幸いで

す.

　本書が仕上がったのは，上記で述べてきた過程の積み重ねと，東京大学出版会の阿部俊一さんの献身的な努力によるものです．予想以上に時間がかかり，本講座に関わって下さった全ての皆様と，本書を今，お取りになった方々をお待たせしてしまい，申し訳なく思います．ただ，お待たせした分，今もなお飛躍し続けるアフリカを捉える最先端の視座を存分に楽しんでいただけますことを心より祈っております．

　2017 年 8 月

関谷　雄一

編者紹介

遠藤　貢（えんどう　みつぎ）

1962年秋田県横手市生まれ．その後秋田市で育つ．

1987年東京大学教養学部教養学科第三国際関係論分科卒業．1993年英ヨーク大学大学院南部アフリカ研究センター博士課程修了．東京大学大学院総合文化研究科国際社会科学専攻助手，東京大学大学院総合文化研究科国際社会科学専攻助教授を経て，現在，東京大学大学院総合文化研究科国際社会科学専攻教授．DPhil．専門は，アフリカ現代政治．

主な著作に，『崩壊国家と国際安全保障：ソマリアにみる新たな国家像の誕生』（有斐閣，2015年），『武力紛争を越える：せめぎ合う制度と戦略の中で』（京都大学学術出版会，2016，編著），『日本の国際政治学3　地域から見た国際政治』（有斐閣，2009年　共編著），など．

関谷雄一（せきや　ゆういち）

1996年から1998年まで，青年海外協力隊員としてニジェール共和国にて砂漠化防止のための緑化推進及び農村開発活動に従事．帰国後，同活動における日本人とニジェール人の相互学習に見出された効果と可能性について組織学習論を用いて考察し，博士学位請求論文として執筆．2004年に東京大学より博士学位を取得．さらに，同学位論文を基に著書『やわらかな開発と組織学習』を出版した（春風社2010）．2000年から2003年まで早稲田大学アジア太平洋研究センター助手，2003年から青山学院女子短期大学教員，2010年にはフランス地中海大学医学部生物文化・人類学研究室に留学，2011年10月より現職．2012年1月以降，「人間の安全保障」の観点から，原発事故後の福島の人々の暮らしや問題点に関しても研究調査活動を継続中．

東大塾　社会人のための現代アフリカ講義

2017 年 9 月 26 日　初　版

［検印廃止］

編　者　　遠藤 貢・関谷雄一

発行所　　一般財団法人　東京大学出版会

代表者　吉見俊哉

153-0041 東京都目黒区駒場 4-5-29
http://www.utp.or.jp/
電話　03-6407-1069　Fax 03-6407-1991
振替　00160-6-59964

印刷所　　株式会社理想社
製本所　　牧製本印刷株式会社

© 2017 Mitsugi ENDŌ, Yuichi SEKIYA *et al.*
ISBN 978-4-13-033074-9　Printed in Japan

JCOPY 〈㈳出版者著作権管理機構　委託出版物〉
本書の無断複写は著作権法上での例外を除き禁じられています. 複写され
る場合は, そのつど事前に, ㈳出版者著作権管理機構（電話 03-3513-6969,
FAX 03-3513-6979, e-mail: info@jcopy.or.jp）の許諾を得てください.

東大塾　社会人のための現代中国講義

高原明生／丸川知雄／伊藤亜聖編　　　　　　　　　　A5 判・304 頁・2800 円

尖閣諸島問題，防空識別権，南沙・西沙諸島問題，経済格差，テロリズム，一党独裁体制．超大国への道をひた走る中国，海洋進出を巡る近隣諸国との緊張，動揺する中国国内，そして市場としての中国．いまの中国をどのようにみればいいのか？　研究の第一線にいる専門家がわかりやすく現代中国を解説した格好の入門書．

東大塾　社会人のための現代ロシア講義

塩川伸明／池田嘉郎編　　　　　　　　　　　　　　　A5 判・312 頁・3000 円

クリミア併合，シリア問題，ガスパイプライン，北極海航路．現在でもなお世界の大国として存在感を示し続けているロシア．ロシアのいまを政治，経済，歴史，外交など多角的な視点から渉猟し，今後の日ロ関係までを射程に，最新の研究成果をもとに分析する．

東大塾　水システム講義　持続可能な水利用に向けて

古米弘明／片山浩之編　　　　　　　　　　　　　　　A5 判・312 頁・3800 円

私たちにとって最も重要な資源である水．近年，気候変動に伴う渇水，集中豪雨の増加，世界の人口増加など，さまざまな水のリスクに対する対応が求められる時代になった．本書は，最新の研究成果を踏まえ，水をあらゆる角度から俯瞰し，持続可能な社会のための水システムを考察する．

ここに表示された価格は本体価格です．御購入の
際には消費税が加算されますので御了承ください．